KB090408

개정판

4차 산업혁명 시대에 맞는

비서실무론

Secretarial Procedures

이지은 저

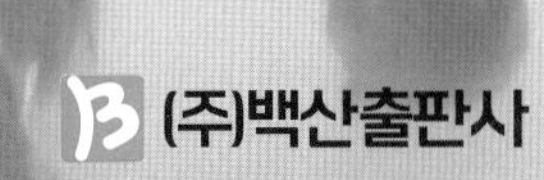

(주)백산출판사

비서의 역할 및 시선은 다양하다

여성비서의 경우 전략비서임에도 불구하고 아직 사회에서는 여성비서가 실질적으로 업무에 참여하거나 의전하는 것에 대해 불편해 하는 시선들이 있다.

저자 또한 직장생활 당시 국내 대기업 그룹총수 비서실의 전략비서, 중간관리자 직급이었음에도 회의 배석, 출장 의전 시 초기에는 유리천장의 벽을 많이 실감하였다. 하지만 더 많은 시간을 업무에 투자하였으며, 더 깊고 집요하게 상사의 지시사항을 분석하여 업무를 수행하였다. 그 결과 나만의, 나만이 할 수 있는 업무분야가 생겼고, 그것이 나의 시그니처가 되었다.

비서실의 중간관리자, 혹은 시니어 비서의 단계에 오르면 광범위한 비서업무 중(일정관리, 출장관리, 의전, 문서 작성, 인맥관리 등) 반드시 자신이 가장 잘할 수 있는, 우리나라에서 이 업무만큼은 본인이 최고라는 자부심을 가질 정도의 업무역량을 키워야 한다.

저자의 경우, 출장 및 의전, 문서 작성, 지인관리업무에서 최고라고 자부할 수 있다. 출장의 경우 상사가 원하는 항공 도착시각을 찾을 수 없으면 원하시는 도착시각의 항공편을 찾을 수 없다는 보고를 하기 전에 도착 공항의 한 달 동안의 모든 항공편명 및 도착시각을 확인한 후 역으로 추적하여 상사가 원하는 도착시각을 찾았으며, 출장 당일 상사가 비행기 안에 있어 연락할 수 없다고 쉬기보다는 만약의 상황에 대비하여 도착국가의 현지상황을 살폈다. 일례로 국가 빅이벤트 기간에 도착국가의 폭설로 인해 회항이 결정된 것을 상사가 비행 중에 확인하였고, 도착 전 공항 내 호텔, 추후 도착국가로의 이동수단 등 모든 준비를 완료하여 상사가 회항장소에 도착하기 전 문자로 보고하였다.

비서는 자신이 얼마나 많은 시간과 노력, 마음을 투자하느냐에 따라 역량이 달라진다.

철저한 노력으로 자신의 업무능력을 향상하는 직업이 바로 비서이다. 스스로 방법을 터득하고, 상사에게 맞춰나가는 외로운 직업이지만, 그만큼 자기 삶의 완성도를 높이는 직업이기도 하다. 저자는 항상 비서생활을 통하여 '인간개조'가 되었다고 이야기한다. 업무태도, 업무능력, 외모, 옷차림, 언행, 어투, 목소리, 생활태도 등이 모두 변화하였기 때문이고, 이러한 변화된 모습들이 현재 내 삶에 큰 영향을 미치고 있다.

많은 사람이 비서는 어떤 일을 하느냐고 묻는다.

저자가 생각하는 비서는 상사가 본연의 업무에 전념할 수 있도록 보좌하고 업무가 원활히 진행될 수 있는 최적의 환경을 만드는 사람이자, 상사의 지위와 입장을 고려해서 할 수 있는 모든 일을 다 하는 사람이다.

미국 카네기멜런대학의 로버트 켈리(Robert Kelley) 교수는 "조직의 성공에 리더가 기여하는 것은 20% 정도이며 나머지 80%는 팔로워들이 기여한다. 훌륭한 리더들은 과거 2인자로도 뛰어났다"고 말했다. 저자 또한 비서로 쌓았던 경험을 기반으로 현재 작은 CEO PI 회사를 운영하고 있다.

늘 너무 어렵기만 했던 상사께서 퇴사일에 이렇게 말씀하셨다.

"여기서 배운 모든 것들이 앞으로 회사를 운영해 나가는 데 큰 밑거름이 될 것이다. 너는 누구보다 자세하고 철저하게 경영수업을 받았으니 앞으로 충분히 잘 해나갈 것이다. 회사의 최고경영자가 되면 늘 자신이 한 말에 책임을 져야 한다. 그렇지 않으면 직원들이 너의 말을 신뢰하지 않을 것이다."

나는 지금도 그 말을 가슴 깊이 간직하며 한번 내뱉은 말은 반드시 지키려고 노력한다. 그것 또한 내가 존경하는 상사의 가르침에 대한 보답이기 때문이다.

상사와 비서는 서로 간의 약속을 이행하고, 존중하며 협조적 관계를 구축할 필요가 있다.

21세기 리더와 비서의 핵심은 '균형(Balance)'이기 때문이다.

2019년 2월

이지은

picceo.jieun@gmail.com

차례

제 1 장

비서의 이해

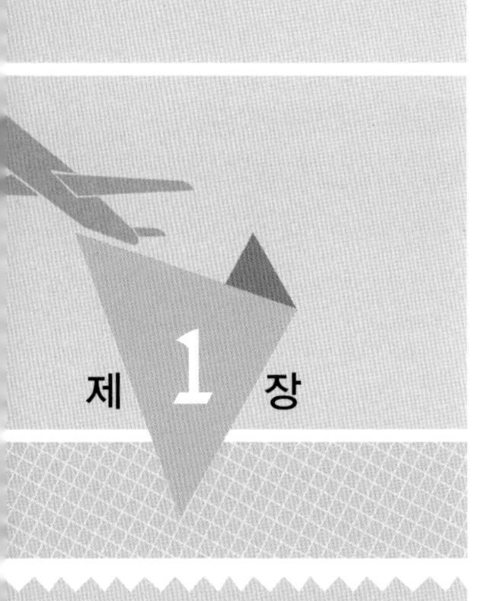

제 1 장

비서의 이해

제 1 절 비서의 개념

비서란 상사 즉 다른 사람에게 영향을 주는 중요한 의사 결정을 동반하는 일을 하는 사람이 본연의 업무를 효율적으로 처리할 수 있도록 정보처리 업무와 대인 업무의 양면에서 보좌하는 사람이라고 정의할 수 있다. 오늘날 거의 모든 조직에는 비서가 존재하며, 담당하는 역할 또한 매우 다양하다. 가장 대표적으로 기업을 비롯하여 행정기관, 정치기관, 법률기관, 각종 사회단체, 학교 등 작은 개인 사무실에서 일정관리, 접대(전화, 내방객 등)업무 등 가장 기본적인 보조 역할을 하는 비서로부터 한 국가의 장관 혹은 대통령 비서실장에 이르기까지 그 맡은 직무나 자격요건, 업무 영역 등이 매우 광범위하다.

이러한 각종 분야에서 직급이나 직군에 관계 없이 비서들의 공통점은 상사 즉 조직의 책임자를 보좌한다는 점이다. 장관의 경우도 궁극적으로 내각의 일원으로서 대통령이 국가를 이끌어 나가는 데 각기 맡은 분야의 업무를 관장하여 국가적 정책 결정, 방향 제시 등으로 보좌하는 것이다.

또한 어떤 위치에서 어떤 상사를 보좌하는가에 따라 비서의 역할은 달라진다. 즉 업무의 내용과 수준에 따른 전문지식이 요구되고 있다. 이처럼 비서의 직무는 전문화, 협력화, 조직화가 이루어져서 상사의 관리적 능력에 필수적인 것이 되었다.

우리 사회는 이미 정보화를 지나 스마트사회 성숙기와 초연결 · 초지능사회인 4차 산업혁명 시대로 진입하고 있다. 인공지능(AI), 사물인터넷(IoT)의 발달로 기계가 인간의 일자리를 대체할 것으로 전망하고 있지만 미래학자인 한스 모라벡(Hans Moravec)의 역설에서도 제시된 바와 같이 사이언스화할 수 있는 분야는 역공학(reverse-engineering)이 상대적으로 쉬워서 인공지능 등으로 대체가 용이하지만, 인류역사와 함께 오랜 기간 진화한 인간의 고유영역인 창조역량, 협동역량, 감성역량, 긴밀한 상호작용이 요구되는 인적 역량은 기계노동으로 대체되기가 쉽지 않을 것으로 전망된다. 이렇듯 기계가 대체할 수 없을 것으로 예상되는 영역이 '피플비즈니스'라 불리는 서비스산업의 한 부분인 개인 전문비서의 영역인 것이다. 향후 정보화 사회로 급진전됨에 따라 보다 복잡한 기업환경 속에서 각종 업무를 처리하게 되고 전문직 비서의 요청이 가속화될 것이다.

더불어, 정보화 사회로 변하면서 정치, 경제, 사회, 문화는 물론 개인생활에서도 국제화, 정보화 추세로 인하여 새로운 생활 적응양식이 요구되고 있다. 자본과 경영이 분리되면서 경영이 전문화되고 신기술이 고도화되어 경영의 합리화, 효율화, 과학화가 강조되는 관리시대가 도래하였다.

이러한 환경 속에서 관리자와 경영자를 보좌하는 비서는 항상 경영환경에 영향을 미치는 사회적 변화의 흐름을 잘 파악하고, 조직의 전문화와 국제화 추세에 적응하며, 리더가 정보이용을 극대화할 수 있도록 다양한 역할을 수행해야 한다.

현대사회에서 비서의 역할은 단순한 잡무적인 임무 수행뿐만 아니라 리더, 관리자, 경영자의 효과적인 임무 수행 보좌를 위해 각종 정보를 수집하여 제공하는 광범위한 역할을 수행하므로 다양한 전문성이 요구되고 있다. 이와 같은 시대의 요청에 따라 현대사회에 대응할 수 있는 비서에 대한 정의를 종합해 보면, 비서란 상사가 그들 본연의 임무에 전념할 수 있도록 필요한 부수적 업무 일체를 보좌하는 역할이라 할 수 있다.

제 2 절 비서의 발달과정

1. 비서의 고전적 의미

비서는 지금부터 약 6000년 전 고대 이집트의 왕 측근에서 왕의 치적을 기록하는 관직으로서 비서와 같은 역할이 있었다는 기록에서부터 시작된다. 이후 15세기에 영국 왕실에서 왕의 서신과 문서를 담당하는 관리가 산업혁명의 성공으로 사기업에 대거 진출함으로써 보편적인 직업이 되었다. 고대 바빌로니아에서 B.C. 400여 년경에 당시의 기록을 점토판에 새겨서 보존하다가 파피루스(Papyrus)가 발견되어 기록을 남기게 되었는데 이 기록을 담당하던 사람들이 오늘날의 비서의 역할을 했다고 보는 것이다. 더욱이 B.C. 30년경에는 이집트의 클레오파트라 여왕에게 디오메데스(Diomedes)라고 하는 남성 비서가 있었다고 하며, 이 밖에도 고대 역대 왕들의 측근에는 기록을 담당하는 비서들이 존재했음을 추측할 수 있다(고창섭, 1999).

2. 비서의 근대적 의미

15세기에 들어와 영국의 왕실에서 왕의 서신과 문서를 담당하였던 관리를 세크레터리(Secretary)라고 부른 데서 유래를 찾아볼 수 있다. 우리가 일반적으로 일컫는 비서의 직책은 20세기에 들어서면서 산업혁명의 영향을 받았다. 즉 산업혁명의 성공으로 제조업체를 비롯한 일반기업이 대거 출현함에 따라, 새로운 분야의 직종으로서 비서의 직무는 현대 기업사회의 발전과 함께 급변하는 환경변화에 대응할 수 있는 경영관리기술에 나타난 필연적 소산인 것이다. 따라서 비서는 경영자나 관리자를 보좌하는 역할로서의 보편적 전문 직업으로 발전하게 되었다. 근대적 의미의 비서라는 개념은 다음과 같다. 비서란 상사를 보좌하기 위해 다른 사람에 의해 고용된 사람으로 통신 업무를 담당하고 사무를 수행하는 데 필요한 자료를 수집하여 정보를 제공하며 기밀에 관한 문서를 취급한다. 또한 사회나 회사 또는 이익단체에 의해 지명된 관리로서 그들의 사무를 처리하고 통신을 담당하며 유지하는 일을 한다.

3. 비서의 현대적 의미

현대사회 들어 조직이 더욱 전문화, 세분화되고 정보의 중요성이 날로 증대됨에 따라 어느 분야를 막론하고 치열한 경쟁 환경에 놓이게 되었으며 조직의 최고 책임자에게는 그 분야의 전문성 못지않게 고도의 관리능력이 요구되고 있다. 그 결과 조직에서 비서 역할의 중요성을 더욱 인식하게 되었으며 현대화의 추세 속에서 기대되고 부여되는 역할에도 많은 변화가 이루어졌다. 과거 비서역할의 중심이 되었던 타자, 속기 등이 필수 기능이기는 하지만 이제 더 이상 가장 중요한 역할이 아닌 부수적 역할이 되었고, 그보다는 문서를 직접 기안할 수 있고 창의성과 전문성, 정보력, 의사소통 및 인간관계의 관리, 변화에 대처하는 적응능력 등 보다 고도화된 전문적 보좌를 필요로 하기에 이르렀다.

4. 우리나라 비서의 발달과정

우리나라에서 최초로 비서라는 명칭을 사용하게 된 것은 고려 초기에 축문과 기록을 맡아보는 내서성(內書省)을 성종 14년(서기 995)에 비서성(秘書省)으로 개칭하면서 비롯되었다고 볼 수 있다(최애경 외, 1992). 또한 조선시대에는 각 고을의 수령 아래에서 인사, 비서 등의 사무를 맡은 이방아전(吏房衙前)이라는 직책이 있었다. 해방 후 산업사회의 제반여건이 성숙하지 못한 상태에서 미군정에 의한 군대식 스태프의 무리한 도입으로 시작되어 마치 미국 군대식 부관의 역할로서 비서직무가 정착되었다. 이는 미국에서 군대 내의 보좌관, 고문관, 비서관 등은 뚜렷한 전문직인데도 불구하고 이를 모방하는 과정에서 우리나라의 전통에 깊이 뿌리박힌 권위주의 사고에 의해 미국식 군대 내의 보좌관, 고문관, 비서관 등과 같은 전문직 스태프제도의 도입은 쉽게 이루어지지 못하고 단순한 보조업무를 수행하면서 상위직에 종속되어 그 상위직 인사를 자신의 상전처럼 모시는 부관제도의 도입이 무리 없이 이루어졌기 때문이다.

1970년대에는 고도의 경제성장과 더불어 국내의 외국인투자기관 증대 및 국내기업의 국제화 추세에 따라 전문적인 비서가 필요하게 되었다. 이어 1980년대에는 전문적인 지

식, 외국어실력, 사무기술(타자 · 속기 · 워드프로세서 · 컴퓨터)을 갖춘 전문적인 비서에 대한 수요가 점차 증대되었다. 그러나 우리나라에서는 아직까지 비서직이 윗사람에게 개인적으로 종속된 고용인이자 일상적이고 단순한 업무를 처리하는 보조자라는 인식이 남아 있어, 그 전문성을 완벽히 이해하지 못한 실정이다. 최근 대기업에서는 그룹총수 비서실 출신들이 각 그룹의 경영일선에서 활약하는 경우가 대부분이다. 그들은 그룹총수의 업무를 수행하며 회장의 경영감각과 의사결정, 인사를 지근거리에서 지켜보며 경영수업을 받았기 때문이다. 이처럼 비서직은 대통령비서관부터 개인비서에 이르기까지 광범위한 것이 특색이며, 팔로워십과 리더십 역량을 동시에 습득하여 업무현장에서 적용한다는 것이 특징이다.

제 3 절 비서의 자질 및 능력

현대사회에서 비서는 대내적으로는 상사와 조직 내 다른 부서 사이에 존재하며 상사에게 전달되는 의사소통의 창구 역할을 하며, 조직의 대외관계에 있어서 비서는 상사를 대표하여 의사소통 및 정보전달의 중재자로서의 역할 등을 수행한다. 이러한 역할은 비서에게 다양한 능력을 요구하게 된다. 업무적으로 탁월한 능력을 가지고 있으면 과업수행이 용이하지만, 비서에게 특히 중요한 것은 성품이다. 비서는 최고 관리층으로 통하는 의사소통의 통로로서 조직의 여러 갈등요인까지도 해결할 수 있는 매개체의 역할을 하는 등 비서의 역할은 그 범위와 한계가 광범위하므로 탁월한 식견과 다방면의 지식을 겸비해야 하며 항상 세련된 톤앤매너(Tone & Manner)를 유지해야 한다.

1. 비서의 자질

비서업무 수행에 있어서 필수적인 조건은 올바른 가치관과 바른 인간성을 바탕으로 상사와 조직의 목표달성을 위해 책임을 다해 성실히 임무를 수행할 수 있는 자질이 요구된다.

비서로서 필요한 자질과 적성을 살펴보면 아래와 같다.

첫째, 비서로서의 직업윤리성이 전제되어야 한다.

비서는 직업의 성격상 최고 관리자 및 경영자를 둘러싸고 있는 조직 및 기업환경, 사회 환경의 변화와 비서의 역량, 직무내용, 직무범위에 따라 고도의 전문성을 요구하고 있으므로 그에 상응하는 직업윤리가 바탕이 되어야 한다.

둘째, 직무 책임감이다.

정직하게 업무를 수행하고 결정되어 있는 규칙 및 규범을 자발적으로 지키며 최선을 다하여 업무를 끝까지 수행해야 한다. 이는 원칙과 신뢰가 바탕이 되어야 한다.

셋째, 기업의 존패는 기밀성 유지와 관련이 있다.

비서는 최고관리자 및 경영자 측근에서 업무를 수행하므로 업무와 관련된 여러 가지 기밀사항을 접하는 경우가 많다. 상사의 개인 신상이나 조직의 업무와 관련된 비밀은 철저하게 지킬 수 있는 기밀성이 필요하다.

넷째, 항상 근면하고 성실한 자세로 근무한다.

사회 환경에 능동적으로 대처하기 위해서는 꾸준한 자기 개발을 통해 새로운 지식과 대응능력을 길러서 성실하게 근무해야 한다.

다섯째, 비서는 업무를 수행함에 있어서 미래를 예측할 수 있는 예견성이 필요한데 이 예견성은 철저한 사전조사와 준비, 백업준비가 기본이 된다.

비서는 단순히 상사의 지시만을 수행하면 되는 것이 아니고, 장차 발생 가능한 상황에 대비하여 항상 '플랜 B, C'를 계획하고, 일상적인 업무수행 시에 수시로 상황을 파악하고 결과를 예측하는 분석능력이 필요하다.

여섯째, 비서는 업무수행 간 다양한 상황에 직면하게 되므로 항상 침착한 자세를 유지해야 한다. 돌발 상황에 직면하더라도 당황함을 내색하지 않고, 냉정하고 침착한 자세를 유지하며 업무를 해결해 나가야 한다.

일곱째, 비서는 임기응변 능력이 중요하다. 상황에 따라 일을 유연하게 처리할 수 있는 사고력과 지혜가 필요하다. 이를 위해서는 언어적 · 비언어적 태도에 주의하며, 말을 해야 할 때와 하지 말아야 할 때, 기억하고 있어도 잊어버린 듯해야 할 때 등 수많은 경우를 슬기롭게 대응해 나가야 한다.

여덟째, 비서에 있어서 가장 중요한 요소 중 하나는 충성심이다. 충성심은 상사에게 무조건적인 복종을 뜻하는 것이 아니라 자신의 임무를 최선을 다해 열심히 수행하는 것을 의미하는 것이다.

이외에도 현대사회가 요구하는 비서의 자질에는 센스, 서비스 마인드, 건강한 정신과 체력, 글로벌 마인드, 원만한 대인관계, 세심함, 노련함, 전략적 사고, 기획능력, 논리력, 자신감, 인내심, 단정한 품행 등 조직의 특성에 따라 다양한 자질을 요구하고 있다.

2. 비서의 능력

비서의 형태와 종류에 따라 직무에 필요한 요구능력은 다양하다. 공통적으로 요구되는 능력으로는 의사소통능력, 문제해결능력, 대인관계 및 협력능력, 자기관리능력, 수리능력 등이 요구된다.

비서 직무에 일반적으로 요구되는 능력은 아래와 같다.

첫째, 의사소통능력이다. 비서는 조직 내외에서 인간관계의 윤활유 역할을 하기 때문에 의사소통능력을 체화시켜야 한다. 비서의 실수는 조직 전체나 상사의 이미지에 직접적인 영향을 줄 수 있기 때문에 대화의 내용이나, 태도를 항상 바르게 하여야 한다.

둘째, 현대사회는 지식 정보화 사회이다. 비서는 언론매체, 각종 간행물, 인터넷 등으로부터 중요한 정보를 확인하여 상사가 필요시 이를 활용할 수 있도록 최신정보를 체계적으로 분석 및 정리, 보관하였다가 필요한 시기에 적절하게 활용할 수 있어야 한다.

셋째, 비서업무의 8할은 대인관계에서 나온다고 해도 과언이 아니다. 항상 원만한 대인관계를 유지하고, 꾸준히 인맥관리를 해야 한다.

넷째, 비서는 추리력, 분석력, 실천력, 기획력, 이해력, 표현력 등이 필요하다. 이런 능력의 기초가 되는 것은 판단력이다. 판단력은 수집된 정확한 정보에 의해서 확실한 것이 되고 그 결과는 분석, 추리평가, 대책에 의해 결정하는 것이다.

다섯째, 창조력이 필요하다. 문화심리학자인 김정운 교수는 창조는 편집이라고 하였다. 새로운 것을 만드는 것이 아니라 이미 존재하는 것들을 편집하는 것이 창조라는 것이다. 신입비서 면접 시 비서의 자질이나 능력에 대해서 질문할 경우 면접자들은 종종 비서는 상사가 말하지 않아도, 상사의 눈빛만 보아도 무엇을 필요로 하는지 아는 센스가 필요하다고 한다. 비서는 무속인이나 독심술사가 아니다. 타인의 눈빛만 보아도 원하는 것을 알 수는 없다. 그것은 오랜 시간 함께 호흡을 맞추고 나서 일정기간이 지난 후 여러 가지 상황에 직면하며 해결해 나가는 과정에서 비슷한 상황이 발생하였을 때, 지난 상황들을 바탕으로 대응계획을 세우는 것이 비서의 창조력이라 할 수 있다.

위의 일반적인 능력 외에도 사회과학지식, 문제해결능력, 외국어능력, 국제화 감각, IT 활용능력 등과 같은 전문적인 기술도 필요하다.

첫째, 현대사회에서 관리자 및 경영자를 보좌하는 전문비서의 역할을 성공적으로 수행하기 위해서는 반드시 인문학과 사회과학 지식이 필요하다. 상관의 의사결정을 돕기 위해서는 경제학, 경영학, 회계학, 사무관리, 심리학, 시사상식, 트렌드, 인문학 등 다양한 지식 함양이 요구된다.

둘째, 문제해결능력은 경험에 의한 체계적인 접근에 의해서 길러진다. 과거에 경험한 일을 기록하여 그 일을 근거로 비슷한 상황에 직면했을 때 대처해 나가야 한다. 그러기 위해서는 평소에 문제처리과정과 결과를 기록하는 습관이 필요하며, 도움을 주었던 사람들과의 인간관계, 즉 인맥관리가 중요하다.

셋째, 현대는 글로벌 시대로 어느 직장에서나 외국어 능력의 중요성이 증대되고 있다. 비서는 외국어는 물론이고, 조직과 관련성이 있는 나라의 다양한 관습과 문화를 알아둘 필요가 있다. 상사가 특정 국가를 방문하거나 그 나라의 클라이언트와 미팅하는 경우 해당 국가의 문화를 충분히 이해한다면 우호적인 관계 유지는 물론 조직의 목표를 달성하는 데 기여할 수 있다.

넷째, 4차 산업혁명 시대는 기계와 기계, 기계와 사람 등 모든 것이 기계와 초연결되는 사회이다. 비서는 이에 대비하여 기계를 잘 활용할 수 있어야 하며, 상사의 브리핑 자료 작성을 위한 프레젠테이션, 포토샵 등의 기능을 원활하게 사용할 수 있는 능력이 필요하다. 또한 인터넷 검색을 통한 필요한 자료의 수집과 편집 등 다양한 인터넷 활용 기술 역시 현대사회가 요구하는 전문 비서직에게 필요한 능력이다.

제4절 비서의 종류

현대사회에서 전문비서의 필요성의 증가에 따라 비서의 업무는 기업비서(Corporate Secretary), 의료비서(Medical Secretary), 법률비서(Legal Secretary), 경호비서(Guard Secretary), 전략비서(Strategy Secretary), 팀 비서(Team Secretary), 회계비서(Accountant Secretary), 외국기업비서(Foreign Business Secretary), 수행비서(Adjutant Secretary), 행정관리로서의 비서(Government Official Secretary) 등과 같이 다양하게 확대 · 세분화되고 있으며 다양한 비서의 역할에 대한 규명이 이루어지고 있다.

1. 기업비서(Corporate Secretary)

기업비서는 기업에서 최고 경영자나 관리자를 보좌하는 비서라 할 수 있으며, 그들 본연의 업무에 전념할 수 있도록 최적의 환경을 만드는 역할을 하는 사람이다. 따라서 기업비서를 정의하면, 기업에서 상사와 가장 가까이에서 상사의 업무를 보좌하는 비서로 그들의 업무적인 초점과 관심은 항상 상사에게 있으며, 시대의 변화에 적응하며 다양한 사무기술을 가지고 상사의 입장과 지위를 고려하여 업무를 하는 최고 보좌인이라 할 수 있다.

1) 기업비서의 특징 및 분류

기업비서는 조직 내의 소속 및 보좌 형태를 중심으로 소속에 따라 비서실에 소속된 비서(그룹총수 비서실), 일반 임원의 개인에 소속된 비서, 공동비서, 팀 비서로 구분한다.

비서실에 소속된 비서는 여러 명의 비서가 비서실 및 비서팀에 소속되어 그룹총수(오너)의 업무를 전담 업무별로 보좌하는 경우인데, 비서실장, 비서팀장 및 전략비서, 업무비서, 의전비서, 일정관리비서, 지식비서, 수행비서, 통역비서, 개인비서(그룹총수의 개인업무를 수행), 일반비서(전화응대 및 내방객응대 담당), 비서실 비서로 구성되어 있다. 일반임원 비서의 경우 비서가 한 명의 상사를 보좌하는 경우로 비서의 입장에서는 한 분의 상사를 보좌하므로 상사의 업무 분야나 특성 및 개인적 성향 등을 파악할 수 있어 효율적이며, 일의 계획이나 우선순위를 세울 때 비교적 용이하다. 공동비서는 한 명의 비서가 여러 명의 상사를 보좌하는 경우를 말한다. 예를 들면 부사장, 전무, 상무를 한꺼번에 보좌하는 형태다. 팀에 소속된 비서는 소속 팀과 그 팀의 비서를 겸하는 유형으로, 본래의 업무를 가지면서 비서의 업무도 수행하는 경우를 의미한다.

2) 국내 대기업 최고 경영자(그룹총수) 비서실

그룹총수 비서실의 비서는 의사소통 관리자, 상사의 업무파트너, 계획관리자, 정보관리자, 인간관계관리자, 행정관리자, 사무관리자, PI관리자, 건강관리자이며 이와 같은 결과는 최고 경영자 비서의 경우 기업 내에서 상사와 회사 구성원들 간의 내부 소통에 기여하는 역할이 크다는 것을 알 수 있고, 상사가 자기 본연의 업무를 효율적으로 수행할 수 있도록 가장 측근에서 보조, 보좌 역할을 수행해야 하며, 또한 상사와 기업의 이미지를 관리하는 역할과 더불어 상사의 체질과 건강이력을 파악해 기업체 중추자인 최고 경영자의 건강 관리자에 이르기까지 다양한 역할을 수행해야 함을 의미한다. 그룹총수 비서의 역할은 일정관리, 회의 및 미팅 관리, 출장 미팅 의전 업무, 내방객 의전 업무, 예약 업무, 자료 수집 및 정리 업무, 외부인사관리, 경조사 관리, 기타 업무(주요 인사 오찬/만찬/티타임 스케줄링 및 말씀자료 작성업무, 임직원 스킨십 프로그램 운영, 집무실 환경, 집기, 미술작품 관리 및 가족 커뮤니케이션 및 관련사항 follow-up 업무, 개인증명서 발급 등 personal information 관리업무), 인맥관리 등이다. 또한 아침 일정보고 시 최고 경영자에게 당일 일정 중 회의 및 미팅에 관해 보고할 수 있도록 사전에 철저히 회의 및 미팅 자료에 대해 숙지하고 있어야 하며, 모든 회의 및 일정에 참석하여 배석 및 의전한다.

최고 경영자 비서실의 비서가 일반비서와 채용에 있어서의 가장 큰 차이점은 처음부터 비서로 회사에 입사하여 비서로 일하는 것이 아니라 공채를 통해 일반사원으로 입사하였다가 인사팀이나 비서팀에 발탁되어 비서실에서 근무하게 된다는 것이다.

〈표 1-1〉 기업체 최고 경영자 비서의 역할과 역량

역할	역량
1. 의사소통관리자	1. 신뢰성
2. 상사의 업무파트너	2. 커뮤니케이션 능력
3. 계획관리자	3. 책임감
4. 정보관리자	4. 상사에게 보고하는 기술(대면/서면보고)
5. 인간관계관리자	5. 신속성
6. 행정관리자	6. 성실성
7. 사무관리자	7. 정확성
8. PI관리자	8. 일정관리능력
9. 건강관리자	9. 대인관계능력
10. 가족관련업무	10. 센스
11. 세무관리자	11. 시간관리능력
12. 자산관리자	12. 분별력
	13. 계획성
	14. 이해력
	15. 판단력
	16. 객관적 묘사력
	17. 준비성
	18. 업무관련 지식
	19. OA기기 활용능력
	20. 인터넷 활용능력
	21. 자료수집능력
	22. 사무관리능력
	23. 창의력
	24. 고객관리능력
	25. PI능력
	26. 데이터 분석능력
	27. 작문능력
	28. 스마트폰 활용능력
	29. 의사결정능력
	30. 세무관련 업무
	31. 자산관리관련 업무

자료 : 기존 연구를 활용한 저자 재구성

(1) 전략비서(Strategy Secretary)

조직의 유형상 라인조직을 보좌하는 업무로서의 비서이다. 전략적 의사결정, 경영목표(계획), 경영방침, 주요 정책의 모든 과정에 참여하면서 보좌 역할을 수행하는 비서의 유형을 말한다. 이러한 형태는 대통령 비서실장, 비서관 및 대기업의 비서실장, 또는 전문 분야별로 공·사조직 최고 책임자의 비서가 이에 해당되며 주요 정책, 경영계획 및 의사결정과정에 참여하는 비서직은 모두 여기에 포함된다.

(2) 수행비서(Adjutant Secretary)

최고 경영자를 수행하는 역할을 맡는다. 수행비서는 상사의 하루 일과 중 가장 많은 시간을 같이 보내게 되며 상사의 일상 업무에서 사생활에 이르기까지 상사의 일거수일투족(一擧手一投足), 때로는 알지 말아야 할 부분까지 알게 될 때가 있을 수 있으며 일적으로나 사적으로 거의 모든 것을 보고 듣게 된다. 그러므로 수행비서는 그 어떤 비서보다 비서로서의 자질이 풍부해야 하며 특히 요구되는 것이 바로 보안이다. 효율적으로 수행업무를 하기 위해서는 상사의 신변과 재산까지도 보호할 수 있는 역량이 필요하다.

또한 상사의 참모적 비서 형태로 역할을 수행하면서 겪는 수많은 업무들은 기본적 지식이 없으면 효율적으로 상황에 대처할 수 없으므로 그만큼 상사를 보좌하는 데 많은 어려움을 느낄 수 있다. 영국의 마가렛 대처 수상이나 일본의 고이즈미 총리 등 정치인들의 대부분이 비서로서 사회에 첫 발을 디뎠고 기업의 사장단들 중 역시 많은 사람들이 수행비서를 역임해 왔다. 수행비서가 일반 비서와 채용에 있어서의 가장 큰 차이점은 그룹총수 비서실에 소속된 그룹총수의 수행비서가 대부분이기 때문에 처음부터 비서로 회사에 입사하여 수행비서로 일한 것이 아니라 공채를 통해 일반사원으로 입사하였다가 인사팀이나 비서팀에 발탁되어 수행비서 업무를 하게 된다는 것이다.

2. 행정관리로서의 비서(Government Official Secretary)

행정업무의 전반적인 방향결정과 조정·관리의 책임을 맡고 있는 미국의 국무장관과 대통령 비서실의 비서관과 같은 형태다. 미국의 경우 국무장관을 The secretary of state for the home department라고 부르며, 각 부 장관의 명칭에도 Secretary의 개념으로 사용

하고 있다. 이런 경우는 일반적 비서의 개념인 업무보좌 역할과는 다소 차이가 있다.

3. 공공기관 비서(Administrative Secretary)

관공서나 공공기관의 책임자를 보좌하는 비서를 의미한다. 공공기관의 고유문서 서식 작성과 의사결정 구조 등 행정업무에 관한 지식이 요구된다(조계숙, 최애경, 1997). 특히 일반 민간기업과 외국계 기업의 경우에는 워드문서를 많이 사용하나 공공기관에서는 한글문서를 많이 사용하므로 한글문서에 관한 기본능력이 요구된다.

4. 교육기관 비서(Educational Secretary)

교육기관이나 연구기관의 행정 책임자를 보좌하거나 연구활동을 보조한다. 대학교수나 연구소의 전문인을 도와주는 비서로서 자료의 수집, 정리, 검색, 처리에 관련된 업무를 주로 수행한다(조계숙, 최애경, 1997).

5. 의료비서(Medical Secretary)

종합병원이나 병원관련 연구소, 개인병원에 근무하는 비서를 일컫는다. 최근 병원이 거대한 자금과 전문경영인, 전문의료인이 결합하여 대규모화됨에 따라 병원의 원장 및 부원장 등의 책임자와 각 부문의 의료인들을 보좌하는 비서의 수요가 급증하고 있다(조계숙, 최애경, 1997).

6. 법률비서(Legal Secretary)

국내에서는 법률비서를 법률사무소 혹은 회사의 법률부서, 법원 등 법률에 관계된 분야에서 일하는 비서로서 재판일정관리, 법률문서의 작성, 관리, 기록, 비용 계산 등의 업무를 담당하는 변호사의 업무 보조자를 의미한다. 법률비서는 일반 기업비서와는 달리 재판일정관리, 송무, 빌링업무를 주로 담당하는 역할을 하였지만, 현재는 대형 법무법인에서 별도의 송무, 빌링 담당 부서에서 이를 관리하여, 의전비서 역할을 하고 있는 추세이며, 중간규모 법률사무소의 경우에는 변호사의 법원 출입현황 및 소송관련 업무에 대한 전체적 파악이 비서에 의해 이루어지고 있는 것으로 나타났다. 외국 로펌의 국내 진출로 인하여 국제금융업무 및 자문업무와 같은 국제 비즈니스 관련 업무영역에 많이 진출함으로써 비서 또한 고도의 정확성을 갖추고 상당한 수준의 외국어실력을 갖춘 법률비서에 대한 요구가 증가하는 추세이다.

한국에서는 법률비서의 자격요건으로 아직 특별한 전공이나 자격증을 요구하지는 않지만, 주로 외국어교육학과, 행정학과, 비서학과, 어문학 혹은 법학 관련 학과 등 인문계열 학과 졸업생들 위주로 선발되었으며 입사 시 면접과 영어테스트, 컴퓨터 활용능력 테스트 등을 통해 선발 후 주로 OJT(On-the-Job-Training)방식으로 교육, 훈련을 하였다. 그러나 최근에는 법률비서로 취업하는 학생들의 전공이 더욱 다양해지고 있는 추세이며, 법률비서의 수가 급격히 늘어남에 따라 입사 후 체계적인 사내교육이 이루어지고 있다.

7. 회계비서(Accounting Secretary)

공인회계사, 세무사의 개인 사무실이나 회계법인에서 근무하는 비서를 일컫는다. 이러한 비서들에게는 회계 지식과 컴퓨터를 사용한 업무처리능력이 요구되는데 최근 기업의 국제화로 인해 외국기업의 국내 진출은 물론 국내기업의 해외 진출 등으로 그 활동범위가 다양해졌다. 회계비서는 회계 전문용어와 개념에 대한 지식이 필요하며 영어로 회계보고서를 작성하는 경우가 많으므로 회계학 용어와 개념을 영어로 익혀두는 것이 필요하다(조계숙, 최애경, 1997). 최근 법률비서와 함께 회계비서도 비서를 희망하는 구직자들에게 인기가 높아지고 있다.

8. 정치기관 비서(Parliamentary Secretary)

국회의원 및 지방의회 의원 사무실에서 근무하는 비서들이 정치기관 비서이다. 이들은 국회나 정당, 정부의 조직을 잘 알고 관계기관과의 업무관계를 잘 이해해야 한다(조계숙, 최애경, 1997).

〈표 1-2〉 분야별 비서직무에 관한 연구

분야	직무
최고 경영자 비서 직무	일정관리업무, 커뮤니케이션 업무, 전화응대업무, 회의관련 업무, 내방객응대 업무, 문서관리업무, 사무환경 및 물품관리업무, 경조사 업무, 출장관리업무, 회계업무, 개인신상보좌 업무, 행사관리업무, 인사 · 교육 · 경영 관련 업무, 수행 및 의전업무, PI업무, 인맥관리업무, 미술작품관리업무, 회의자료 보고 및 배석 업무 등
기업비서	방문객 응대업무, 전화응대업무, 내방객응대 업무, 일정관리업무, 회의관련 업무, 출장준비 업무, 사무환경관리업무, 정보관리업무, 문서 작성 및 관리업무, 경조사 업무, 경리회계 업무, 개인신상보좌 업무, 기타 보좌 업무 등
공기업비서	커뮤니케이션 관련 업무, 계획조정 업무, 정보관리업무, 사무관리업무
회계비서	상사 지원 업무, 부서 지원 업무, 고객관리업무, 보고서 업무, 일정관리업무, 커뮤니케이션 업무, 인사업무, 홍보업무 등
법률비서	일정관리업무, 고객관리업무, 송무 · 법무관리업무, 문서관리업무, 법률문서 작성/관리, 정보관리업무, 회의관리(지원) 업무, 사무관리업무, 행사관련 업무, 변호사 개인업무 및 지원업무 등
의료비서	환자관리업무, 회계관리업무, 홍보관리업무, 의사개인 업무 및 지원 업무, 의사소통 업무, 문서관리업무, 행정 및 사무관리업무, 기타 업무 등
대학총장 비서	일정관리업무, 국내/외 출장관리업무, 문서관리업무, 자료정리 업무, 응대관련 업무, 민원관리업무, 회의 행사관련 업무, 사무환경 정비 업무, 경조사 업무, 개인신상 보좌업무, 기타 업무 등

자료 : 기존 연구를 활용한 저자 재구성

제 5 절 국가직무능력표준(NCS)의 비서업무

비서가 일반적으로 수행하는 업무는 경영진 일정관리, 경영진 지원업무, 경영환경 동향분석, 출장관리, 응대 및 의전 업무, 보고업무, 문서 작성관리, 회의업무, 사무정보관리 업무, 회계업무, 개인업무보좌 등이 있으며, 이를 기반으로 비서직에 대한 국가직무능력표준(NCS)은 2013년 12월에 개발 완료하였으며, 2014년에는 NCS에 따른 학습모듈을 개발하였다. 비서직무의 능력단위는 총 12개로 경영진 지원업무, 경영환경 동향 분석, 경영진 일정관리, 출장관리, 응대업무, 보고업무, 경영진 문서 작성관리, 회의의전관리, 비서 사무정보관리, 경영진 예결산관리, 비서영어 회화 업무, 영문서 지원업무로 구성되어 있으며, 비서직무 NCS의 12개 능력단위는 각각 3~5개의 능력단위요소를 포함하여 총 44개의 능력단위요소로 구성된다.

〈표 1-3〉 비서직무 NCS 능력단위 및 능력단위요소와 수준체계(국가직무능력표준개발)

능력단위(수준)		능력단위 정의	능력단위 요소
1	경영진 지원업무	경영진이 본연의 업무에 최대한 전념할 수 있도록 사무환경을 정비하고 경영진의 일상적인 업무를 효율적으로 지원하는 능력이다.	경영진 출퇴근 업무지원하기
			사무환경 관리하기
			경영진의 신상정보 관리하기
			명함 관리하기
			경조사 관련 업무하기
2	경영환경 동향 분석	비서가 조직의 내·외부 경영환경을 파악·분석하여 상사의 업무가 효율적으로 실행될 수 있게 하는 능력이다.	조직 내부환경 파악하기
			조직 외부환경 파악하기
			경영진 동향 분석하기
3	경영진 일정관리	상사의 일정을 계획하고 일정에 따른 인적·물적 자원, 시간을 효율적으로 활용할 수 있도록 지원하는 능력이다.	경영진 일정 계획하기
			경영진 일정 조율하기
			경영진 일정표 작성하기
			예약업무하기
4	출장관리	경영진의 출장계획과 준비를 하고 출장업무가 성공적으로 이루어질 수 있도록 지원하는 능력이다.	경영진 출장 전 준비하기
			경영진 출장 중 준비하기
			경영진 출장 후 준비하기
5	응대업무	전화와 방문객을 경영진의 상황에 따라 맞이하고 선별·대응하여 업무를 지원하는 능력이다.	경영진 전화 연결하기
			경영진 부재 중 응대하기
			내방객응대 준비하기
			내방객 선별·응대하기
			내방객 방문 후 업무하기
6	보고업무	경영진의 지시사항과 필요사항을 정확하게 파악하여 보고하는 것이다.	경영진의 업무 지시받기
			메시지 전달하기
			경영진에게 보고하기

7	경영진 문서 작성관리	문서의 사용 목적에 따라 필요한 자료를 수집하고 적절한 형식과 내용을 갖추어 문서를 작성한 후 관리하는 능력이다.	문서 기획하기
			문서 작성하기
			문서 관리하기
			전자문서 관리하기
8	회의 의전관리	경영진과 관련된 각종 회의 개최와 참석을 지원하고 의전 하는 능력이다.	회의 기획하기
			회의 지원하기
			회의종료 후 업무하기
			의전업무하기
9	비서 사무정보관리	경영진 보좌에 필요한 각종 사무정보들을 검색, 수집, 활용하고 정보 기기 관리와 보안유지를 하는 능력이다.	정보 검색하기
			정보기기 관리하기
			정보보안 유지하기
10	경영진 예결산관리	경영진과 비서실 내에서 필요한 경비를 계획하고 운영 관리하는 능력이다.	비서실 예산운영 관리하기
			경비처리하기
			회계관리시스템 활용하기
11	비서영어 회화업무	국제화시대에 요구되는 영어 · 외국어 표현을 구사하여 원활한 구두 커뮤니케이션을 통해 비서업무를 수행하는 능력이다.	외국어 전화응대하기
			외국인 내방객응대하기
			일정에 따른 예약하기
			업무 보고하기
12	영문서 지원업무	영어 · 외국어 능력을 통하여 문서관련 업무를 지원하는 능력이다.	수신 영문서 내용 파악하기
			영문서 작성업무 지원하기
			비즈니스 영문서 작성하기

제6절 비서 채용 시 비서자격 우선순위 분석

비서 채용 시 고려되는 비서의 자격조건에 대한 우선순위를 살펴보면, 깔끔하고 단정한 이미지를 가진 자, 예의범절을 갖춘 자, 간결하고 확실한 의사표현이 가능한 자, 전화 및 손님 응대를 능숙하게 하는 자, 영문 이메일 작성이 가능하고 기본적인 영어회화가

가능한 자, 장기근속이 가능한 자 순으로 중요하게 고려되어, 직무에 대한 기술적 역량 이외에도 비서로서의 이미지와 태도, 커뮤니케이션 능력이 중요함을 확인할 수 있다.

〈표 1-4〉 비서 채용 시 비서자격 우선순위

순위	문항	1순위	2순위
1	깔끔하고 단정한 이미지인가?	12	0
2	피면접자로서의 태도는 공손한가?	3	4
3	예의범절이 몸에 배어 있는가?	11	0
4	바른 생활습관 및 태도를 지니고 있는가?	6	5
5	가정환경은 어떠한가?	2	3
6	사회봉사경력은 있는가?	0	3
7	기본적인 영어회화(전화/손님응대, 영문이메일 작성 등)가 가능한가?	5	7
8	질의응답 시 본인의 의사표현을 간결하고 확실하게 전달하는가?	7	4
9	조직구성원으로서 융화가 용이해 보이는가?	4	6
10	업무처리 시 순발력 또는 융통성이 있어 보이는가?	4	6
11	장기근속이 가능한 것으로 보이는가?	4	7
12	학력 및 전공은 적합한가?	1	1
13	지원자의 나이는 적절한가?	0	4
14	어학 및 기타 자격증 취득조건을 충족하는가?	0	4
15	비서 교육과정을 이수하였는가?	1	6

자료 : 이채연, 2016

이러한 결과는 비서로서 보여지는 차분한 이미지와 공손하고 예의 바른 태도를 몸에 익히고, 커뮤니케이션 능력을 갖추는 것이 현장에서 비서에게 요구하는 가장 중요한 자질이라는 사실을 알 수 있다. 밝고 긍정적인 이미지를 부각하고, 상사나 조직 구성원들과의 원활한 커뮤니케이션 능력으로 함께 일하고 싶은 보좌관의 면모를 갖추며, 그와 더불어 기본적인 영어회화나 응대업무의 자질까지 갖춘다면 비서 채용 면접 시 좋은 결과를 얻을 수 있을 것이며 이는 입직 후에도 계속 유지 및 발전해 갈 수 있도록 노력해야 할 중요한 자질이 될 것이다. 그러나 비서 채용 시에는 비서 교육과정을 이수하였는지 여부를 크게 고려하지 않는 것으로 나타났다. 이는 실제 비서 교육과정이 보편적으로 많지 않아 잘 알려지지 않았거나, 혹은 비서 교육과정을 이수한 자를 채용했음에도 불구하고 만족스럽지 못했기 때문으로 해석될 수 있다.

[현직 비서 인터뷰]

1. 국내 대기업 시니어 비서

Q 비서가 된 계기

[답변] 취업시즌 학교의 추천으로 비서면접에 응하게 되었다.

Q 비서에게 필요한 자질은 무엇인가요?

[답변] 여러 가지 자질이 필요하겠지만 가장 중요한 자질 한 가지를 꼽자면 '성실함'을 꼽고 싶다.

Q 비서가 되기 전 가장 중요한 세 가지가 있으면 좋다는 것이 있다면?

[답변] 첫째, 마음가짐을 준비하는 것이 좋겠다. 비서란 무엇인지 어떤 일을 하는지 어떤 마음으로 상사를 모셔야 하는지 고민해 보고 본인만의 마음가짐을 준비하는 것이 중요하다고 생각한다.

둘째, 외국어 실력의 향상이다. 업무를 하는 데 있어 꼭 필요한 부분이라고 생각한다.

셋째, 기본적인 경영에 대한 지식이다. 비서의 업무는 경영진을 보좌하는 업무이다. 기본적인 경영지식은 비서업무를 하는 데 있어 도움이 된다고 생각한다.

Q 요즘 대학생들은 대외활동, 봉사활동, 아르바이트 등에 많은 시간을 투자하고 있는데 이런 경험들이 비서 직무를 수행할 때 도움이 되는지?

[답변] 저도 대학시절 의전 아르바이트를 경험하였다. 학생의 주된 학업에 무리가 없는 수준이라면 여러 가지 경험은 비서 직무에 도움이 된다고 생각한다.

Q 비서로 취업을 준비하는 사람들이 가장 주의해야 할 것이 있다면 무엇이 있는지?

[답변] 흔히 생각할 수 있는 비서의 겉모습만으로 취업을 준비하고 있다면 주의해야 한다. 비서는 많은 인내와 희생이 필요한 자리이다. 충분한 각오를 다지고 준비하는 것이 좋다.

Q 비서 공채가 없는 이유는 무엇이라고 생각하십니까?

[답변] 기업에 따라 공채로 비서를 채용하는 경우와 비공개로 채용하는 경우가 있다. 후자의 경우 기업의 오너 비서인 경우가 대부분이기 때문이다. 보안상 문제나 이미 회사의 전반적인 분위기나 업무를 파악하고 있는 내부인(공채사원 중 가장 우수한 사원)을 보직이동하는 경우가 많다.

Q 자신만의 업무방법 노하우는?

[답변] 비서업무는 커뮤니케이션 능력이 중요한 비중을 차지한다. 여러 사람들과의 커뮤니케이션을 통해서 업무를 진행하기 때문에 겸손하고 친절하게 소통하는 것이 저의 노하우이다.

Q 시간관리를 잘하는 방법은?

[답변] 출근 후 첫 번째로 하루의 스케줄을 머릿속으로 그려보고 업무의 순서를 정하여 메모하는 것이 저의 시간관리 노하우이다.

Q 비서직을 하면서 힘든 점은?

[답변] 보좌를 함에 있어서 많은 부분 자신의 생활을 포기하고 인내해야 하는 경우가 있다. 또한 다수와의 커뮤니케이션을 통해 업무를 진행하기 때문에 감정노동의 힘든 점이 있다.

Q 비서로 일하면서 가장 하기 어려운 일이 있다면?

[답변] 모시는 임원의 업무를 보좌하는 것이 비서의 업무이므로 모시는 분께 누가 되지 않도록 신중하고 조심스럽게 업무를 하는 것이 가장 어려운 일이라고 생각한다.

Q 어려운 일이나 실수를 했을 때 어떻게 극복하였는지?

[답변] 사람은 누구나 실수를 한다. 실수를 했을 때 충분히 인정하고 빠른 조치를 취하는 것이 중요하다고 생각한다. 또한 같은 실수를 반복하지 않도록 주의하는 것이 저의 극복방법이다.

Q 시대가 변했지만 아직도 비서에 대한 편견은 존재하는데 근무하면서 그러한 일을 경험하신 적이 있는지, 어떤 방법으로 극복하였는지?

[답변] 흔히 비서는 예쁘게 단장하고 차를 드리는 업무가 주된 업무라는 편견을 가

지고 있다. 단적으로 보여지는 부분만 생각하기 때문에 그렇다. 하지만 비서업무의 특성상 보여지기보다는 뒤에서 묵묵히 일하는 비중이 많다. 이것을 인식하고 비서 스스로 자부심을 가지고 철저하게 업무하는 것이 극복의 방법이라고 할 수 있다.

Q 상사가 기분이 좋지 않을 때 대처하는 방법은?

[답변] 상사를 모심에 있어서 패턴을 익히는 것이 중요하다. 일 년을 기준으로 업무패턴과 기간이 있고 특별한 경우라도 현재 어떤 일로 인하여 불편하신지 파악할 수 있다. 원인을 파악하고 대처하는 것이 방법이라고 할 수 있다.

Q 비서직만의 특별함이나 장점은?

[답변] 현재 기업을 이끌어가는 임원들을 보좌하는 업무가 비서업무이다. 그분들 옆에서 여러 가지 장점들을 보고 듣고 배울 수 있는 기회가 있다는 것이 큰 장점이라고 생각한다.

Q 예비비서들을 위해 마지막 조언이 있다면?

[답변] 우선 마음가짐을 준비하는 것이 중요하다. 비서란 무엇인지 어떤 일을 하는지 어떤 마음으로 상사를 모셔야 하는지 고민해 보고 본인만의 마음가짐을 준비하는 것은 꼭 잊지 않았으면 좋겠다.

2. H그룹 대표이사 비서

Q 비서직무에서 가장 필요한 역량은?

[답변] 가장 필요한 역량은 성실함과 상황판단능력이라고 생각한다. 그 이유는 비서는 기본적으로 상사를 가장 가까운 곳에서 보필해야 하기 때문에 항상 지시사항을 전달받아 해결할 수 있는 성실함을 가지고 있어야 한다고 본다. 상사는 중요한 결정을 매번 내려야 하는 사람이기 때문에 일의 중요성이 매우 크다. 또한 상황판단능력이 중요하다고 생각하는 이유는, 많은 상황을 동시다발적으로 해결해야 하는 순간들이 많기 때문이다.

Q 회사에 입사할 수 있었던 본인만의 노하우는?

[답변] 어느 상황이나 조건에서든 항상 일할 준비가 되어 있다는 점을 어필하였다.

Q 대기업 파견직과 중소기업 정규직 중 어느 것을 추천하고 싶은지, 사유는?

[답변] 대기업 파견직을 추천한다. 그 이유는 우선 조직이 크면 사람들을 많이 만날 수 있는 기회가 주어지고 일의 scope이 확실히 넓어짐을 느낄 수 있다. 사회생활에서 가장 중요한 게 인간관계인데 대기업 임원비서를 하면 다양한 사람들과 일하는 법을 배울 수 있다고 본다.

Q 입사지원을 위해 이것만은 꼭 해야 한다는 점이 있다면?

[답변] 보고능력 키우기. 항상 임원에게 직접보고를 진행해야 하기 때문에 그에 맞는 에티튜드와 전달능력이 필요하다. 임원은 비서에게 보고를 받고 일정을 결정해야 하는 경우가 많기 때문에 임원과의 소통능력이 매우 중요하다고 볼 수 있다.

Q 취업준비과정에서 어느 부분을 가장 중점적으로 준비하였는지?

[답변] 회사 비즈니스에 대한 전반적인 이해도. 목표로 하는 회사 비즈니스에 대한 전반적인 이해도를 가지고 인터뷰에 응하려고 노력했다. 비서는 단순 일정만 챙기는 것이 아니라, 전체적인 업무에 대한 이해도를 바탕으로 일정과 미팅을 준비해야 하기 때문이다.

3. 공기업비서

Q 비서직무 시 가장 필요한 역량은?

[답변] 비서라면 특히나 성실성을 꼭 갖추어야 한다고 생각한다. 근무기간 동안 한번도 지각을 한 적이 없다. 특히나 비서는 모시는 상사보다 일찍 출근해서 집무실 정리정돈을 해야 하기 때문에 성실성이 제일 중요한 것 같고 시간약속은 상사와 나의 약속이기 때문에 반드시 지켜야 한다고 생각한다.

Q 회사에 입사할 수 있었던 본인만의 노하우는?

[답변] 자신감이다. 면접 준비에 있어서 완벽함은 그 누구에게도 없다고 생각한다. 다들 열심히 준비했을 것이다. 그러한 분위기 속에서 움츠러들지 말고 자신감 있게 임하는 것이 좋다. 답변을 할 때도 이 답변이 맞는 건지? 내가 잘 하고 있는 건지?라는 의구심을 품지 말고 자신 있게 소신껏 답변하되 어느 정도의 방향성은

잡고 그 틀에서 벗어나지 않는 범위에서 한다면 본인을 잘 어필할 수 있다고 생각한다.

Q 입사지원을 위해 이것만은 꼭 해야 한다는 점이 있다면?

[답변] 기본적인 스펙도 중요하지만 실질적으로 업무를 아는 것도 중요하다고 생각한다. 입사 전 모 기업에서 3달간 사무 아르바이트를 했는데 직접적인 비서일이 아니었어도 입사한 뒤 크게 도움이 되었다. 이러한 실질적인 경험이 실제로 피가 되고 살이 된다고 생각하기 때문에 인턴, 아르바이트, 대외활동 등 이러한 활동을 경험해 보라고 말하고 싶다.

Q 취업준비과정에서 어느 부분을 가장 중점적으로 준비하였는지?

[답변] 취업을 준비하면서 특정 자격증이나 시험보다는 나를 알아가는 시간을 가졌으면 좋겠다. 내가 좋아하는 것이 무엇이고, 정말 하고 싶은 일은 무엇인지, 나는 어떠한 강점을 가지고 있고 약점은 무엇인지 등 나에 대한 탐구가 되지 않으면 내 미래 방향을 명확하게 잡기 어렵다. 나라는 사람이 어떤 사람인지를 알고 취업을 준비하면 성공할 것이다.

Q 면접 중에 가장 기억에 남는 질문은?

[답변] '우리 회사를 어떻게 생각하는가'이다. 이 질문에 해당 기업에 대해 공부했던 것과 최근 이슈를 얘기하며 답변하니 그런 고리타분한 답변 말고 실질적으로 주변사람들과 얘기할 때 기업 이미지가 좋은지 나쁜지를 말씀해 달라는 것이다. 차마 나쁘다고 할 수 없지 않은가. 나도 당황스러워서 좋다고만 얘기하고 왜 좋은지 부연설명은 하지 못했던 기억이 있다.

Q 취업을 준비하면서 도움이 되었던 자격증이나 교육이 있다면 어떤 것을 추천하는지?

[답변] 비전공자분들은 비서자격증은 꼭 소지하였으면 좋겠다. 특별히 취업준비 중에 교육 들은 것은 없다. 사실 요즘 같아서는 이러한 자격증 같은 것이 무슨 의미가 있나 싶은 생각이 든다.

4. 국내 대형 S로펌 비서

Q 비서 직무에 가장 필요한 역량은?

[답변] 커뮤니케이션 능력. 아무래도 상사를 보필하는 것이 주 업무인 비서 직무에 있어서, 사람을 대하는 화법이 가장 중요하다고 생각한다.

Q 회사에 입사할 수 있었던 본인만의 노하우는?

[답변] 이 직무를 얼마나 하고 싶은지, 로펌비서를 위해 얼마나 꾸준히 준비해 왔는지 보여드리려고 노력했다. 비서교육과정 이수는 물론이고, 다소 관계없는 것 같은 스펙도 로펌비서의 역량에 어떤 도움이 될지 연관성을 찾으려 했다.

Q 입사지원을 위해 이것만은 꼭 해야 한다는 점이 있다면?

[답변] 입사 전에는 아무래도 비서의 업무가 모호하다고 생각할 수 있기 때문에 직무 관련 특강이나 교육을 찾아 들으면서 꿈을 구체화하는 것이 좋다고 생각한다. 다른 직업에 비해 인터넷을 통해 얻을 수 있는 정보도 적은 편이고, 무조건 스펙을 쌓으면서 부딪치기보단 전문가의 도움을 조금이라도 빌리는 게 나을 것 같다.

Q 취업준비과정에서 어느 부분을 가장 중점적으로 준비하였는지?

[답변] 면접 준비를 가장 중점적으로 했다. 커뮤니케이션 능력과 차분하고 꼼꼼한 이미지가 중점이 되는 만큼, 혼자 연습할 때 제 모습을 카메라로 찍으면서 표정 관리와 자세, 말투 등에 정말 신경을 많이 썼다. 면접 때 나올 수 있는 모든 가능한 질문들을 미리 적어놓고 그에 대한 답변을 준비하였다.

Q 면접 시 가장 어렵거나 곤란하게 느꼈던 질문과 나의 답변은?

[답변] '여행을 가서 어렵거나 힘들었던 기억은 없는가?'라는 질문이다. 딱히 떠오르는 게 없었던 저는 당황했지만, 그대로 솔직히 없다고 말씀드렸다. 이런 경우에 일부러라도 지어내는 것보다는 솔직하게 대답하는 것이 좋다고 생각한다.

Q 면접 중에 가장 기억에 남는 질문은?

[답변] 가장 기억에 남는 질문은 제가 가장 자신 있게 대답했던 지원동기이다. 정말 간절하게 원했던 곳이었기 때문에 저의 절박함이 그대로 드러났다고 생각한다.

Q 본인의 면접 시 기억나는 에피소드가 있다면?

[답변] 마지막으로 하고 싶은 말을 준비했는데, 질문을 받지 못하고 면접을 종료한다는 말을 듣고 당황하였다. 나는 그 말을 꼭 하고 싶었기 때문에, 먼저 마지막으로 드리고 싶은 말이 있다고 자신감 있게 말씀드렸다.

Q 취업을 준비하면서 도움이 되었던 자격증이나 교육이 있다면 어떤 것을 추천하는지?

[답변] 보통 외국어 실력이 매우 중요하다고들 하는데, 나는 비서 준비에 있어서 실용적이고도 조금 남다른 자격증을 생각하다가 한국어능력시험을 준비하였다. 내가 중요하다고 생각하는 커뮤니케이션 능력에는 말하기뿐만 아니라 쓰기, 읽기도 포함되는데, 한국어능력시험을 통해 이 모든 역량을 통합적으로 기를 수 있다고 생각한다. 실제로 자기소개서 및 면접에서도 자격증을 어필하며 준비된 비서임을 보여드렸고, 지금 업무를 하는 데 있어서도 도움이 많이 된다고 생각한다.

Q 대기업 파견직과 중소기업 정규직 중 어느 것을 추천하고 싶은지, 사유는?

[답변] 일반 기업의 비서는 준비해 보지 않아서 뭐라고 딱히 조언을 드릴 수는 없지만, 나에게 선택의 기회가 주어진다면 중소기업 정규직을 할 것 같다. 대기업 파견직으로 경력을 쌓을 수는 있지만, 어쨌든 정규직과의 대우는 달라질 수밖에 없고 추후에 다시 취업전선에 뛰어들어야 한다는 부담감이 클 것 같다.

Q 어떤 계기로 비서업무를 시작하였는지?

[답변] 처음에 단순히 취업에 도움이 될 것 같아서 학교에서 비서직무교육을 듣게 되었는데, 로펌비서가 정말 매력적인 직업으로 느껴졌다. 로펌에서 수임한 사건의 진행에 보조를 한다는 점에 있어서 전문성도 갖출 수 있다고 생각하였고, 무엇보다 안정적으로 오랜 기간 일할 수 있다는 점에 지원을 결심하게 되었다.

Q 로펌비서의 장점과 단점은?

[답변] 장점은 워크라이프밸런스가 최고인 직업이라고 생각한다. 9 to 6 업무시간을 거의 지키는 편이기 때문에 취미생활이나 공부도 가능하고, 출산 후에는 육아와 병행하는 데도 어려움이 없다.

단점은 아무래도 일반 기업과 달리, 업무상의 드라마틱한 변화가 있는 것은 아니기 때문에 쉽게 안주할 수도 있다고 생각한다. 그래도 로펌비서가 처리해야 하는 범위가 폭넓기 때문에, 연차가 쌓일수록 업무처리능력이나 노하우가 발전하는 것은 분명하다고 생각한다.

Q 이직을 희망한다면 처우가 좀 더 좋은 로펌으로 가고 싶은지 아니면 기업비서로 가고 싶은지?

[답변] 지금 직장에서 이직하고 싶은 생각은 없지만, 굳이 질문에 따른 선택을 하자면 다른 로펌으로 갈 것 같다. 로펌이라는 조직에 별다른 불만이 없기도 하고, 지금까지 체득한 업무 및 환경이 비슷한 곳으로 가야 적응이 수월할 것 같기 때문이다.

Q 로펌비서의 취업방법은?

[답변] 특별한 지름길은 없는 것 같다. 다만 누구나 다 알고 있듯이 기본적인 외국어 실력을 갖춰놓고, 직무교육을 한 번이라도 이수하면 좋을 것 같다. 거기에 상사의 지시를 따르고 구성원과 협업을 해보았던 인턴경험 등이 있다면 자신의 조직융화력을 더욱 잘 어필할 수 있을 것이라고 생각한다.

Q 취업준비생들에게 어떻게 커리어를 시작할 것을 추천하는지?

[답변] 무작정 경력부터 쌓겠다고 어디든 입사하려고 서두르는 것은 추천하지 않는다. 높은 곳부터 두드려보되, 그동안 차근차근 실력을 기르고 준비하다 보면 본인에게 맞는 회사가 나타날 것이라고 생각한다.

Q 다른 업계와 비교했을 때 로펌만의 특수한 분위기 또는 문화가 있다면?

[답변] 법조계의 보수적인 문화를 가지고 있긴 하지만, 오히려 이 덕분에 상대방을 더욱 배려하고 존중해 주는 분위기가 형성된다고 생각한다.

Q 로펌 비서직 면접 시 필수적인 질문으로는 무엇이 있는지?

[답변] 지원 동기 및 비서로서의 역량은 가장 필수적인 질문이다. 자신이 이 직무에 왜 맞는지 평소에도 항상 생각해 보면 좋을 것 같다.

Q 로펌비서 취업 직후 가장 필요한 관련 지식이 있다면?

[답변] 일단 법체계가 어떻게 돌아가는지 기본적으로 알아야 한다고 생각한다. 저도 입사할 때까지는 단순한 법적 용어조차 몰라 인수인계를 받으면서도 많이 힘들었는데, 조금씩 배우다 보면 일하는 데 큰 도움이 되는 것 같다.

5. 국내 대기업 외국인 임원비서

Q 비서 직무에서 가장 필요한 역량은?

[답변] 꼼꼼함이다. 비서의 기본업무인 스케줄 관리, 경비처리, 예약은 꼼꼼함이 중요하다. 변경, 취소, 추가된 스케줄이 있으면 바로 수정하고 상사에게 보고한다. 경비처리는 마감일 준수 및 필요시 증빙 제출이 중요하므로 날짜와 증빙관리에 신경 써야 한다. 예약은 날짜, 시간, 장소, 메뉴, 참석자 수, 좌석형태(입식, 좌식, 룸)를 정확히 파악해 진행, 기록 후 상사에게 보고한다.

Q 회사에 입사할 수 있었던 본인만의 노하우는?

[답변] 다국어 능력이다. 내가 근무한 포지션은 일본인 임원비서였기 때문에 영어 필수와 일본어 우대였다. 지원자 중 유일하게 영어와 일본어 둘 다 가능해 합격했다(대학 4년 일본 유학).

Q 입사 지원을 위해 이것만은 꼭 해야 한다는 점이 있다면?

[답변] 회사와 상사 정보 파악이다. 면접에서 회사와 상사에 대해 말해보라는 질문은 항상 나온다. 회사 홈페이지에서 회사명, 업종, 주력상품, 회사 국적(외국계 회사), 상사 정보(이름, 직급, 부서, 국적 등)를 확인 후, 숙지해 대답하면 된다.

Q 취업준비과정에서 어느 부분을 가장 중점적으로 준비하였는지?

[답변] 지원동기다. 말하기보다 듣는 것을 좋아하고(경청), 학창시절 조교와 총무를 많이 해서 비서업무를 잘 할 수 있다고 어필했다. 또한 영어와 일본어 둘 다 가능해 일본인 임원비서에 적합하다고 대답했다.

Q 본인의 면접 시, 기억나는 에피소드가 있다면?

[답변] 일본인 임원비서 면접 시(면접언어 : 영어) 중간에 임원과 일본어로 대화한

것이다. 인사팀 직원들과 다른 지원자도 있었는데 일본어를 모르기 때문에 다들 나를 신기하게 쳐다봤기 때문이다. 지원자들 중 유일한 신입이었지만, 그 덕분에 합격했다.

Q 취업을 준비하면서 도움이 되었던 자격증이나 교육이 있다면 어떤 것을 추천하는지?

[답변] 희망분야 비서 교육이다. 원래 로펌비서를 목표로 관련 수업을 수강했고, 이를 면접 시 언급해 비서 준비를 했다고 대답했다.

Q 대기업 파견직과 중소기업 정규직 중 어느 것을 추천하고 싶은지, 사유는?

[답변] 대기업 파견직이다. 비서경력이 없는 신입은 정규직이 되기 어렵기 때문이다. 대기업 파견직은 근무기간이 한정되어 있지만(1~2년), 업무 시스템이 체계적이므로 경력 및 업무 적응에 유리하다. 대기업 외국인 임원비서 1년 근무 경력 덕분에 다른 회사 면접을 많이 봤다.

Q 취업준비생에게 비서란 직업을 추천해 주고 싶은지?

[답변] 추천한다. 영업관리, 사무보조 등의 어설픈 사무직보다 직무가 뚜렷하며 인사, 총무 등 다른 사무직 전직에 유리하기 때문이다. 대기업 임원비서로 시작해 일본계 회사 인사총무팀으로 전직한 사례가 있다.

Q 어떤 계기로 비서업무를 시작하였는지?

[답변] 첫 직장인 중소기업에서 1년간 영어 및 일본어를 번역하면서, '전문 번역가도 아닌데 이 일을 계속할 수 있을까'라는 회의감이 들었다. 조교, 총무 경험이 많아 뒤에서 서포트하는 역할이 적성에 맞고, 뚜렷한 직무라 비서를 선택했다.

6. 국내 대기업 K그룹 대표이사 비서

Q 비서 직무에서 가장 필요한 역량은?

[답변] 멀티태스킹 역량이다. 한꺼번에 쏟아지는 업무의 순서를 파악하여 가지고 있는 지식을 실제로 활용하여 업무를 수행할 수 있는 멀티업무처리 역량이 가장 필요하다고 생각한다.

Q 회사에 입사할 수 있었던 본인만의 노하우는?

[답변] 질문의 요점을 파악한 후 솔직하게 대답하였다.

Q 면접 시 가장 어렵거나 곤란하게 느꼈던 질문과 그에 대한 답변은?

[답변] 남자친구 있는지, 결혼 언제 할 예정인지, 아이를 출산하게 되면 회사는 어떻게 다닐 수 있는지, 부모님이 애를 봐주지 않으면 어떻게 할 것인지 꼬리에 꼬리를 무는 질문이 이어졌다. 여기에 당황하지 않고 '남자 친구 있고 결혼은 할 예정이지만 출산 후 회사는 계속 다닐 것이다. 부모님께서 아이를 돌봐주지 않으시면 아이를 맡기고 계속 일을 할 예정이니 걱정하지 않으셔도 된다'라고 답변하였다.

Q 본인의 면접 시 기억나는 에피소드가 있다면?

[답변] 영어질문이 없다고 했는데, 갑자기 회사에 대한 첫인상을 영어로 표현해 보라고 했다.

Q 대기업 파견직과 중소기업 정규직 중 어느 것을 추천하고 싶은지, 사유는?

[답변] 처음 시작하는 나이가 어린 비서라면 대기업 파견직을 추천하고 싶다. 첫째, 시간적인 여유와 혹은 대기업에서는 젊은 친구들을 선호하는 경향이 있기 때문에 취업이 더 수월한 점 둘째, 대기업에서 체계적으로 비서업무를 배울 수 있고 셋째, 제가 대기업 파견을 통해 중견기업비서로 이직한 경험으로 비춰봤을 때 시설 좋은 대기업에서 다양한 사람들과 일할 수 있었던 경험이 중견기업비서로 이직하고 업무를 할 때 도움이 많이 되었다.

Q 취업준비생에게 비서란 직업을 추천해 주고 싶은지?

[답변] 추천해 주고 싶다. 하지만 무작정 겉모습만 보고 좋고 화려해 보일 것 같아서, 아니면 쉬울 것 같아서 마음 먹은 학생들한테는 다른 업무를 찾아보라고 하고 싶다. 결코 화려하지만은 않다.

Q 어떤 계기로 비서업무를 시작하였는지?

[답변] 승무원을 지원하다 비서직에 관심이 생겨 같이 공부하다가 우연한 기회에 면접을 볼 수 있었고, 합격하여 비서업무를 시작하게 되었다.

7. 국내 대형로펌 K변리사 비서

Q 비서 직무에서 가장 필요한 역량은?

[답변] 융통성과 순발력이라고 생각한다.

Q 회사에 입사할 수 있었던 본인만의 노하우는?

[답변] 단정하고 깔끔한 이미지 어필, 업무적인 면에서 꼼꼼함을 어필하였다.

Q 취업준비과정에서 어느 부분을 가장 중점적으로 준비하였는지?

[답변] 지원회사의 업무성향, 사내 분위기 등 정보를 많이 얻고 이에 적합한 사람이라는 점을 어필하였다.

Q 취업을 준비하면서 도움이 되었던 자격증이나 교육이 있다면 어떤 것을 추천하는지?

[답변] 대한상공회의소에서 주관한 비서자격증이다.

Q 대기업 파견직과 중소기업 정규직 중 어느 것을 추천하고 싶은지?

[답변] 본인은 대기업 파견직은 경험이 없으나, 현재 재직 중인 중소기업 정규직을 추천한다. 구성원이 적기 때문에 본인에게 주어진 임무가 많고, 자잘한 업무까지 처리해야 하지만 그 과정에서 배울 점이 많다고 생각한다.

Q 로펌비서의 장점과 단점은?

[답변] 장점은 안정적인 근무환경, 단점은 보수적인 분위기이다.

Q 이직을 희망한다면 처우가 좀 더 좋은 로펌으로 가고 싶은지 아니면 기업비서로 가고 싶은지?

[답변] 좀 더 업무가 폭넓은 기업비서로서 근무해 보는 것도 좋을 것 같다.

Q 로펌비서의 취업방법은?

[답변] 인턴으로 근무하던 곳에서 비서실 공석으로 지원하게 되었다.

Q 다른 업계와 비교했을 때 로펌만의 특수한 분위기 또는 문화가 있다면?

[답변] 점심회식, 조용한 근무환경이다.

Q 로펌비서 취업 직후 가장 필요한 관련 지식이 있다면?

[답변] 법률용어 암기, 비즈니스레터 쓰는 법이다.

8. 국내 대기업 H그룹 연구소 비서

Q 비서 직무 시 가장 필요한 역량은?

[답변] 누가 보지 않아도 본인 업무를 충실하게 하는 성실함과 임원을 모시는 사람으로서 내 회사, 내 임원을 위한 진심이 있다면 모든 역량이 뛰어나지 않을까 하는 생각이 든다.

Q 입사지원을 위해 이것만은 꼭 준비해야 한다는 점이 있다면?

[답변] 홈페이지에 들어가 인재상을 본다. 자기소개 시 해당 인재상에 맞게 어필하고, 추상적이기보다 사례를 예시로 들어 자기소개를 한다.

Q 취업준비과정에서 어느 부분을 가장 중점적으로 준비하였는지?

[답변] 항상 웃는 얼굴이다. 웃는 것도 습관이 된다고 면접을 보기 위해 거울 보고 웃는 연습을 하는데 막상 하게 되면 어색하기 짝이 없다. 평소 긍정적인 마인드와 즐거운 생각을 한다면 인상이 달라질 것이라 생각한다.

Q 면접 시 가장 어렵거나 곤란하게 느꼈던 질문과 나의 답변은?

[답변] '진심을 중요시여기는데, 진심이 긍정적이면 좋겠지만, 부정적일 경우 어떻게 행동할 것인가?'이다. 1:1 면접에서 오랜 시간 이야기했던 게 기억나는데, '업무적으로 비서는 임원에게 절차와 업무의 흐름이 능률적으로 되도록 조정하고 유지하며 업무관계를 원활하게 하는 역할을 하는데 업무적으로 필요하다면 상사에게 말씀드리고, 효율적으로 해결되면 임원과 회사직원 모두 조화로운 결과라고 생각한다. 인간관계로 본다면 임원을 모시는 비서는 그림자가 되어 함께 호흡해야 하는데, 내가 모시는 상사를 진심으로 생각하지 않는다면 얼마나 부끄러운 일일까요?'라는 답변을 한 기억이 있다.

Q 면접 중에 가장 기억에 남는 질문은?

[답변] 집 차종을 물어본 뒤 탁구공이 몇 개가 들어갈지 이론적으로 설명하라는 질문이다.

Q 대기업 파견직과 중소기업 정규직 중 어느 것을 추천하고 싶은지, 사유는?

[답변] 대기업, 중소기업 모두 장단점이 있는데, 우선 회사의 발전가능성을 중점적

으로 보겠지만, 다양한 경험을 위해선 모든 업무를 볼 수 있는 중소기업을 택할 것 같다.

Q 어떤 계기로 비서업무를 시작하셨나요?

[답변] 고3 담임선생님의 추천으로 비서학과에 입학하게 되었고, 입학 후 새로운 것이 아닌 조금 더 전문적인 것을 배워 흥미로웠고, 적성에 잘 맞는 걸 알게 되었다.

9. 명품 패션회사 D그룹 비서

Q 비서 직무에서 가장 필요한 역량은?

[답변] 배려와 센스이다. 비서의 모든 업무는 상사와 연관되어 있기 때문에 상사의 입장에서 생각하며 배려하는 마음가짐이 중요하고, 굳이 말하지 않아도 1을 알면 3까지 생각하는 센스가 중요하다.

Q 회사에 입사할 수 있었던 본인만의 노하우는?

[답변] 자신감이다. 누구나 회사의 상사 앞에서 작아지기 마련이다. 하지만 비서는 상사와 의견을 주고받을 수 있을 정도의 배짱을 갖고 있어야 하기 때문에 면접에서만큼은 '내가 아니면 안 된다'라는 자신감을 표현하는 것이 중요하다.

Q 취업준비과정에서 어느 부분을 가장 중점적으로 준비하였는지?

[답변] 직무보다는 우선 회사에 초점을 두었다. 내가 비서라는 생각보다는 어떤 회사의 직원인지를 파악하는 것이 중요하다. 회사에 대한 충분한 이해가 1순위이며 그 후에 비서라는 직무를 적용시켜야 한다. 패션회사 비서 면접 중 패션용어를 하나도 못 알아듣는다면 얼마나 황당한 일인가.

Q 면접 중에 가장 기억에 남는 질문은?

[답변] '우리가 당신을 왜 채용해야 한다고 생각하는지?'이다. 당당함이 나의 포인트였기 때문에 '나를 채용하지 않으면 후회하실 것이라고 말씀드렸다. 면접 많이 보시고 사람들 많이 만나보셨으니 제가 어떤 사람인지 느낌이 오셨을 거라 생각한다. 괜찮다고 생각하신다면 그건 오늘 절 정확히 보신 거고 그렇지 않다면 컨디션

이 안 좋으신 거다'라고 대답했더니 상사가 박장대소하셨다. 면접 보는 순간의 본인 컬러를 끝까지 유지해야 한다.

Q 취업을 준비하면서 도움이 되었던 자격증이나 교육이 있다면 어떤 것을 추천하는지?

[답변] 영어와 업무 외 경험. 영어는 필수다. 유창하진 않아도 기본 비즈니스 통화를 할 수 있는 정도의 실력이 필요하기 때문에 스피킹 관련 자격증이 좋다. 또한 전시회, 영화, 일상경험 등이 업무와 직접적인 관계는 없지만 여러 종류의 경험이 면접과 상사와의 대화에서 아주 유용하게 활용된다.

Q 대기업 파견직과 중소기업 정규직 중 어느 것을 추천하고 싶은지, 사유는?

[답변] 중소기업 정규직을 추천한다. '내가 회사 주인이다'라는 마인드가 중요하다고 생각하기 때문에 끝을 두고 일하는 파견직보다 정규직을 추천한다. 하지만 어떤 것을 선택하더라도 평생직장이고 마지막 상사라는 생각으로 일하는 것이 중요하다.

Q 취업준비생에게 비서란 직업을 추천해 주고 싶은지?

[답변] 추천한다. 다만 준비가 된 분들만 시작했으면 좋겠다. 본인도 케어를 못하면서 보스를 케어하는 일을 한다는 것은 상대방에 대한 예의가 아니다.

10. 국내 대기업 L그룹 임원비서

Q 비서 직무 시 가장 필요한 역량은?

[답변] 센스, 인내심이다.

Q 회사에 입사할 수 있었던 본인만의 노하우는?

[답변] 면접 질문에 미소와 함께 성실하게 답변한 것이다.

Q 입사지원을 위해 이것만은 꼭 해야 한다는 점이 있다면?

[답변] 경력 또는 비서자격증을 취득하면 좀 더 유리해 보인다.

Q 취업준비과정에서 어느 부분을 가장 중점적으로 준비하였는지?

[답변] 워킹홀리데이 프로그램을 다녀온 후라 영어에 집중하였다.

Q 면접 시 가장 어렵거나 곤란하게 느꼈던 질문과 나의 답변은?

[답변] 휴대폰을 만든 회사였는데 자사제품을 쓰고 있냐는 질문, 당시 다른 제품을 쓰고 있었고 입사하면 바꾸겠다고 답변하였다.

Q 취업을 준비하면서 도움이 되었던 자격증이나 교육이 있다면 어떤 것을 추천하는지?

[답변] 비서자격증과 영어스피킹이다. 비서자격증은 경력처럼 비서업무를 숙지하고 전문성이 있는 것처럼 보여졌던 것 같고, 스피킹은 외국계 회사가 아니더라도 분명히 플러스 점수가 있다.

Q 대기업 파견직과 중소기업 정규직 중 어느 것을 추천하고 싶은지, 사유는?

[답변] 대기업 파견직을 추천한다. 본인은 중소기업 경력이 없지만 주변 다른 비서가 정규직을 원해서 대기업에서 중소기업으로 직장을 옮긴 케이스가 있었다. 정규직이라 안정적일지는 모르나 대기업과 어느 정도 다른 시스템에 상당히 불편했다고 한다. 시스템이 잘 갖춰진 중견기업이라면 모르겠지만 차이는 있을 것이라고 생각해서 대기업 파견직을 추천한다.

Q 어떤 계기로 비서업무를 시작하였는지?

[답변] 비서업무에 관심이 있기도 했고 전공이 항공 쪽이라 비서로 시작할 기회가 생겨 시작하게 되었다.

제 2 장

일정관리업무

일정관리업무

제1절 상사의 일정관리

1. 일정관리 프로세스

상사가 비서에게 일정관리를 맡기는 것은 신뢰가 쌓여야 한다는 전제가 있으며 상사가 일정관리에 있어 비협조적이라도 꾸준한 관리가 필요하다.

모든 일정은 사전 약속을 통해 이루어진다. 상사의 미팅, 회의 참석, 국내/해외 출장을 위해 비서는 사전에 유관 비서 및 관계자들과 협의해야 한다. 일정관리업무는 상사의 일정(회의, 미팅, 콘퍼런스콜, 출장, 다이닝미팅, 개인일정, 강연일정 등)을 확인 및 조율하여 일정관리 프로그램(구글 캘린더, 아웃룩 등)에 입력하고, 스마트폰과 연동될 수 있도록 한다. 컨펌된 일정은 유관자들과 공유하여 자료를 준비할 수 있도록 한다. 입력된 일정을 수시로 확인하며 변경 시 수정하고, 입력된 일정을 확인하여 일정 간 충돌이 예상되면 상사에게 보고하여 일정을 조정한다.

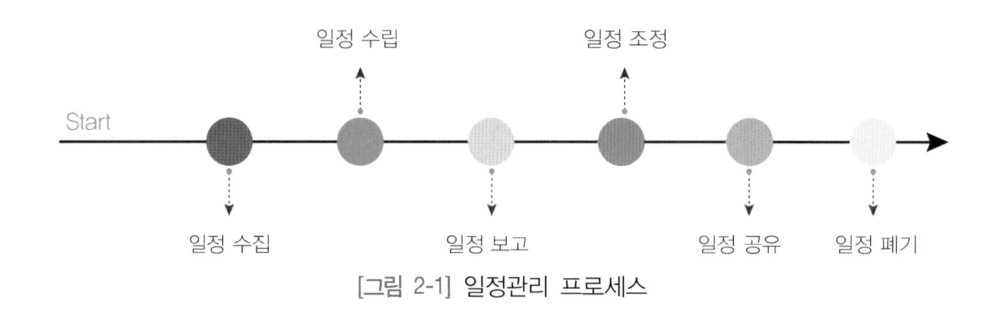

[그림 2-1] 일정관리 프로세스

1) 일정 수집

회의체를 반영한 회의, 미팅, 인사이동, 콘퍼런스, 포럼, 국가 빅이벤트, 워크숍, 휴무일 및 시기별로 연간, 분기, 월간, 주간, 일간 등의 일정을 사전에 수집하여 일정관리가 필요하다. 상사와 회사가 관련된 기관이나 단체에 대한 일정은 꾸준히 모니터링한다. 사내 주요 일정과 주요 임원 및 임직원의 일정도 비서는 기록하고 보고해야 한다.

연간일정 수립은 전년도 캘린더를 참조하여 연간계획, 서신 및 이메일, 전화, 지시, 회의 및 모임 등으로 구성한다. 정기적인 행사는 연초에 전년도 캘린더를 참고해 일정표에 미리 기입하여 일정의 중복을 피하며, 행사일이 다가오면 파일링해 둔 전년도 행사와 관련된 자료를 참고해서 대략적인 일정 소요시간을 계획한다. 일정이 확정되면 관련 부서에서 정확한 행사 스케줄을 받아 상사에게 보고하고, 일정표에 기록한다.

2) 일정 수립

가급적 일정 수집 시 복수의 일정을 받아 상사가 선택할 수 있도록 한다. 상사를 대신해서 약속하는 경우 식사시간(11~1시)과 출/퇴근시간(9시, 18시)은 피하는 것이 좋다.

3) 일정 보고

수집한 일정을 상사에게 보고하여, 상사가 자신이 계획하고 있는 일정과 중복되지 않도록 한다. 일정이 확정되면 관련 부서에서 정확한 행사 스케줄 및 세부내용과 자료를 받아 상사에게 보고하고, 일정표에 기록한다.

4) 일정 조정

일정 조정은 상사의 지시에 따라 또는 상사의 일정을 효율적으로 관리하기 위하여 유

관자들과의 일정을 조율 및 조정함을 의미한다. 일정 조정 시 되도록 유선, 메일, 문자로 추가적으로 안내를 하며, 상사의 요청으로 일정 조정 시 상사의 입장이 난처하지 않게 친절하게 응대한다.

5) 일정 공유

상사의 일정은 철저하게 대외비이며 회사 내부에서도 공유가 지정된 구성원 외에는 공유불가다. 상사의 일정이 노출되지 않도록 일정과 관련된 메모와 서식은 주기적으로 관리한다.

하지만 유관자들과는 반드시 일정을 공유하여 자료준비에 차질이 없도록 한다.

6) 일정 폐기

보안상 3년 이상의 일정은 폐기하는 것이 원칙이다. 하지만 상사가 일정보관을 원할 경우 데이터베이스화하여 보관한다.

제2절 일정보고

비서는 상사에게 리마인드를 해주는 사람이다. 기준을 정해서 일정을 상사에게 리마인드해 주는 것이 필요하다. 매일 저녁 이메일로 명일 일일 일정표를 보고 드린다. 일일일정표에는 익일 일정 및 보고사항 및 결정필요사항을 함께 작성하고, 명일 첫 일정은 SMS로 보고 드린다. 매일 오전, 일정 통합보고(대면보고) 및 지시사항을 수행하며, 결정된 일정을 Outlook 프로그램에 입력 및 수정하고, 확정일정을 회의 및 미팅 유관자에게 통보한다. 일요일 오후에는 명일 일일일정표, 주간일정표를 함께 발송하며, 월요일 일정보고 시 일일일정과 주간일정을 함께 보고한다. 외부일정의 경우 외부단체, 모임 인사와의 일정조율 및 커뮤니케이션을 한다. 외부인사와의 일정을 조율할 경우 가능일시, 안건, 소요시간, 장소, 배석인원을 안내하여 정해서 보고한 후 미팅인사 인물정보 및 말씀자료, 선물안을 준비 후 보고한다.

1. 일정보고 Flow

1) 전일 저녁 일정보고

익일 일일 일정자료를 이메일로 보고한다. 익일 첫 일정은 SMS로 보고한다.

2) 당일 아침 일정보고

전일 저녁에 송부한 일일 일정자료를 구두 보고 후 추가 이슈사항을 보고한다.

3) 일정보고 이후

컨펌된 일정을 구글 캘린더 또는 아웃룩에 기입한다.

4) 일요일 저녁 일정보고

차주 월요일 일일 일정자료와 주간일정 자료를 이메일로 보고한다.

5) 월요일 아침 일정보고

일일 일정과 주간일정을 구두 보고한다.

2. 일정표 작성방법

일일 일정표는 일정표를 반으로 분류하여, 왼편에는 당일 일정을 기입하고, 오른편에는 보고 및 확인사항을 기입한다. 당일 일정에 기입할 내용으로는 시간(시작/종료), 내용(일정명, 배석자), 장소를 기입한다.

주간일정표는 1주일 단위로 기입하며 사내/외, 계열사 일정별로 색상을 구분하여 기입한다.

일정 관련 용어

- 조찬 (아침식사), 오찬 (점심식사), 만찬/석찬 (저녁식사)
- 삼작일 (3일전), 거거일 (2일전), 작일, 전일 (어제), 금일 (오늘), 명일/익일 (다음 날)
- 차일 (내일), 명후일 (2일후), 삼명일 (3일후)
- 전일 (전날; 일정한 날을 기준으로 한 바로 앞 날), 차일 (이날; 일정한 날을 기준으로 한 바로 앞 날), 당일 (그날; 일이 있는 바로 그날)

[일정관리업무 실습]

1. 일일 일정표, 주간일정표를 만든다.

2. 일정표를 활용하여 상사에게 보고한다.

3. 상사에게 익일 첫 일정을 SMS로 보낸다.

[일정관리업무 토론]

1. 상사가 일정을 공유하지 않는 경우

2. 임원 및 직원들이 상사의 일정을 묻는 경우

2-1. 비서가 일정을 알고 있을 경우

2-2. 비서도 일정을 모르는 경우

제 3 장

예약업무

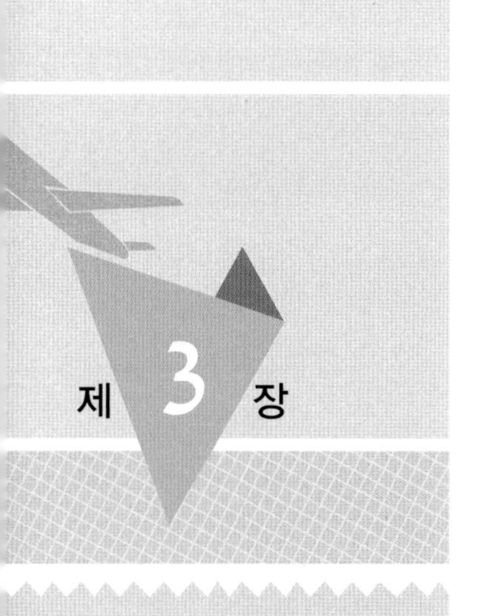

예약업무

제1절 다이닝미팅 예약업무

레스토랑 예약은 편안하고 즐거운 식사를 위한 기본이다. 예약에 앞서 우선 식사할 사람의 취향, 예산, 인원 또는 모임의 목적을 고려하여 이용하고자 하는 레스토랑이 그 기준에 적합한지를 확인하는 것이 필요하다. 예약 시에는 이름(상사, 비서), 연락처(비서), 예약일시, 인원수에 대하여 알려 그에 적합한 자리를 준비할 수 있도록 한다. 예산과 원하는 메뉴에 대해서 알려주고 또는 특별한 서비스를 부탁하면 더욱 편안하고 즐거운 서비스를 제공받을 수 있다. 또한 고급 레스토랑의 경우 드레스코드를 확인하여 참석자들이 그에 대하여 준비할 수 있도록 해야 한다. 일반적으로 레스토랑은 예약시간에 맞추어 테이블과 요리를 준비하기 때문에 예약한 시간은 가급적 잘 지켜야 하며 늦어질 경우 미리 연락을 해야 한다. 15~20분 이상 늦어질 경우 레스토랑에서는 예약이 취소되어 레스토랑을 이용할 수 없는 상황이 발생할 수도 있음에 유의해야 한다.

1. 레스토랑 찾기

- 인터넷 블로그 : 인터넷 블로그에는 레스토랑 블로그가 많아 검색을 하면 많은 레스토랑 정보를 확인할 수 있고 실제로 방문해서 사진이나 평가를 확인할 수 있으므로 다양한 정보를 얻을 수 있다.
- 레스토랑 커뮤니티 앱 : 앱을 다운받으면 지역을 손쉽게

검색할 수 있고 해당 지역의 레스토랑을 찾을 수 있다.

- TV 프로그램 : TV 프로그램을 통해서 레스토랑을 확인할 수 있다. 평상시 이러한 프로그램들을 관심 있게 시청한다면 레스토랑에 대한 정보를 많이 얻을 수 있다.
- 럭셔리 매거진 : 매월 발행되는 럭셔리 매거진을 통해 신규 오픈 레스토랑 및 파인 다이닝 레스토랑에 대한 정보를 얻을 수 있다.

2. 레스토랑 예약방법

〈표 3-1〉 레스토랑 예약방법

구분	내용
레스토랑 예약하기	• 모임에 참석하는 인원 수, 추가로 더 참석할 수 있는 인원도 감안하여 예약한다. • 남녀 각각의 수도 파악하고, 어린이도 참석하는지 파악 후 레스토랑에 안내한다. • 모임이 시작되는 시각과 예상 소요시간을 파악한다. • 룸 여부, 룸 타입(일식의 경우 다다미룸 혹은 다다미테이블룸)을 확인한다. • 상대방의 Food Allergy, vegetarian 여부, 종교, 음주 여부, 선호/비선호 음식, 커피 기호, Tea 기호(디카페인 선호 여부 등), 선호하는 좌석 등을 확인한다. • VIP 고객을 위한 Special Menu를 별도로 구성해 주기도 하므로 필요시 가능여부를 확인한다. • 외국인 VIP의 경우 영문 메뉴판이 있는지 확인한다. • 유선결제 가능여부, corkage 가능여부 및 비용을 확인한다. • 전용엘리베이터 이용 가능여부를 확인한다.
예약 시 주의사항	• 최소 일주일 전 예약 필요 • 예약 시 예약 담당자의 이름과 전화번호 알려주고, 주차 가능 여부, 영업시간 등을 확인 • 예약일 하루 전에 다시 한 번 예약사항을 확인

레스토랑 용어

- 레스토랑(restaurant): 프랑스에서는 레스토랑을 4개로 나눈다. 레스토랑은 친절한 서비스를 제공하며 정찬 코스 요리를 파는 고급식당이다.
- 비스트로(bistro): 지역 색이 강한 2~3코스의 요리를 파는 작은 식당을 말한다.
- 카페(cafe): 샌드위치, 샐러드등 가벼운 식사와 커피, 차를 파는 곳을 말한다.
- 브라세리(brasserie): 대형으로 카페, 비스트로, 레스토랑의 기능을 총집합한 곳을 말한다.
- 파인다이닝(Fine Dining): '훌륭하다'라는 뜻의 '파인(fine)'에 '정찬'이라는 뜻의 '다이닝(dining)'이 결합해 '훌륭한 정찬'이란 뜻으로 프랑스식 최고급 요리를 뜻하는 '오트 퀴진(haute cuisine)'에 토대를 두고 있다. 풀코스 요리나, 메인 요리에 에피타이저와 사이드 디시를 곁들이는 식, 여기에 충실한 와인 리스트를 갖추면 '파인다이닝'이라고 부른다. 최근에는 고급 코스요리(훌륭한 요리), 세련된 분위기와 빈틈없는 서비스 이 세 가지가 완벽하게 조화를 이뤄야 진정한 '파인다이닝' 레스토랑이라 할 수 있다.
- 아메리칸 다이닝(American Dining): 미국 음식은 다양성이 공존하는 미국 사회의 특성에 따라 이탈리아, 프랑스, 스페인뿐 아니라 모든 나라의 음식 특징을 포용하고 있다. 이런 미국 스타일의 요리를 국내에 맞게 재해석한 것이 '아메리칸 다이닝'이라고 할 수 있다.
- 이탈리안 레스토랑(Italian Restaurant): 메뉴에 파스타가 있으며 올리브오일을 주로 사용하는 레스토랑이다.
- 프렌치 레스토랑(French Restaurant): 푸아그라, 버터, 유제품 등을 주로 사용하는 레스토랑이다.
- 컨템포러리 퀴진(Contemporary Cuisine): 'Contemporary'의 사전적 의미는 동시대의 · 현대의 · 당대의란 뜻이다. 현재 가장 새로운 요리 콘셉트를 표현하는 용어이다.
- 화식 레스토랑(Japanese Style Restaurant): 일식당을 의미한다.
- 가스트로노미(Gastrnomy): 'Gastrnomy'는 고대 그리스어 '가스트로노미아'에서 유래한 어원으로 미식을 의미하며, 현대에서 가스트로노미란 파인다이닝을 의미한다.
- 오마카세(お任せ): 메뉴를 정해놓지 않고 주방장이 그날 가장 좋은 재료를 이용해 알아서 음식을 만들어 내는 형식을 말한다.
- 룸 차지(Room Charge): 룸 이용시 지불하는 비용
- 서비스 차지(Service Charge): 봉사료

와인 용어

- 나파(Napa): 샌프란시스코 북부 지역의 마을로 캘리포니아의 최상급 와인들이 생산된다. 미국 최고의 와인들은 모두 다 나파 출신이다.
- 누보(Nouveau): 보졸레 누보가 가장 널리 알려져 있다. 와인을 급속으로 양조하여 수확한 해부터 마시는 와인이다. 신선하며 과일 맛이 뛰어나며 오래 숙성되지 않는다.
- 디켄팅(Decanting): 병에 있는 와인의 침전물을 없애기 위해 조심스럽게 와인을 따라 다른 깨끗한 용기(decanter, 디켄터)로 옮겨 따르는 행위다.
- 로제(Rose): 색이 분홍빛인 와인으로 검은 포도의 즙을 조금 내어 만든다. 다만 로제 샴페인인 경우에는 화이트와 레드를 혼합하여 만들 수도 있다.
- 론(Rhône): 프랑스 남부에 흐르는 강 이름. 이 강 유역에 있는 포도원에서 생산되는 와인들의 이름은 론 밸리다.
- 리슬링(Riesling): 독일이 원산지인 청포도 품종 이름.
- 말벡(Malbec): 보르도산 검은 포도로서 아르헨티나가 그 우수성을 세계에 알리고 있다.
- 메를로(Merlot): 보르도산 검은 포도. 또한 캘리포니아, 칠레, 호주 등 많은 곳에서 재배한다. 주로 카베르네 소비뇽과 블렌딩 한다.
- 바디(Body): 맛의 점성도, 진한 정도와 농도 혹은 질감의 정도를 표현하는 말이다. 풀 바디, 미디엄 바디, 라이트 바디로 구분된다. 알코올 도수가 높으면 풀 바디해진다.
- 밸런스(Balance): 산도, 당분, 타닌, 알코올 도수가 조화를 이룰 때 균형이 좋다.
- 뱅(Vin): 프랑스어로 와인이다. 이탈리아어로는 비노, 스페인어로도 비노, 독일어로는 바인이다.
- 부케(Bouquet): 숙성 과정에서 생기는 와인의 향기를 말한다. 병 속에서 오래 숙성되기 때문에 'bottle bouquet'라고 한다.
- 브랜디(Brandy): 와인을 증류하여 만든 술로서 코냑 지방의 브랜디가 가장 유명하다. 우리는 그것을 그냥 코냑이라고 부른다.
- 브뤼(Brut): 프랑스 말로 드라이를 나타낸다. 샴페인 브뤼는 달지 않은 샴페인의 맛을 나타낸다.
- 블랑 드 블랑(Blanc de Blancs): 청포도 품종으로 만든 화이트와인을 뜻한다. 샴페인은 검은 포도(피노 누와와 피노 므뉘에)와 청포도 품종(샤르도네)으로 만들어지는데, 블

랑 드 블랑 샴페인은 샤르도네만으로 만든다.

- 빈티지(Vintage): 포도의 수확연도.
- 산도(Acidity): 와인에서 느끼는 신맛의 정도를 가리키는 말.
- 샤르도네(Chardonnay): 청포도의 일종으로 부르고뉴 지방이 원산지다. 샴페인을 만들 때에도 사용된다.
- 샤토(Château): 프랑스 말로 성(Castle)이라는 뜻이다. 보르도에서는 자기 소유의 포도밭에서 딴 포도로 와인을 양조할 때 샤토라고 이름을 붙인다.
- 소비뇽 블랑(Sauvignon blanc): 청포도 품종으로 샤르도네 다음으로 세계적으로 많은 사랑을 받는 포도 품종이다.
- 아로마(Aroma): 포도의 원산지에 따라 맡을 수 있는 와인의 향기를 의미한다.
- 아이스와인, 아이스바인(Ice Wine, Eiswein): 얼어붙은 포도로 와인을 만드는 것으로 포도가 언 상태에서 압착을 하여 주스를 짜내어 발효를 한다. 아이스 와인은 항상 달콤한 디저트 와인이다. 리슬링으로 만든 것을 최고로 친다.
- 아페리티프 와인(Aperitif wine): 식전에 마시는 와인.
- AOC(Appellation Origine Controlee): 프랑스 정부에서 정한 와인의 원산지에 따라 생산 가능한 와인이 정해져 있다. 예를 들면 메독 원산지는 레드 와인만 생산한다. 보르도 원산지는 레드, 화이트, 로제 모두 가능하다.
- 칠링(Chilling): 음식물이나 포도주 Glass 등을 차게 하여 냉장시키는 것.
- 카베르네 소비뇽(Cabernet Sauvignon): 레드와인의 일반적인 품종으로 세계적으로 가장 많이 사용되며 사랑받고 있다.
- 코냑(Cognac): 프랑스 코냑 지방에서 생산되는 브랜디다.
- 코키지 피(Corkage Fee): 레스토랑에 와인을 가져갔을 때 지불해야 하는 돈.
- 타닌(Tannin): 폴리페놀 물질로 쓴 맛 혹은 수렴성이 있어서 입안에서 떫은맛을 느끼게 한다.
- 포트(Port): 포르투갈의 오포르토(Oporto) 지역에서 양조되는 주정강화 와인이다.
- 플랫(Flat): 테이스팅 용어로 산미와 생동감이 결여된 와인을 일컫는다. 플랫 와인은 향이 좋다 하더라도 마시기가 어렵다. 꼭 김빠진 맥주 같기 때문이다. 스파클링 와인에서 플랫은 와인에 탄산가스가 결여되었다는 뜻이다.
- 피노 누와(Pinot Noir): 부르고뉴 원산지의 검은 포도이며 청포도 품종 피노 블랑과 가깝다.
- 피니시(Finish): 와인을 삼킨 후 입안에 남아 있는 맛이다. 오래 숙성할 수 있는 와인은 뒷맛도 길다.

제 2 절 교통편 예약업무

교통예약은 크게 차량, 항공, 철도, 선박 예약 등으로 구분 할 수 있다. 교통예약 업무에서 가장 중요한 점은 상사의 선호사항, 교통편의 컨디션, 수하물, 금액 등을 사전에 확인하는 것이다. 이를 위해 비서는 평소 상사의 기호, 여행사, 렌터카 업체, 국가별 택시 업체 등을 파악하는 것이 필요하다.

1. 차량 예약

차량예약은 크게 렌터카 예약과 택시 예약으로 나눌 수 있다.

1) 렌터카 예약

- 선호 차량, 차량 컨디션(예를 들어 금연차량, 연식 등), 내비게이션 유무(한국어 네비게이션 여부), 수하물 수용개수, 인원 수, 최대 탑승 인원 수, 좌석 등을 확인하여 보고한다.
- 차량 렌트 시 보증금을 지불하고 차량 반납 시 본인의 서명과 함께 결제한다.
- 픽업한 장소와 돌려준 장소가 다르면 렌트요금에 차이가 발생하기도 하므로 유의한다.
- 보험가입 필수이며, 현지에서 렌트 시 국제면허증을 반드시 제시해야 하므로 준비하도록 보고한다.
- 렌터카 업체에 non-smoking car, 신차 위주로 배차를 요청한다.
- Pick up과 Sending 장소를 확인한다.
- 가이드 포함 차량예약을 할 경우 가이드 이력사항, 차량 컨디션 여부를 확인하고 현지법상 운전기사와 가이드의 고용여부를 각각 확인한 뒤 준비한다.

2) 택시 예약

- 택시 예약 시에는 현지택시와 한인택시여부를 확인하여 상사가 선택할 수 있도록 한다.

- 이동 소요시간에 따른 비용을 확인하고 한인 택시와 현지 택시의 금액(톨비 포함 여부 체크)과 차종, 차량 컨디션을 비교한다.
- 한국에서 결제 가능여부를 확인하고, 가능 시 비용을 사전/사후 송금여부에 따라 처리한다. 되도록 사후 송금하는 것이 좋다.
- 예약 후 배정 예정인 기사 성명, 연락처, 송영장소를 확인한다(반드시 기사와 사전에 통화해야 실수를 줄일 수 있다).

2. 항공편 예약

항공편 예약 시에는 반드시 선호 좌석으로 예약하고, 개인일정일 경우 마일리지 업그레이드 여부를 확인한다. Transit Time 최소시간과 최소 환승시간을 계산하여 총 비행시간이 최단시간인 것으로 예약한다. 공항 및 항공사 의전, 라운지 위치를 확인하고 Transit 할 경우 Luggage Through 가능여부를 확인한다.

- 자주 거래하는 여행사가 있으면 편리하다.
- 항공권 예약 시 일정과 좌석종류를 정확하게 확인한다.
- 항공권 예약 시 여행자보험도 함께 가입한다.
- 예약 전 방문하는 나라, 날짜와 출발 및 도착 시간, 좌석(이코노미, 비즈니스, 퍼스트), 경유 혹은 직항여부를 확인한다.
- 예약 시 항공사별 멤버십번호를 함께 안내하여 마일리지를 적립할 수 있도록 한다.
- 발권시한을 확인한다. 발권기한 내에 발권하지 않으면 자동적으로 예약이 취소되므로 주의한다.
- 수하물 중량을 확인한다. 기내 반입 가능 수하물의 수량과 크기도 확인한다.
- 비자는 최소 일주일 전 여권과 여권사진을 준비하여 미리 발급받는다(도착 비자 필요국가 여부 사전확인 필수). 국가별로 연휴기간이 다르므로 해당 국가의 연휴를 대사관에 확인하여 비자를 준비한다(중국의 경우 연휴기간 1~2주 정도 대사관이 휴무이기 때문에 기간을 놓치면 비자를 받지 못할 수 있다).
- 전자항공권(이티켓), 미국의 경우 ESTA를 인쇄 후 여권 복사본과 함께 준비한다.
- 출국 전일과 당일 날씨, 항공사 사정으로 인한 결항 여부와 지연 여부를 확인한다.
- 미성년자가 동반할 경우 주민등록등본을 소지한다.

- 세관신고서와 출입국신고서를 사전입수 후 작성하여 준비한다.
- 비서 동행 시 가급적 상사와 같은 클래스에 탑승한다.

항공 용어

- 고쇼(goshow): 사전에 좌석을 확보하지 못한 사람이 공항에 나가서 만약 공석이 있으면 그 좌석을 이용하고 싶다고 희망하는 상태를 말한다
- 부킹(Booking): 항공원 발권을 의미한다.
- 더블 부킹(Double Booking; DUPE): 항공편 이중 예약을 의미한다. DUPE의 경우 항공사에서 여행사에 통보해주면 한 쪽은 반드시 캔슬 해야 한다.
- 오버부킹(Overbooking): 지정된 항공기 좌석 수보다 예약자를 초과해 항공권을 판매하는 것을 의미한다.
- 오픈티켓(Open ticket): 보통 돌아오는 날짜를 구체적으로 정하지 않고 예약한 항공권을 말한다.
- 블록(Block): 여행 성수기 또는 항공사의 전략적 목적에 따라 여행사가 항공사와의 약정을 통해서 항공기 좌석의 일정부분을 배정받은 후 이를 책임 판매하는 것을 말한다. 이때 항공사가 여행사에게 배정한 지정된 수의 좌석을 블록좌석이라 한다.
- NO-REC(No Record): 승객이 여행사를 통해 예약을 하였으나, 해당 항공사쪽에는 예약이 접수된 기록이 없는 상태를 말한다.
- 오쓰(AUTH, Authorization): 담당자의 승인을 뜻하는 것으로 일반적으로 항공사 세일즈맨이나 항공사 측의 승인을 일컫는 말이다.
- STPC(Stopover on Company's Account): 경유항공편을 제공하는 항공사가 당일 연결이 불가능할 때 고객의 편의를 위해 경유지 공항근처의 호텔 등을 제공해주는 것을 일컫는다.
- 트랜스퍼(Transfer): 중간 경유지에서 항공기를 환승(갈아타기)하는 경우를 말한다. 24시간 미만은 레이오버(layover), 24시간 이상은 스탑오버(Stopover)라고 한다.(스탑오버가 가능한 티켓의 경우 발권 전 스탑오버를 신청해 트랜스퍼 시간을 연장할 수 있다.)

- 트랜짓(Transit): 항공편이 항속거리상의 이유로 최종 목적지까지 한번에 가지 못하고 중간 기착지에서 승객을 더 태우거나 각종 supply를 받는 것을 의미한다. 이 경우 항공편명이나 항공사는 경유지에서 바뀌지 않는다.
- 쓰루 체크인(through check in ; Through Boarding): 2개 구간 이상을 탑승하는 경우, 최초 출발지의 공항에서 환승편까지 포함하여 최종 목적지까지의 탑승수속을 하는 것으로서 복수의 탑승권이 발행된다. 직항편을 이용할 수 없는 항공이용자에 대한 탑승수속의 간소화가 도모되어 편리성과 접속면에 있어 안심할 수 있다.
- 코드쉐어(Code Share): 항공사간의 협정을 뜻한다. 항공사끼리 공동운항을 맺어 여러 항공사가 1개의 항공기를 운항하는 것이다.
- 벌크석(벌크헤드 좌석; BulkHead Seat): 앞에 좌석이 없고 칸막이가 있는 좌석을 의미한다. 보통 화장실 앞이나 비상구 좌석으로 다른 좌석보다 앞 공간이 넓은 좌석이다.
- 얼라이언스(Alliance): 항공사간 제휴를 통해 탄생한 '항공사 동맹체'를 말한다. 모든 산업 부문에서 활발히 이뤄지고 있고 전략적 제휴의 일종이라고 할 수 있다. 대한한공은 스카이팀, 아시아나항공은 스타얼라언스에 가입되어 있다.
- 황열카드(Yellow card; 국제예방접종 증명서): 검역전염병에 관하여 WHO 가 규정한 기준에 맞는 예방접종을 받았다는 사실에 대한 증명서이다. 황색의 용지가 사용되기 때문에 통칭 'yellow card'라고 부른다.
- C.I.Q(세관. 출입국. 검역): 세관(Customs), 출입국(Immigration), 검역(Quara ntine)의 약자로 출국 또는 입국시 거쳐야 하는 수속절차다.
- E/D Card(출입국 신고서): 출국카드(Embarkation Card)와 입국카드(Disembarkation Card)를 합쳐서 일컫는 용어로 일반적으로 'E/D 카드'로 불린다.
- 전세기(Charter Flight): 전세기는 비행기를 소유하는 것이 아닌 빌려서 쓰는 비행기를 의미한다.

3. 철도 예약

- 코레일에 사전에 회원가입을 한다.
- [대신 받는 분 등록/결제]를 이용하여 비서의 이름으로 예약하고 상사의 이름으로 발권한다.

- KTX가 정차하는 지역인지 확인한다.
- 출발 1개월 07:00~출발 20분 전까지 예약 가능하다.
- 장소, 날짜, 시간대 등을 선택한 후 열차의 종류와 좌석의 종류, 인원 등을 체크한다. 이때 좌석방향은 순방향으로 한다.
- [SMS티켓] 승차권 발권을 이용하면 승차권을 문자로 받아볼 수 있는데 반드시 코레일(글로리) 어플리케이션을 다운받아야 한다.
- 파격가 할인 등의 혜택을 확인한다(1개월 전에 가능).
- 패널티 규정을 확인한다. 도착 전까지는 시간대비 환불이 가능하다.

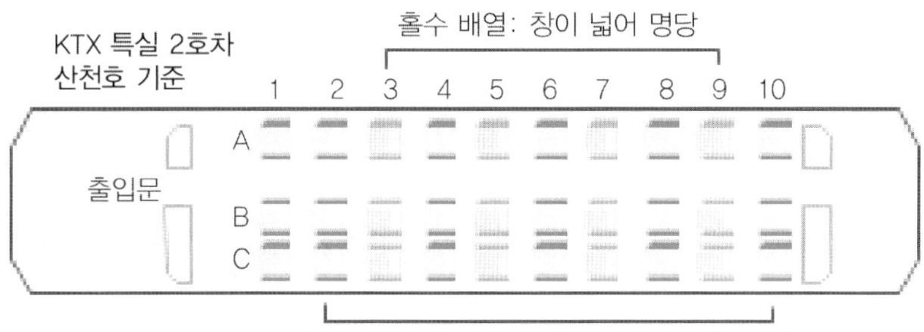

[그림 3-1] KTX 특실 2호차 배치도, Let's korail

제 3 절 숙박시설 예약업무

숙박예약의 경우 호텔과 출장 목적지 및 공항 간의 거리, 호텔과 City의 거리를 확인한다. 평소 상사의 선호하는 브랜드의 호텔, 선호 객실(ex. 금연룸, 금연층, 바다전망 Connected Room 등), 선호기호(예를 들어 침대 매트리스, 미니바 제거 등)를 확인하고, 차량 렌트 시 주차비, 발레(Valet)비용 등을 확인한다. 호텔 내 이용가능시설, 무료와이파이 여부, 조식 포함 여부 등을 확인하고, 멤버십이 있을 경우 멤버십 할인 및 혜택내역 확인 및 한국에서 선결제 가능여부를 확인하여 보고한다. 출/도착 항공시간에 따른

Early Check-in, Late Check-out 여부 및 금액을 상사에게 보고 후 호텔에 안내한다.

- 예약일정과 인원을 정확하게 체크한다.
- 선호하는 호텔 브랜드, 호텔 멤버십 여부, 객실의 종류를 체크한다.
- 체인호텔을 이용할 경우 포인트 적립혜택을 받을 수 있다.
- 상사가 묵을 호텔의 회원카드를 소지하고 있는 경우 예약 시 회원번호를 등록해 포인트가 누적되도록 하고, 회원할인 및 혜택사항들을 확인한다.
- 항공시간 및 일정과 비교하여 호텔의 Early Check-in, Late Check-out 가능여부/비용을 확인한다.
- Express Check-In을 요청한다.
- 선호하는 베드 타입, 매트리스 타입, 미니바 제거 등을 확인한다.
- 객실 내 추가 구비시설 확인한다.
- Special Request가 있을 경우(ex. 벽지 타입, 침실 내 개인화장실, 자사 전자제품 등) 호텔과 협의하여 선호하는 사항으로 변경한다.
- 조식 등 식사가 가능한 숙박시설인지 체크한다(영업시간 포함).
- 부대시설(운동시설, 세탁소, 식당, 환전소 등)에 대한 체크를 한다.
- 호텔 주변약도를 사전에 확보한다.
- 호텔 예약 인보이스 출력 후 상사에게 전달한다.
- 냉장고와 금고 등 내부시설을 체크한다.
- 선호하는 물의 브랜드를 확인하여 준비한다.
- 객실 내 Welcome Drink를 준비한다.

호텔 용어

- ETA(Estimated Time of Arrival): 도착예정시간
- ETD(Estimated Time of Departure): 출발예정시간
- 얼리 체크인(Early Check-in): 체크인 시간보다 빠르게 입실을 할 수 있는 것을 뜻하는 용어이다.

- 레이트 체크인(Late Check-in): 규정 시간보다 늦게 체크인 할 수 있는 것을 뜻하는 용어이다.
- 레이트 체크아웃(Late Check-Out): 호텔의 퇴숙시간이 지나면 추가 요금을 지급해야 하지만, 만약 프론트 데스크(Front Desk)의 허가(許可)로 퇴숙시간이 지나서 출발하는 고객으로 이 경우에는 추가요금이 부과되지 않는다.
- 익스프레스 체크인/아웃(Express Check-In / Out): 프론트 데스크(Front Desk)에서 대기해야 할 번거로움을 없애기 위해서 전산처리하는 방법으로 고객의 입숙과 출발을 신속하게 하기 위한 서비스이다.
- 노 쇼(No-Show): 고객이 예약을 해놓고 예약취소의 연락도 없이 호텔에 나타나지 않는 객을 말한다. 원래는 항공회사의 업무상 용어이다.
- 컨퍼메이션 레터(Confirmation letter): 예약확인서
- 바우처(Voucher): 호텔고객이 호텔에서 요금 대신 지급하는 보증서 및 증명서 개념으로 여행사와 항공사에서 발행하는 것이다.
- 디파짓(Deposit): 호텔을 이용하는 기간 동안 호텔에 제공하는 보증금으로 미니바를 사용하거나 객실의 비품이 훼손된 경우 보증금에서 필요한 액수만큼 제할 수 있도록 하는 규정이다.
- 콤프(Comp): 무료제공 객실을 의미하며, 'Complimentary on Room'의 약어로 주로 식음료가 포함되지 않고 객실만 무료로 제공하는 것이다.
- 취소요금(Cancellation Charge): 고객이 호텔예약의 일방적인 취소에 따른 예약취소 요금을 말한다.
- 싱글 룸(Single Bed Room): 1인용 객실 또는 싱글베드가 있는 1인실을 말한다.
- 더블 룸(Double Bed Room): 퀸사이즈 이상의 대형 베드를 한 개 제공하는 객실, 더블 침대가 있는 객실로 두 사람이 사용할 수 있는 넓은 형태의 객실이다.
- 트윈 룸(Twin Room): 객실에 1인용 베드 2개를 넣어서 두 사람이 동시에 투숙할 수 있는 객실을 말한다.
- 스위트 룸(Suite Room): 2실 이상이 연속객실로 있는 방으로, 적어도 욕실이 딸린 침실 한 개와 거실 겸 응접실 한 개 모두 2실로 짜여져 있다.
- 커넥팅 룸(Connecting Room): 인접해 있는 객실로서 Connecting Door(연결도어)가 있는 객실을 말한다. 이 도어를 열어서 2실 또는 그 이상을 연결하여 사용한다.

- 풀빌라(Pool Villa): 단독 빌라에 개인 풀장이 함께 있는 스타일의 객실
- 오버워터 방갈로(Overwater Bungalow): 물 위에 독채형 빌라가 자리해 있는 것을 뜻한다.
- 레지던스(Residence): 객실 안에 거실과 세탁실, 주방 등의 편의 시설을 갖추고 있어 취사 가능한 호텔이다.
- 아파트먼트 호텔(Apartment hotel): 호텔 서비스를 제공하고 가벼운 주방기구가 갖춰진 실을 임대해 주는 호텔이다.

제4절 그린미팅(골프) 예약

- 골프부킹은 크게 인터넷, 전화, 팩스 부킹으로 나눌 수 있다.
- 인터넷과 전화부킹이 원활하지 않은 경우 지시받은 시간대를 전후로 1시간까지 대기예약을 한다.
- 월별 Tee-off시간과 개장일정, 휴장일정을 체크한다.
- 그린미팅 시 일반적으로 선호하는 Tee-off 시간대는 7~9시이다.
- 예약 시 라운딩 전/후 클럽하우스도 함께 예약한다.(반드시 골프 예약지시를 받을 때 라운딩 전/후 PDR(Private Dining Room) 예약여부를 상사에게 확인한다.)
- 골프 멤버 중 여성멤버를 동반할 경우 반드시 골프장에 안내한다.(로커가 부족하여 2인 1로커를 사용할 수 있다.)
- 위약규정(패널티)에 대해 반드시 확인하여 보고하고, 패널티 기간 전에 취소한다.
- 부킹은 교환이 가능하다.
- 상사가 선호하는 골프브랜드와 선수이름을 알고 있으면 좋다.
- 그린미팅 일정 전일 상사에게 게임비(현금/신권), 캐디피를 반드시 전달한다.

골프 용어

- 골프 코스(Golf course): 골프 경기를 할 수 있게 조성된 경기장. 정식 코스는 18홀 이상이고 규정타수는 70~73타 정도가 대부분이다.
- 드라이버(Driver): 1번 우드. 비거리가 가장 많이 나는 클럽으로 주로 티 샷용으로 활용한다.
- 버디(Birdie): 한 홀의 규정 타수보다 하나 적은 타수로 홀인하는 것.
- 벙커(Bunker): 주위보다 깊거나 표면의 흙을 노출시킨 지역 또는 모래로 된 장애물 크로스 벙커, 사이드 벙커, 그린 벙커가 있다.
- 보기(Bogey): 파보다 하나 더 친 타수로 홀인하는 것.
- 보기 플레이어(Bogey player): 1라운드 90 전후의 골퍼. 애브리지 골퍼라고도 한다.
- 비거리: 공이 날아간 거리.
- 샤프트(Shaft): 클럽 헤드와 그립을 연결하는 막대기 부분.
- 쇼트 아이언(Short iron): 7, 8, 9번 짧은 아이언의 총칭.
- 어프로치(Approch): 가까운 거리에서 핀을 명중시켜 치는 샷.
- 이글(Eagle): 한 홀에서 파보다 2타수 적은 스코어.
- 언더 파(Under par): 규정 타수보다 적은 스코어.
- 오버 파(Over par): 스코어가 파보다 많은 경우.
- 이븐 파(Even par): 파와 같은 타수.
- 파(Par): 티 그라운드를 출발하여 홀을 마치기까지 정해진 기준 타수.
- 페어웨이(fairway): 공을 타격하기 좋게 항상 잔디를 짧게 깍아 놓은 구역.
- 티 오프(Tee off): 첫 홀에서 공을 처음으로 치는 것.
- 해저드(Hazard): 모래 웅덩이, 연못과 같이 경기의 원활한 진행을 어렵게 하는 코스 내의 장애물.
- 핸디캡(Handiap): 각자 다른 기량의 골퍼들이 같은 조건에서 경기를 할 수 있게 약한 사람의 스코어에 타수를 감하는 것. 오피셜(Official)과 프라이비트(Private)가 있다.

[예약업무 토론]

1. 외국인 바이어를 위한 음식점 예약 시 비서의 업무는?

2. 레스토랑 예약 시 비서가 체크해야 하는 항목은?

3. 다이닝 미팅 후 비서가 해야 하는 사후관리업무는?

제 4 장

보고업무

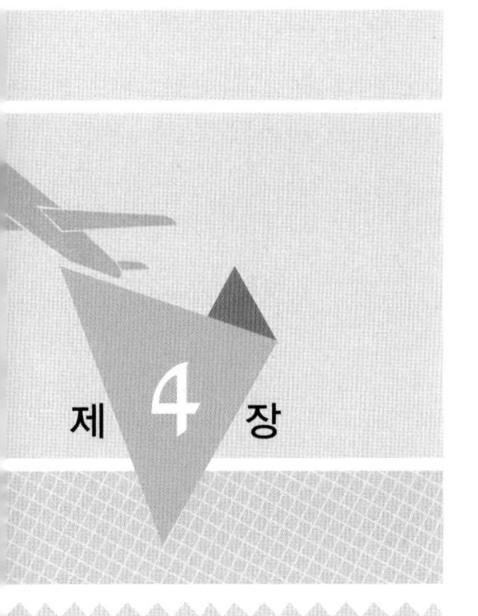

보고업무

제 1 절 보고업무의 개념

상사를 연구하는 것도 비서의 능력이다. 같은 언어를 사용해야 말이 통하는 상사와의 소통에서도 상사의 업무 스타일과 성향을 파악하고 그에 맞춰야 한다. 피터 드러커는 경영자를 '듣는 이(Listener)'와 '읽는 이(Reader)' 두 스타일로 구분하였다. 이러한 차이에 따라 보고방식도 달라져야 상사와 효율적으로 소통할 수 있다. 듣는 이형 상사에게는 요점만 간략하게 정리한 약식 보고서를 제출하면서 구두보고를 드리는 것이 좋다. 읽는 이형 상사는 보고서를 먼저 제출하고 상사가 차분히 혼자 읽으며 검토할 시간을 드린 후 구두보고를 드리는 것이 좋다.

성격으로 구분하는 방법도 있다. 상사가 추진력과 진취성을 중시하는 주도형이라면 결론부터 보고하는 것이 정석이다. 날씨나 가족 이야기 등 주변을 에둘러가는 사교형 언사는 오히려 마이너스가 된다. 반면 아이디어를 중시하는 사교가형 상사라면 친근감부터 표현하고 보고에 들어가는 것이 효과적이다. 세세하고 복잡한 설명식 보고보다 필요사항과 유의사항에 초점을 맞추는 것이 좋다. 평소 팀워크와 관계를 존중하는 관계형 상사라면 자세하고 명확한 설명이 요구된다. 이러한 유형의 상사는 확신을 가지고 구체적으로 제안하는 부하를 신뢰한다. 마지막으로 논리와 정확성을 중시하는 분석형 상사에게는 정확한 자료를 근거로 논리적으로 체계 있게 설명해야 통한다. 자료를 미리 준비하고 특히 시간을 반드시 지켜야 한다.

또한 상사가 지시하기 위해 부르면 일단 수첩과 필기도구를 챙겨 들고 간다. 상사가 지시를 마치고 "알아들었나?" 하고 물으면 "예, 알겠습니다." 하고 습관적으로 대답하지 말고 "제가 듣기로 첫째, 이렇게 말씀하셨고 둘째, 이렇게 말씀하셨는데 제 이해가 맞는지요?" 하고 확인한다. 확실한 것은 상사의 지시사항을 가능하면 핵심적으로 정리하여 상사에게 다시 한 번 확인받는 것이다. '적자생존, 적어야 살아남는다.'

제 2 절 비서의 보고 관련 업무

보고업무란 상사의 지시사항과 필요사항을 정확하게 파악하여 보고하는 것이다.

1. 업무 지시받기

상사가 부를 때는 하던 일을 즉시 멈추고 필기도구를 가지고 간다. 상사의 방을 3회 정도 두드린 다음 들어오라는 답변을 받으면, 문을 열고 목례 후 상사 앞으로 가서 보고를 받는다. 이때 아무리 간단한 지시라도 반드시 메모하면서 듣는 습관을 기르고 요점만 간단히 기입한다. 상사의 지시가 완전히 종료되면, 실수 예방의 차원에서 요점을 복창한다. 이것은 비서가 상사의 지시를 이해하는 차원도 있지만 상사도 비서가 지시를 이해했는지를 확인할 수 있게 되는 것이다.

업무 지시받는 Tip

- 상사의 지시사항을 경청하고 항상 메모하며 정확하게 내용을 파악한다. 내용파악이 정확하지 않을 경우 반드시 다시 한 번 확인한다.
- 메모사항을 6WH(6하원칙; Who, When, Where, What, Why, How)에 의거하여 상사에게 재확인한다.

2. 메시지 전달하기

- 지시받은 내용에 따라 해당 관련 업무 담당자를 파악한다.
- 지시받은 내용을 구두보고 또는 문서보고로 구분하여 전달방법을 결정한다.
- 지시받은 사항과 보고기한에 대해 정확히 해당 관련업무 담당자에게 전달하고 내용을 재확인한다.
- 내용 전달 후 예외사항이 발생하는 경우에 적합한 조치를 한다.

3. 업무 보고하기

상사의 지시에는 반드시 결과 보고를 하는 것이 원칙이다. 항상 중간보고를 통하여 상사의 지시사항에 대한 진행사항을 보고해야 한다. 또한 상사가 먼저 경과를 묻기 전에 보고하는 습관을 반드시 길러야 하며, 지시사항을 마무리하면 즉시 보고한다. 보고방법은 5W 2H(5W : Why, What, Who, When, Where; 2H : How, How many)로 보고하는 내용과 순서를 정리하여 간단명료하되, 구체적으로 결론부터 말한다.

업무 보고하는 Tip

- 상사에게 보고할 내용을 수집하여 검토한다. 보고 필요사항은 지시사항에 대한 보고 외 상사와 관련된 모든 보고사항을 포함한다(전언전달, 지인동향, 경영현황, 경제동향, 날씨정보 등).
- 내용에 따라 보고방법을 결정하여 상사에게 보고한다. 상사에게 업무보고 시 반드시 중간보고를 통하여 내용보고와 재확인을 하며, 보고방법은 구두보고, 문서보고, 문자보고, 이메일 보고, 휴대폰 보고를 포함한다.
- 상사에게 보고한 후 추가사항에 대한 내용을 처리하고, 유관부서와 공유한다.
- 보고 시 주의사항 : 어떤 경우의 보고라도 자신의 추측이나 감정으로 해석 안 되고, 사실을 상사가 판단할 수 있도록 사실 그대로를 보고한다.

[보고업무 실습]

1. 대한그룹 김민국 회장님과의 10월 중 만찬 일정 및 장소(안) 보고 드리기

2. 코리아그룹 이대한 회장님과의 10/11(인천 출국), 10/15(인천 귀국) 뉴욕 출장 관련 항공일정 보고 드리기

제 5 장

회의 및 미팅 관리업무

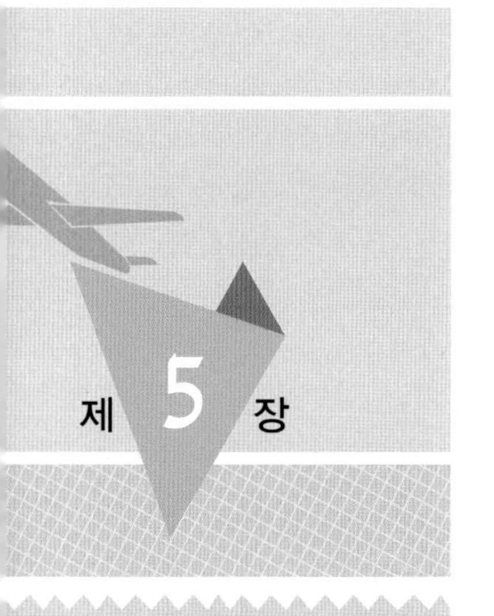

회의 및 미팅 관리업무

회의 및 미팅 관리업무는 간사가 지정되어 있는 회의체를 제외한 주요 미팅 배석 및 진행사항 follow-up을 한다. 상사의 발표 및 강평자료 정리 및 작성을 한다.

회의자료 사전입수 및 송부업무를 하며, 태블릿, 노트북, 모니터 등 회의진행 사전준비를 하며, 회의실 준비(테이블 정리, 좌석 정리, 음료 준비)를 한다. 회의 및 미팅의 유형, 일정, 인원 수에 따라, 혹은 상사의 지시에 따라 적절한 장소(접견실, 콘퍼런스룸, 회의실 등)로 준비한다.

제 1 절 내부미팅 및 회의 관리업무

- 회의 일정이 확정되면 사내 인트라넷을 통하여 회의실을 예약한다.
- 정기적인 일정(주초, 월초)을 정하여 부서별로 일정을 받아 회의실을 관리한다.
- 회의실 및 미팅룸 물품을 주기적으로 관리하고 관리대장에 기록한다.
- 내부 임직원들에게 상사의 컨디션을 공유하는 것은 바람직하다.
- 외부인 출입 시 볼 수 있는 브로슈어, 신문, 간단한 잡지를 비치해 두면 좋다.
- 외부인 출입 시 보안에 각별히 유의해야 한다.

1. 회의관련 업무

- 회의 다과와 자료준비는 배석자의 수를 기준으로 2~3개 정도 여유 있게 준비한다.
- 11시 이후와 17시 이후의 회의 시에는 반드시 중식과 만찬에 대한 체크가 필요하다.
- 상사의 요청으로 회의 일정 변경이나 취소 시 반드시 이메일, 문자메시지, 유선전화를 통해 3중으로 공지한다.
- 외부인이 회의에 참석할 경우 내부 인원은 가급적 10분 정도 이전에 회의장소에 도착하여 준비를 완료할 것을 안내해 주는 것이 좋다.
- 화상회의 시 보통 비서들은 화상회의 서버 연결과 영상 테스트 업무를 한다. 많은 기업들이 구글 행아웃이나 스카이프를 사용한다.
- 다자통화, 콘퍼런스콜을 요청할 경우에 대비해 사전에 기기 사용에 능숙하도록 충분한 연습이 필요하며, 콘퍼런스콜 기기 확인이 필요하다.
- 보고성 회의는 회의자료를 사전에 배포해서 배석자들이 반드시 읽고 참석하게 하고, 최소 이틀 전에는 배포하는 것이 좋다.

2. 회의록 작성 업무

회의록이란 회의의 진행과정이나 내용, 결과 등을 적은 기록이다.

회의록은 회의시간에 작성이 완료되도록 해야 하며, 가급적 2인 이상이 작성하여 회의 종료 후 비교하는 것이 좋다. 회의록은 일정한 템플릿을 이용하는 것이 중요하며 결정사항을 명확히 나타내야 한다. 회의 결과를 통해 도출된 주요 결정사항과 진행사항이 잘 정리되어야 하며, 관련 부서에 전달하거나 상부에 보고할 수 있도록 체계적인 작성과 관리가 필요하다. 이전 회의의 결정사항 이행여부를 사전에 확인하고, 가능한 부분은 미리 작성하는 것이 좋다.

1) 회의록 작성방법

- 회의록은 해당 회의에 대한 정식 증거가 되므로, 아래의 사항을 꼼꼼하게 기록해야 한다.
  - 회의명

- 회의 일시와 장소
- 회의 안건
- 회의에 참석한 배석자 명단
- 개회시각과 폐회시각
- 의사일정
- 제안자와 제안 설명 내용
- 질문자와 질문 내용 및 답변자와 답변 내용
- 토론 참가자와 토론 내용
- 핵심내용 요약
- 결정된 안건과 내용
- 표결처리 결과
- 회의 지도자, 임원 및 서기의 서명
- 차기 회의일 경우 이전 회의의 결정사항 이행여부
- 기타 필요한 사항

2) 기록상 유의사항

- 회의록에는 중요한 내용을 모두 적어야 하지만 반드시 간단하고 정확하게 작성한다.
- 회의록에는 끝에 의장과 회의 리더의 서명날인을 한다.
- 이사회 회의록의 경우 동의 · 개의 · 재개의 등은 그 내용을 구분하여 적고, 표결 결과를 기입한다.

제 2 절 국제회의 관련 업무

국제회의를 형태별로 분류하면 회의(meeting), 컨벤션(convention), 콘퍼런스(conference), 콩그레스(congress), 포럼(forum), 심포지엄(symposium), 패널토의(panel discussion), 강연(lecture), 세미나(seminar), 워크숍(workshop), 전시회(exhibition) 등으로 나눌 수 있다.

1. 회의(Meeting)

회의는 모든 종류의 모임을 총칭하는 가장 포괄적인 용어이다. 회의는 미리 정해진 목적이나 의도를 성취하고자 하는 비슷한 관심을 가진 사람들의 집단이 한곳에 모이는 것으로 정의할 수 있으며, 사람들의 집단이란 한 기업의 직원들, 동일협회의 회원들, 비슷한 사업에 종사하는 사람들을 의미한다.

2. 컨벤션(Convention)

가장 일반적으로 사용되는 회의 용어로, 대회의장에서 개최되는 일반 단체회의를 뜻한다. 정보전달을 주 목적으로 하는 정기집회에 많이 사용되며 전시회를 수반하는 경우가 많다. 보통 정기적으로 개최되는데 1년을 주기로 개최되는 경우가 많다. 컨벤션은 회의 구성상 전체회의, 분과회의 등을 포함하며, 등록, 사전 · 사후 관광과 같은 활동을 동반하는 가장 일반적인 형태이다. 최근에는 총회, 휴회기간 중 개최되는 각종 소규모 회의, 위원회 회의 등을 포괄적으로 의미하는 용어로 사용되고 있다.

• 비서는 컨벤션의 취지를 확인하여 상사에게 보고할 수 있어야 한다.

3. 콘퍼런스(Conference)

컨벤션과 거의 같은 의미를 가진 용어로서, 통상적으로 컨벤션에 비해 회의 진행상 토론회가 많이 열리고 회의 참가자들에게 토론회 참여기회도 많이 주어진다. 컨벤션은 다수의 주제를 다루는 정기적인 회의(총회)에 자주 사용되는 반면, 콘퍼런스는 과학기술, 학술분야 등의 새로운 지식 공유 및 특정 문제점이나 전문적인 내용을 다루는 회의이다.

4. 패널 토의/토론(Panel Discussion)

패널 토의는 청중이 모인 가운데 2~8명의 전문가가 사회자의 주도하에 서로 다른 분야의 전문가적 견해를 발표하는 공개 토론회이다.

5. 포럼(Forum)

상반된 견해를 가진 동일 분야 전문가들이 한 가지 주제를 가지고 사회자의 주도하에 청중 앞에서 벌이는 공개 토론회를 말한다. 제시된 한 가지의 주제에 대해 상반된 견해를 가진 동일분야의 전문가들이 사회자의 주도하에 청중 앞에서 벌이는 공개 토론회로서 청중이 자유롭게 질의에 참여할 수 있으며 사회자가 의견을 존중한다.

- 비서는 사전에 토론 주제를 확인하여 보고한다.

6. 콩그레스(Congress)

컨벤션과 유사한 의미를 지닌 용어로 유럽 지역에서 빈번히 사용되며 주로 국제규모의 회의를 의미한다.

7. 심포지엄(Symposium)

제시된 안건에 대해 전문가들이 다수의 청중 앞에서 벌이는 공개토론회로서 포럼에 비해 다소의 형식을 갖추며 청중의 참여기회도 적게 주어진다.

8. 세미나(Seminar)

주로 교육목적의 회의로 30명 이하의 참가자가 강사나 교수 등의 지도하에 특정 분야에 대한 각자의 경험과 지식을 발표하고 토론한다.

9. 워크숍(Workshop)

훈련 목적의 소규모 회의로, 특정 문제나 과제에 대한 생각과 지식, 아이디어를 서로 교환한다. 각 전문분야의 주제에 대한 아이디어, 지식, 기술 등을 서로 교환하여 새로운 지식을 창출하고 개발하는 것을 목적으로 한다.

10. 전시회(Exhibition)

무역, 산업, 교육분야 또는 상품 및 서비스 판매자들의 대규모 전시회로서 회의를 수반하는 경우도 있다. Exposition, Trade Show라고도 하며 유럽에서는 주로 Trade Fair라는 용어를 사용한다.

전 세계의 정 · 관 · 재계 저명인사들이 참여하는 회의

- 다보스 포럼(Davos Forum)

  디보스 포럼은 독일 경영학자인 Klaus Schwab이 1971년 창립한 세계경제포럼으로 글로벌 경제에 대한 토론 · 연구 활동을 수행하는 상설 비영리재단이며 본부는 스위스 제네바에 있다.

  다보스 포럼은 매년 1월 세계경제포럼(World Economic Forum : WEF)이 주최하는 연차총회(Annual Meeting)로서, 세계 각국 정 · 관 · 재계의 저명인사들이 스위스 휴양지 다보스에 모여 글로벌 정치 · 경제 · 사회적 현안들에 대해 논의하고 향후 방향을 모색하는 회의이다. 2018년 다보스 포럼의 주요 참가자는 트럼프 미국 대통령(폐막 연설), 마크롱 프랑스 대통령, 메이 영국 총리, 트뤼도 캐나다 총리, 모디 인도 총리(개막 연설) 등이었다.

- CES

  미국가전협회(CEA : Consumer Electronics Association)가 주관해 매년 1월 미국 라스베이거스에서 열리는 세계 최대 규모의 가전 · IT제품 전시회로서 '세계 3대 IT 전시회' 중 하나로 꼽힌다. 1967년 미국 뉴욕에서 제1회 대회가 열린 이후 지금까지 이어지면서 세계 가전업계의 흐름을 한눈에 볼 수 있는 권위 있는 행사로 자리매김했다. 매년 초 마이크로소프트(MS), 인텔, 소니 등 세계 IT(정보기술)업계를 대표하는 기업들이 총출동해 그해의 주력 제품을 선보이고 있다. (한경 경제용어사전, 한국경제신문/한경닷컴) 현대자동차그룹 정의선 부회장은 2015년 이후 매해 참석하고 있다.

제 3 절 비서의 행사준비 및 사후관리업무

〈표 5-1〉 비서의 행사준비 및 사후관리업무

구분	행사내용	비서의 역할
행사준비	시나리오 작성, 시뮬레이션, 예산 책정, 행사객 명단작성, 업체 선정, 초대장 준비 및 발송 등	초대명단 리스트 작성, 업체 선정, 메뉴안, 음료·주류 조사, 장소 섭외, 예산안 보고, 프로그램 보고, 말씀자료 작성 등
식전행사	행사관련 용품 및 시스템 확인등록 및 접수, 내·외빈 입장, 장내정리, 식전 공연 등	초대명단 확인 및 Name Card 전달, 진행사항 준비, 의전 등
본행사	개회 선언 및 개회사, 국민의례, 내빈 소개, 기념사, 축사, 늦게 오신 내빈 소개 등	말씀자료 전달, 의전 등
식후행사	폐회선언 및 폐회사, 환송회, 기념품 증정 등	기념품 전달, 의전 등
사후관리	행사피드백, 감사장 발송, 예산집행 행사보고서 작성 등	감사장 작성 및 발송, 결산보고서 작성 및 품의 등
기타		

- 회의운영계획서에 포함할 내용으로는 회의장 조성 계획, 프로그램 및 연사, 참가자 등록 방법 및 등록비, 공식/비공식 행사의 참가 대상자 등이며, 상대적으로 중요도가 낮은 항목은 연사의 학력이다. 프로그램별 연사는 해당 주제에 맞추어 적합한가라는 측면에서 고려하여, 선정해야 하며, 학력, 발표논문 실적 등을 언급할 필요는 없다.

행사준비 관련 용어

- 손님: '다른 곳에서 찾아온 사람', '손'의 높임말
- 고객(顧客): 일본어의 영향을 받은 한자어로 〈표준국어대사전〉에서도 이를 '손님'으로 순화하여 쓸 것을 권장하고 있음
- 내방객(來訪客): 찾아온 손님
- 내빈(來賓): 모임에 공식적으로 초대 받아 온 손님
- 외빈(外賓): 외부에서 온 손님, 특히 외국에서 온 손님을 특별히 이르는 말
- 귀빈(貴賓): 귀한 손님, 국빈, 귀빈 등의 중요한 손님 또는 지명도가 높은 사람, 특별한 주의 및 관심을 요하는 손님을 의미
- 주빈(主賓): 손님 가운데서 주가 되는 손님
- 국빈(國賓): 정식으로 국가의 손님으로서 대우받는 사람을 의미 (ex. 외국의 원수 · 수상 · 군주 등에 대한 대우)
- 공빈(公賓): 국빈의 한 단계 아래 개념으로, 외국에서 방문하는 주요한 각료 · 특사 · 왕족 등으로 정부의 손님으로서 상당한 대우를 받는 사람
- 초객(招客): 손님을 초대함. 또는 그 손님

MICE산업의 이해

1. 마이스(MICE)산업의 정의

마이스(MICE)산업은 기업회의(Meetings), 포상관광/휴가(Incentives), 컨벤션(convention), 이벤트와 전시(Events & Exhibition)를 융합한 새로운 산업을 의미하며, 포괄적인 관광산업을 아우르는 조어로 주로 동남아 지역에서 사용되고, 미주지역에서는 Events, 유럽지역에서는 Conference라는 용어가 더 광범위하게 통용되고 있다.

MICE산업을 줄여서 비즈니스 관광(Business Trip; BT)이라고도 하며, 일반 관광산업과 다르게 기업을 대상으로 하기 때문에 일반 관광산업보다 그 부가가치가 훨씬 높다. 따라서 일반 관광산업은 B2C(Business to Consumer) 산업으로 보지만, MICE산업은 B2B (Business to Business)산업으로 볼 수 있다.

MICE산업은 대표적인 서비스 산업으로 MICE산업 자체의 산업뿐만 아니라 숙박과 숙식 · 음료, 교통 · 통신과 관광 등 다양한 산업이 연관되어 발생하며, 관광업과 마찬가지로 외화를 직접 벌어들이고 있으며 고용창출효과도 크다.

2. 마이스(MICE)산업의 특징

〈표 5-2〉 마이스(MICE)산업의 특징

구분	내용
공공성	• 개최에 있어 정부와 지역사회의 적극적인 참여가 필요하다. • 컨벤션센터의 경우 이를 건립하는 데 막대한 비용이 필요하며, 건립 이후에도 꾸준한 지원이 필요하다. • MICE산업을 활성화시키기 위해서는 교통이나 통신, 법적 절차 등의 지원이 필요하다. • 다양한 비정부기구(NGO)의 활동 증대는 MICE산업을 확산시키는 요인으로 작용한다. • 국제회의 참가자는 자연스럽게 홍보대사 역할을 하여 국가 이미지 향상에 보탬이 된다.
지역성	• 지역의 고유한 관광, 문화, 자연자원 등의 특성을 바탕으로 지역의 다른 산업들과의 연계를 통하여 이루어짐을 의미한다. • MICE산업은 그 지역의 고유한 특성을 바탕으로 독특한 문화적 이미지와 브랜드를 창출하여 국내산업에 기여한다. • 지방정부는 MICE산업을 해당 지역의 홍보마케팅 방안으로 활용한다.
경제성	• 경제적으로 높은 파급효과를 가져온다. • MICE산업은 계절에 구애받지 않고 개최가 가능하므로 관광비수기 타개책으로 활용 가능하다. • 관련 시설의 건설과 투자, 생산 및 고용 유발 등의 효과가 있다. • 고용 및 소득 증대, 지역의 세수증대 등의 지역경제를 활성화한다. • 일반적으로 MICE 방문객들이 관광 목적의 여행자들보다 더 많은 금액을 지출한다.
관광 연계성	• 회의기간 동안 혹은 전 · 후로 실시되는 관광행사를 통해 기존 관광상품 및 신규 상품을 홍보할 수 있다.

3. MICE 4대 산업

1) 기업회의(Meetings)

아이디어 교환, 사회적 네트워크 형성, 토론, 정보교환, 사업 등 MICE 목적으로 설립된 유료시설을 사용하는 회의로서 최소 참가자를 10인 이상으로 하며 최소 반일(4시간) 이상 진행되는 모든 회의를 말한다.

주최 및 주요 참가자에 따른 분류는 아래와 같다.

- 협회 · 학회 Meetings : 협회 · 학회가 주최하는 Meetings
- 정부 · 공공 Meetings : 정부 · 공공기관이 주최하는 Meetings
- 기업 Meetings : 기업 Meetings에는 기업 포상Meetings(Corporate Incentives Meetings)도 포함
- 기타 Meetings : 위의 범주에 속하지 않는 기타 Meetings

참가자의 국적 및 참가국 수에 따른 분류

- 국제 Meetings : 외국인 10명 이상이 참가하는 Meetings(4시간 이상)
- 국내 Meetings : 외국인 10명 미만이 참가하는 Meetings(4시간 이상)

2) 포상관광/휴가(Incentives)

회사에서 비용의 전체 또는 일부를 부담하는 조직원들의 성과에 대한 보상 및 동기를 부여하기 위한 순수 포상여행을 말하며, 상업용 숙박시설에 1박 이상 체류하는 것을 말한다.

- 국제 Incentives : 외국인 10명 이상이 참가하는 인센티브 트래블 및 인센티브 회의(상업용 숙박시설에 1박 이상 체류)

3) 컨벤션(convention)

아이디어 교환, 사회적 네트워크 형성, 토론, 정보교환, 사업 등 MICE 목적으로 설립된 유료시설을 사용하는 회의로서 UIA(Union of international Association) 기준에 부합하는 정보 · 공공, 협회 · 학회, 기업회의를 말하며, Meetings보다 규모가 크며 국제적 성격을 띤 회의를 말한다. 어원은 'con = with, together; vene = meet → convene = convention

(함께 만나다)'의 의미를 지니고 있다.

미국에서는 컨벤션으로 표현되고, 미국형 컨벤션은 기업 및 단체의 대회나 집회 '미팅'을 주류로 한다. 유럽에서는 콩그레스(Congress), 메세(Messe)로 표현되며, 유럽형 메세는 국제기관에 의한 공식적인 회의 및 전시회를 주류로 한다.

주최 및 주요 참가자에 따른 분류

- 협회 · 학회 Conventions : 협회 · 학회가 주최하는 Conventions
- 정부 · 공공 Conventions : 정부 · 공공기관이 주최하는 Conventions
- 기업 Conventions : 기업 Meetings에는 기업 포상 Meetings(Corporate Incentives Meetings)도 포함
- 기타 Conventions : 위의 범주에 속하지 않는 기타 Conventions

컨벤션 산업은 무형의 홍보효과 및 관광산업과의 결합 등 유형적 가치보다 부수적으로 유입되는 무형의 가치가 더 큰 산업이다.

컨벤션 산업이 주는 효과는 아래와 같다.

- 주최자적 측면 : 정보교환 촉진, 주최자의 입지 강화, 인적 교류 증진
- 관련분야 및 종사자적 측면 : 최신정보 및 기술습득, 지식과 정보의 공유
- 국가적인 측면 : 국가홍보, 외화획득, 고용창출, 지역경제발전, 컨벤션 개최를 통해 긍정적인 경제적 효과 외에도 개최국의 국제지위 향상 등의 정치적 효과

컨벤션을 유치할 때 추진하는 활동으로는 실사단 현장답사, 컨벤션 유치제안서 작성, 컨벤션 개최의향서 제출, 컨벤션 유치신청서 제출, 컨벤션 유치 프레젠테이션 등이 있다.

국제회의 개최 시 개최지를 선정할 때는 여러 가지를 고려해야 한다. 고려사항으로는 개최장소의 적합성, 숙박시설의 적절성, 전시장의 이용가능성, 공항과의 접근성, 교통의 편의성, 인적 자원의 전문성, 개최시기의 날씨, 물가수준 등을 고려해야 한다.

회의실을 선정할 때는 회의실 규모와 수용능력, 회의실 대관료, 전시장 활용도, 회의실의 유형별 배치와 기능, 서비스종사원의 능력, 위치 및 접근성 등을 고려하여 선정한다. 반면, 회의실 선정 시 고려하지 않고, 중요도가 가장 낮은 사항은 해당 회의실 활용 전례 등이다.

〈표 5-3〉 컨벤션 산업의 효과

구분	내용
경제적 효과	• 국제행사가 열리게 되므로 고용 증대, 도로, 항만, 통신시설 등 사회 간접시설이 확충되며, 산업 전반의 발전에 영향을 미친다. • 컨벤션 주최자의 소비지출에 의한 직간접적인 경제승수효과가 있다. • 컨벤션 참가자의 직접 소비에 의한 경제승수효과가 있다. • 개최도시 및 개최국가의 세수증대효과가 있다. • 선진국의 기술이나 노하우의 벤치마킹으로 국가경쟁력 강화의 효과가 있다.
사회문화적 효과	• 국제 컨벤션은 참가자들이 다양한 문화적 · 언어적 배경을 가지고 있기 때문에 문화적 파급효과를 갖는다. • 도시화, 근대화 등의 지역문화발전효과가 있다. • 고유문화의 세계 진출기회와 국가 이미지 향상의 기회가 있다. • 세계화와 질적 수준의 향상효과가 있다.
정치적 효과	• 통상 수십 개국의 대표나 사회적 지위가 높은 인사들이 참석하기 때문에 국가차원의 홍보효과를 얻을 수 있다. • 개최국의 국제지위 향상의 효과가 있다. • 문화 및 외국교류의 확대효과가 있다.
관광산업 발전 효과	• 컨벤션 산업과 관광지 서비스 산업의 결합으로 이어지면서 관광산업을 활성화시키는 효과가 있다. • 관광 비수기 타계 효과가 있다. • 대량 관광객 유치 및 양질의 관광객 유치효과가 있다. • 관광홍보효과가 있다.

4) 이벤트와 전시회(Events & Exhibition)

제품, 기술, 서비스를 특정장소인 전문 전시시설에서 1일 이상 판매, 홍보, 마케팅 등의 활동을 함으로써 유통업자, 무역업자, 소비자, 관련 종사자 및 전문가, 일반인 등을 대상으로 해당 기업 및 관련 기관들이 정보를 교환하거나 거래 및 마케팅 활동을 하는 각종 전시를 말한다.

전시회의 목적은 아래와 같다.

- 신상품 조사 및 개발목적 : 목표 참가자들은 대체로 전시회에 관해 많은 지식을 가진 경우가 많다. 참가자의 10%는 특정 제품이나 업체에 관심을 가지고, 방문객의

50%가 신상품 조사, 개발을 목적으로 참가한다.

- 대량거래 목적 : 제조업체와 유통업체는 일정 기간에 전시회에 참가함으로써 고객이 연중 특별기간에 대량 구매를 하도록 여건을 조성한다.
- 거래시기 공유목적 : 전시회는 관련 산업의 구매시기를 정한다.
- 홍보마케팅 목적 : 전시회는 즉각적인 신상품 소개로 시간에 민감한 환경에 획기적인 신상품을 소개하는 데 가장 편리한 수단이 되었다.

〈표 5-4〉 이벤트와 전시회(Events & Exhibition)의 분류

형태에 따른 분류	• 무역전시회(Trade Show) : 순수한 상거래와 무역을 목적으로 한 바이어, 업계 종사자 위주의 전시회 • 일반전시회(Public Show) : 일반인(General Public)을 대상으로 한 제품소개, 홍보활동 위주의 전시회 • 무역/일반전시회(Combined Show) : 무역전시회와 일반전시회의 특성이 혼합된 전시회
참가업체 및 참관객에 따른 분류	• 국제 Exhibitions : 전시산업발전법에 의한 전시회로 100명 이상의 외국인 구매자가 참가 등록한 무역전시회, 소비자전시회 및 혼합전시회(1일 이상) • 국내 Exhibitions : 전시산업발전법에 의한 전시회로 100명 미만의 외국인 구매자가 참가 등록한 무역전시회, 소비자전시회 및 혼합전시회(1일 이상)

〈표 5-5〉 전시회의 종류: 시장에 따른 분류(미국)

구분	Trade Shows (B2B Show)	Consumer Show	Combined or Mixed Show
Exhibitor	제조업자, 유통업자, 서비스 전문가 등	소매업자, 최종소비자를 찾는 제조업자	제조업자, 유통업자
Buyer	산업군 내의 End User	최종소비자	산업군 내의 End user 구직자, 일반인
입장	바이어, 초청장 소지자	입장제한과 등록비가 필요없음. 입장료는 지불	비즈니스 데이와 퍼블릭 데이로 시간을 구분하기도 함
참고	미국 개최 전시회의 51% 차지	미국 개최 전시회의 14% 차지. 생산제품이 시장 반응수단	미국 개최 전시회의 35% 차지

자료 : S. L. Morrow, The ART of the show

• Consumer show의 전시참가업체는 주로 소매업자나 최종소비자를 찾는 제조업자인 경우가 대부분이다.

• Trade Show의 입장객은 사전에 정해지며, 합법적으로 바이어를 입증할 만한 증명서를 소지한 바이어 및 초청장 소지자만이 입장할 수 있다.

제6장

전화응대업무

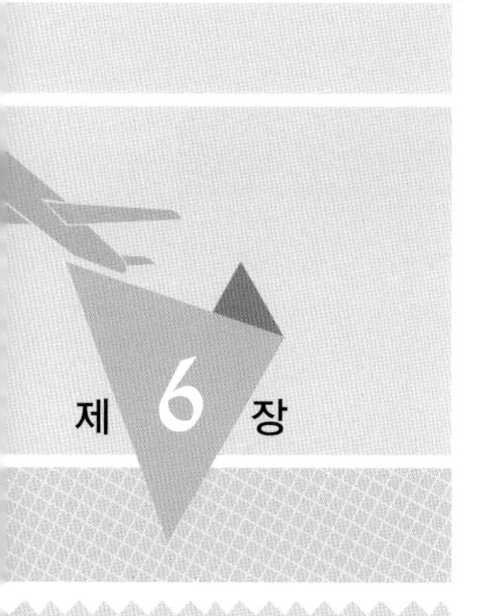

전화응대업무

제 1 절 전화응대업무의 개념

전화응대는 업무상 중요한 수단, 얼굴 없는 만남의 첫인상이므로 회사와 개인 이미지 결정의 판단기준이 된다. 전화 통화는 한번 통화 후 소멸되는 일회성이므로 모든 전화 통화 시 최선을 다해야 하고, 전화는 일방적으로 발신 후 수신하는 개념이기 때문에 상대방에서 전화 수신 시 전화 통화 가능여부를 확인하는 것이 매너이다.

비즈니스 통화 시 왼손은 수화기를, 오른손은 메모를 하고, 정확한 발음과 속도로 대화하며 적절한 반응을 보여주어 상대가 자신의 이야기를 경청하고 있다는 것을 느끼도록 하는 것이 좋다. 전화 비즈니스는 간결하고 정확해야 한다. 전화를 걸기 전, 정확한 Agenda와 목적을 정리해 두어 요점만 간단하게 설명하고, 전화를 끊기 전에는 결정된 주요 내용을 다시 한 번 간결하게 확인한다.

전화응대의 3원칙은 신속, 정확, 정중으로 신속하게 전화를 수신하고, 정확하게 상대의 요구를 처리하며 정중하게 응대하는 것이다. 전화수신 매너의 3원칙은 전화벨은 3번 울리기 전에 받을 것, 밝은 목소리로 본인의 소속과 이름을 밝힐 것, 숫자, 시간, 고유명사는 메모하고, 상대방에게 다시 한 번 확인하는 것이 기본 매너이다. 전화발신 매너의 3원칙은 자신의 소속과 이름을 밝히는 것, 전화 건 이유를 먼저 설명하는 것, 상대가 윗사람인 경우를 제외하면 전화 건 쪽이 먼저 끊는 것이 기본 매너이다.

제 2 절 비서의 전화응대

1. 전화응대 방법

- 비서는 상사와 회사를 대신해서 전화를 받는 것이다.
- 가급적 전화벨이 3번 울리기 전에 받는 것이 좋다.
- 첫인사에서 회사 혹은 소속, 부서, 직책, 이름을 밝히며 전화를 받는 것이 비즈니스 전화응대의 기본이다.
- 전화를 끊을 때는 3을 센 뒤 손끊음을 한다.
- 전화메모와 전화 수·발신대장은 반드시 작성해서 관리한다.
- 전화받는 매너만이 아니라 전화 거는 매너도 중요하다.
- 전화를 걸 때는 가급적 식사시간과 퇴근시간 20분 전후는 피하는 것이 좋다.
- 상사가 부재중이더라도, 불특정 다수인에게 부재중인 개인적 사유까지 알릴 필요는 없다.
- 동료가 지각하여 부재한 상황이라면, 아직 출근 전이라고 하기보다는 잠시 자리를 비웠다고 하는 편이 비즈니스 응대 시에는 더 적질하다.

〈표 6-1〉 전화 수·발신 대장

일시	발신자	소속	내용	연락처	전화수신자	비고
18-09-02(월) 14:00~15:40	이영준 부회장 비서실 양철 실장	유명그룹	포럼참석 여부확인	02-123-1234 (010-1234-1234)	김미소	불참 통보 완료

2. 비서의 전화응대 Tip

주제	Don't	Do
거절은 완곡하게	할 수 없습니다.	입장은 이해합니다만, 저는 조금 어렵겠습니다.
	안 됩니다.	죄송합니다만, 제가 처리해 드리기 곤란한 일인 것 같습니다.
명령형보다는 청유형으로	해주세요.	고맙습니다. ~해 주시겠습니까?
	기다리세요.	죄송하지만, 잠시만 기다려주시겠습니까?
부정형보다는 긍정형으로	잘 모르겠는데요.	잠시만 기다려주시겠습니까? 확인 후 바로 안내해 드리겠습니다.
	아직 말씀 못 드렸어요.	죄송합니다만, 아직 말씀을 못 드렸습니다. 최대한 빨리 처리해 드리겠습니다.
반토막 말보다는 완전한 말로	잠깐만요.	죄송하지만 잠시만 기다려주시겠습니까?
	네?	죄송합니다만, 다시 한 번 말씀해 주시겠습니까?
	알았어요.	네, 잘 알겠습니다. 감사합니다.

- 통화 도중 연결이 끊겨 바로 다시 걸었는데 통화 중일 경우 전화를 건 쪽이 다시 하는 것이 비즈니스 매너이다. 그러나 윗사람일 경우 비서가 먼저 전화를 건다.
- 전화를 받고 있는데 앞에 손님이 온 경우에는 전화 상대방에게 손님이 왔음을 알리고 손님응대 후 전화드려도 괜찮은지 정중히 확인한다. 이때 주의할 사항은 전화 상대와 손님 중 윗사람을 먼저 응대한다.
- 상사의 지인이지만 상사가 전화를 피하는 경우에는 상사가 회의 중인 관계로 통화가 어려움을 정중히 안내하고 안건 확인 후 상사에게 보고한다.
- 물품구매나 후원을 요청하는 경우에는 판매 혹은 후원목적, 금액 등이 기재된 공문을 서신으로 요청 후 해당부서와 상의 후 상사에게 보고한다.
- 언론사의 인터뷰 요청일 경우 기자가 반드시 본인의 소속, 인터뷰 목적, 질문사항 등을 서면으로 보내므로, 서면으로 해당 내용을 요청하여 해당부서와 상의 후 상사에게 보고한다.
- 컴플레인을 하거나 욕설을 하는 경우에는 상대방의 감정을 공감하며 정중히 응대하고, 컴플레인일 경우 해당부서에서 신속히 조치하도록 처리하겠다고 안내한다.
- 회사의 위치를 묻는 경우 자가운전, 대중교통, 도보 여부를 확인하여 홈페이지의 위치설명과 동일하게 안내한다.

- 외국어를 잘하지 못하는데 외국어로 전화가 걸려온 경우에는 통화 희망내용을 이메일로 요청하거나 영어가 능숙한 동료에게 통화를 부탁한다. 평소 비즈니스영어 안내멘트 매뉴얼을 만들어 책상에 붙여놓는 것도 하나의 방법이다.
- 방금 상사분과 전화 통화를 하다가 끊겼다며 연결해 달라는 경우에는 지금 다른 통화 중이심을 정중히 말씀드리고, 상대방의 소속, 존함, 직급, 연락처를 확인 후 상사에게 보고한다.
- 상사의 실제 휴대전화번호를 언급하며 친분을 과시하며 연결해 달라는 경우에는 회의 중임을 정중히 말씀드리고 메모 남겨주시면 전달 드리겠다고 정중히 말씀드린 후 상사에게 보고한다.

[전화응대업무 토론]

1. 전화 수신 시 기본 전화응대 멘트에 대해 외부전화, 내부전화를 구분하여 토론한다.

2. 전화를 늦게 받은 경우 응대방법에 대해 토론한다.

3. 상사가 부재중인 경우 응대방법에 대해 토론한다.

4. 전화가 잘 들리지 않는 경우 응대방법에 대해 토론한다.

5. 외부에서 전화가 걸려온 경우 상사에게 연결하는 방법에 대해 토론한다.

6. 전화가 잘못 걸려온 경우 응대방법에 대하여 대해 토론한다.

7. 상대방에게 업무상 전화통화를 할 일이 있는데 전화를 두 번 이상 받지 않는 경우와 반대로 내가 받지 못한 경우에 대해 토론한다.

[전화응대업무 실습]

1. 친분을 과시하며 연결해 달라고 하는 경우 옳은 방법과 옳지 않은 방법에 대해 실습한다.

2. 상사의 일정을 묻는 경우 옳은 방법과 옳지 않은 방법에 대해 실습한다.

3. 상사의 지시사항을 이해하지 못한 경우 옳은 방법과 옳지 않은 방법에 대해 실습한다.

4. 비서들과의 전화 매너에서의 옳은 방법과 옳지 않은 방법에 대해 실습한다.

〈표 6-2〉 전화응대 자가테스트

<table>
<tr><th>구분</th><th>평가항목</th><th>평가내용</th><th>5</th><th>4</th><th>3</th><th>2</th><th>1</th></tr>
<tr><td>수신</td><td>접속 신속성</td><td>벨 3회, 7초 이내에 받는다.</td><td></td><td></td><td></td><td></td><td></td></tr>
<tr><td rowspan="2">첫인사</td><td rowspan="2">맞이인사</td><td>상대방이 잘 알아듣게 나를 소개한다.</td><td></td><td></td><td></td><td></td><td></td></tr>
<tr><td>계절이나 월별로 인사멘트를 변경한다.</td><td></td><td></td><td></td><td></td><td></td></tr>
<tr><td rowspan="14">연결 태도</td><td rowspan="2">담당자 연결</td><td>주요 인사들의 전화번호를 10초 이내에 찾을 수 있다.</td><td></td><td></td><td></td><td></td><td></td></tr>
<tr><td>주요 인사들의 연락처를 휴대하거나 저장하고 있다.</td><td></td><td></td><td></td><td></td><td></td></tr>
<tr><td rowspan="2">업무파악</td><td>조직도상의 부서업무와 담당자 등을 숙지하고 있다.</td><td></td><td></td><td></td><td></td><td></td></tr>
<tr><td>업무별 중요도와 우선순위를 정확하게 인지하고 있다.</td><td></td><td></td><td></td><td></td><td></td></tr>
<tr><td>내선활용</td><td>사내 전화시스템과 전화기 사용법에 익숙하다.</td><td></td><td></td><td></td><td></td><td></td></tr>
<tr><td rowspan="5">언어표현</td><td>전화응대 시 속도가 적당하다.</td><td></td><td></td><td></td><td></td><td></td></tr>
<tr><td>전화응대 시 발음이 정확하다.</td><td></td><td></td><td></td><td></td><td></td></tr>
<tr><td>공손한 어투와 수준 높은 단어를 사용한다.</td><td></td><td></td><td></td><td></td><td></td></tr>
<tr><td>외국인의 전화를 응대할 수 있다.</td><td></td><td></td><td></td><td></td><td></td></tr>
<tr><td>전화응대 시 고객의 말을 끝까지 듣는 편이다.</td><td></td><td></td><td></td><td></td><td></td></tr>
<tr><td rowspan="2">경청태도</td><td>전화 메모를 하고 있다.</td><td></td><td></td><td></td><td></td><td></td></tr>
<tr><td>전화응대 시 속도가 적당하다.</td><td></td><td></td><td></td><td></td><td></td></tr>
<tr><td rowspan="2">적극적인 태도</td><td>문의사항에 대한 확인을 한다.</td><td></td><td></td><td></td><td></td><td></td></tr>
<tr><td>문의사항 외에 추가적인 질문을 받는다.</td><td></td><td></td><td></td><td></td><td></td></tr>
<tr><td rowspan="4">종료 인사</td><td>기본 매너</td><td>상대방보다 늦게 끊는다.</td><td></td><td></td><td></td><td></td><td></td></tr>
<tr><td>끝인사</td><td>계절이나 월별로 인사멘트를 변경한다.</td><td></td><td></td><td></td><td></td><td></td></tr>
<tr><td>피드백</td><td>전화대장을 작성하고 있다.</td><td></td><td></td><td></td><td></td><td></td></tr>
<tr><td>생활전화</td><td>업무전화 외에 개인적인 전화도 친절하게 받는 편이다.</td><td></td><td></td><td></td><td></td><td></td></tr>
<tr><td colspan="8">※ 자신의 전화응대역량 중 단점은 무엇이며 개선시킬 수 있는 방안은?</td></tr>
</table>

제 7 장

내방객응대업무

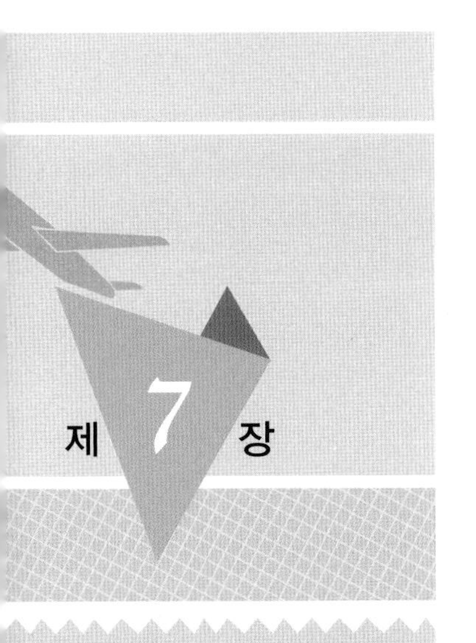

내방객응대업무

내방객응대는 단순히 내방객을 맞이하는 서비스가 아니라 의전이다. 의전이란 서비스보다 한 단계 상승된 것으로 면밀한 사전계획하에 이루어지는 응대이다.

내방객응대

1. 비서의 내방객응대 프로세스

내방객응대 프로세스는 상사의 지시내용을 확인 후 상대측에 1개월(그룹총수의 경우 3~6개월) 이내의 가능 일시, 안건, 소요시간, 장소, 배석인원을 안내하여 취합된 일정을 상사에게 보고 후 최종일정을 컨펌한다.

그 후 상대측에 최종 컨펌된 일정과 상세 장소를 재안내하면서 차량정보, 기사정보, 수행원정보, 자가운전여부, 커피 혹은 Tea의 기호를 확인한다. 내방객 방문 최소 3일 전 상사에게 선물 준비여부를 확인 후 필요시 준비하고, 비서가 내방객을 어디서부터 의전을 시작할지 여부 및 의전기 사용여부를 컨펌받는다.

내방객 방문 당일 아침 혹은 전일 오후에 내방객 정보 및 차량정보를 안내데스크와 보안요원에게 안내하여 주차공간 확보 및 의전기를 탑승할 수 있도록 준비를 한다. 비서가 내방객을 로비에서부터 의전 시 약속시간 15분 전에 대기하고, 내방객이 도착하면 비서의 신분을 밝히고, 상사가 기다리고 있다는 말씀을 전한다. 이때 안내직원에게 비서실에 내방객이 도착하였음을 알리게 하고, 비서는 상사에게 내방객이 로비에 도착하였음을 보고한다.

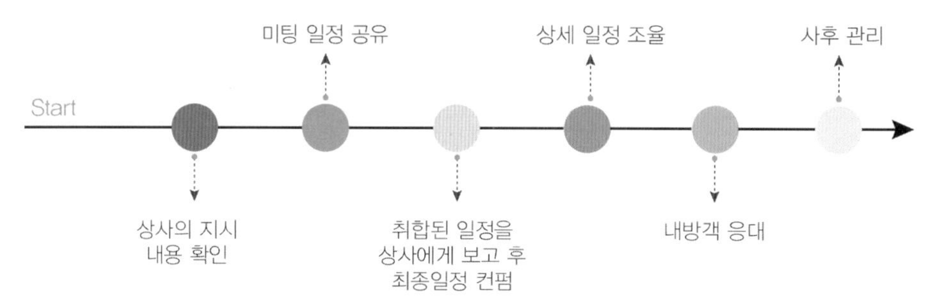

[그림 7-1] 내방객응대 프로세스

내방객이 처음 방문한 경우에는 내방객의 대각선 반보 앞에 위치하여 안내한다. 엘리베이터를 탑승할 때에는 안내직원이 없는 경우 비서가 먼저 탑승 후 열림 버튼을 눌러 문이 닫히지 않게 하여 내방객을 탑승하도록 하고, 탑승 후 사전에 행선층을 안내한다(예를 들어 20층 접견실로 안내하겠습니다). 내릴 때는 "도착했습니다."라고 말씀드리고, 열림 버튼을 누르면서 내방객이 먼저 내릴 수 있도록 한다. 계단 혹은 에스컬레이터를 이용하여 올라갈 때는 뒤에서 내려갈 때는 앞에서 걸어 내방객보다 높은 위치가 되지 않도록 하며, 내방객이 치마를 입었을 경우 앞에서 안내한다.

해당 층에 도착 후에는 장소를 다시 한 번 안내한다(예를 들어 접견실로 안내해 드리겠습니다). 내방객의 대각선에서 반보 정도 앞서 걷고 접견실에 도착하면 "여기입니다."라고 말씀드리고, 안에 아무도 없더라도 노크를 한 후 문을 열고 상석으로 안내한다. 이때 상석의 위치는 문에서 먼 안쪽자리, 문이 잘 보이는 자리, 풍경을 정면으로 볼 수 있는 자리, 등받이가 있는 자리이다.

내방객이 착석하면 차 주문을 받은 후 상사에게 내방객이 접견장소(ex. 접견실)에 도착했음을 안내한다. 접견실에 차를 전달하기 위해 들어갈 때는 먼저 노크를 한 뒤 지시가 있으면 문소리가 나지 않게 조용히 들어가서 가볍게 목례를 한다. "차 준비해 드리겠습니다."라고 말씀드린 후, 찻잔을 내려놓을 때는 살며시, 흔들리지 않도록 조심스럽게 내려놓고 내방객이 왼손잡이일 경우 차는 왼쪽에, 찻잔 손잡이는 45도 정도로 내방객이 잡기 편하도록 놓고, 접견실을 나갈 때도 목례 후 문소리가 나지 않도록 조용히 나간다.

내방객과 대화가 길어지면 대개 상사가 먼저 여분의 차를 더 주문하지만, 특별한 지시가 없을 경우 1시간 정도 후에 키폰 혹은 노크를 하고 차가 더 필요한지 정중히 여쭤본다. 리필을 요청하실 경우 새로운 잔에 담아서 준비하는 것이 좋지만 그렇지 않을 경우

티포트를 가지고 들어간다. 이때 유의할 점은 티포트에 담아갈 경우 이전의 차와 동일한 종류의 차를 준비하여, 차가 섞이는 일이 없도록 한다.

미팅 중인데 급한 용건의 전화나 면담자가 왔을 경우에는 상대의 소속, 존함, 직함, 안건, 통화 혹은 미팅 요청시기를 확인 후 상사에게 메모를 전달한다. 이때 "말씀 도중 죄송합니다."라고 말함으로써 내방객에게 양해를 구한다.

미팅 종료 5~10분 전 혹은 내방객이 용무를 마치고 나오면 일어나서 "안녕히 가십시오."라고 정중히 인사드린다. 내방객이 운전기사를 대동하였을 경우 운전기사에게 연락해서 신속하게 차량을 대기할 수 있도록 배려하고 안내데스크에도 연락하여 불편함이 없도록 하며, 상대방 비서실에도 내방객이 이동하였음을 안내하면서 미팅일정 도움에 대한 감사인사를 전한다. 외국인 내방객일 경우 감사장(서면)을 반드시 7일 이내에 이메일 혹은 우편으로 발송한다.

2. 비서의 상황별 내방객응대 방법

1) 사전 약속이 되어 있는 내방객응대

- 내방객을 Reception Desk에서 처음 응대할 경우, 비서는 약속된 내방객의 정보(이름, 소속, 직급, 방문시간, 차량정보)를 Reception Desk 직원에게 사전에 알려준다.
- 내방객이 중요한 고객일 경우 반드시 비서가 직접 Reception Desk로 가서 접견장소까지 의전한다.
- 내방객 도착안내를 받으면, 상사에게 보고한다(상사가 통화 중이거나, 회의 중, 혹은 미팅 중일 경우 메모를 전달 후 지시에 따라 고객을 안내한다).
- 내방객이 접견장소에 도착하면 상사께 다시 한번 보고 드린다.

2) 약속이 되어 있지 않는 내방객응대

- 상사가 꺼리는 내방객은 사전에 파악한다.
- 내방객의 이름, 소속, 직급, 연락처, 내방사유 등을 확인하여 상사에게 보고 후, 상사가 면담을 승낙할 경우 내방객응대 프로세스에 따라 진행하고, 거절할 경우 상사가 부재중이거나, 회의 중인 관계로 면담이 어렵다는 것을 정중히 설명한다.

3) 내방객의 대기가 필요한 경우

내방객에게 오전에 회의가 길어진 관계로 일정이 원활히 진행되고 있지 않음을 정중히 설명하고, 양해를 구한 후 다과와 함께 신문 등 읽을거리를 제공한다.

4) 내방객 배웅 후 업무

내방객의 특이사항, 기호 등을 메모하여 추후 재방문 시 참고한다. 미팅에 관하여 상사에게 지시받은 사항이 있을 경우 이행하며, 관련 내용은 기록한다. 내방객응대도 전화응대와 마찬가지로 내방객응대 대장을 만들어 관리한다.

〈표 7-1〉 내방객 관리 대장

방문일시	방문자	회사명	연락처	안건	배석자	비고
18-10-24(금) 17:30~18:00	이영준 부회장	유명그룹	02-528-8079 010-6256-8108 양철실장(수행) 010-4837-947	창립기념 음악회 관련 미팅	박유식 사장	대학 동기

제 2 절 내방객 안내방법

1. 상석의 위치

접견실 혹은 회의실에서 상석은 문에서 먼 안쪽 자리, 문이 잘 보이는 자리, 풍경을 정면으로 볼 수 있는 자리, 등받이가 있는 자리가 상석이다. 엘리베이터에서 상석은 버튼의 대각선 뒤쪽이 상석이며 비서의 자리는 버튼을 조작할 수 있는 버튼 바로 앞에 위치한다.

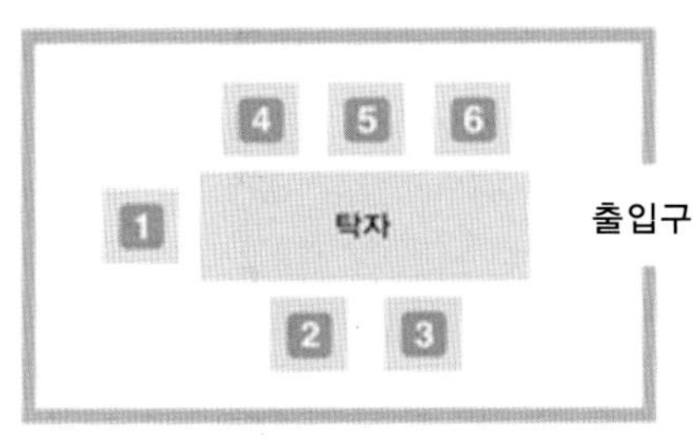

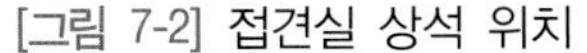
[그림 7-2] 접견실 상석 위치

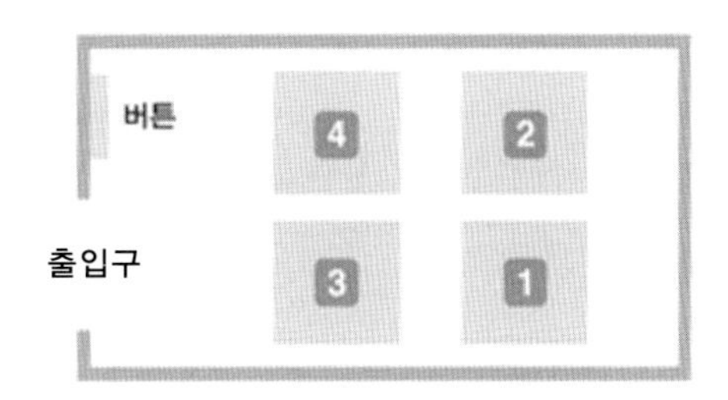

[그림 7-3] 엘리베이터 상석 위치

2. 내방객 의전

1) 동행할 경우

내방객이 처음 방문한 경우에는 내방객의 반보 앞에서 대각선에 위치하며 안내한다. 내방객이 위치를 알고 있을 경우(ex. 재방문 등)에는 상사의 뒤쪽 대각선 반보 뒤에 위치한다.

2) 엘리베이터

엘리베이터를 탈 때는 비서가 먼저 탑승 후 열림 버튼을 눌러 문이 닫히지 않게 하고 내방객을 탑승하도록 하며, 탑승 후 사전에 행선층을 안내한다. 내릴 때는 "도착했습니다."라고 말씀드리고, 열림 버튼을 누르면서 내방객이 먼저 내릴 수 있도록 한다.

3) 계단

계단을 오를 때는 내방객보다 한두 계단 뒤에서 올라가고 내려올 때는 내방객보다 한두 계단 앞서 안내하며 내려온다. 남녀가 계단을 올라갈 때는 남자가 먼저 올라가고 내려올 때는 여자가 앞서 내려간다.

내방객이 스커트를 입었을 경우에는 비서가 앞에서 안내한다.

4) 에스컬레이터

올라갈 때는 내방객 혹은 여성이 먼저 타도록 안내하고 내려갈 때는 비서가 먼저 탄다. 계단과 동일하게 내방객이 치마를 입었을 경우 앞에서 안내한다.

계단과 에스컬레이터에서 남성이 여성을 안내할 때 남성이 위쪽에서 안내하고, 여성이 아래쪽에 위치한다. 계단과 에스컬레이터 등 경사가 있는 곳에서 올라갈 때는 앞에서 안내하고, 내려올 때는 뒤쪽에서 안내한다.

5) 출입문

출입문을 통과할 때는 부득이 내방객을 추월해서 먼저 문을 열어야 하며, 내방객에게 예의로서의 목례를 한 후 문을 밀고 나가서 문밖 쪽의 안전을 확보한 후 내방객이 문을 통과할 때까지 문을 계속 잡고 있다가 통과하면 문을 닫고 계속 수행한다. 이때 상황에 따라 문을 잡지 않고 엘리베이터 등 다른 것에 신경을 쓸 수 있는데, 내방객이 문을 통과할 때 바람에 의해 문이 닫히거나 혹은 열렸을 때 고정이 잘 안 되어 문이 닫힐 경우 비서가 곤란스러울 수 있으니 주의한다. 출입문은 각 빌딩마다 통과하는 방식이 다른 곳이 많다. 특히 외국에서는 대부분의 출입문이 건물 안쪽으로 들어갈 때는 당겨서 여는 문이고, 나올 때는 문을 밀어서 여는 식으로 되어 있다.

〈표 7-2〉 출입문 형태별 의전방법

출입문 형태	의전방법
앞으로 당겨서 여는 문	당긴 채로 비켜서서 내방객이 먼저 들어가도록 한 후 뒤 따라 들어간다. 이때 문이 이중문일 경우 신속하게 첫 번째 문을 통과한 후 내방객을 추월하여 두 번째 문을 당겨서 내방객이 들어 갈 수 있도록 한다.
밀어서 여는 문	먼저 안으로 들어가서 안쪽 손잡이를 잡고 내방객을 맞아들인다. 출입문이 두 개일 경우에는 당기는 문보다는 내방객을 추월할 시간적 여유가 부족할 수 있으므로 내방객 뒤에서 손으로 밀고 들어가는 방법도 있다. 문 여는 타이밍을 놓쳐 허둥지둥 내방객을 추월하는 경우가 있는데 이때에는 내방객이 문 열기를 기다리지 않는 한 내방객이 스스로 문을 열고 들어가도록 하는 편이 좋다.
회전문	회전문을 통과할 때는 회전문의 종류와 상황에 따라 달라질 수 있다. 회전문의 크기가 2~3명이 통과할 수 있는 문이면 비서는 내방객과 같이 통과해도 좋으나, 1~2명이 통과할 수 있는 문이라면 비서는 신속히 회전문 옆에 일반 문으로 통과하여 회전문 밖으로 나오는 방객을 맞는다.
자동문	내방객이 먼저 이용하도록 안내한다.

6) 미팅장소(접견실, 회의실) 등으로 안내할 경우

내방객을 미팅장소까지 안내하면 “여기입니다.” 하고 알리고, 미팅장소에 들어설 때는 안에 아무도 없더라도 반드시 노크한 후 문을 열도록 헌다. 미팅장소 내에서는 입구 쪽에서 가장 먼 곳이 상석이므로 그쪽에 앉을 수 있도록 권하며, 창문이 있는 경우는 View가 좋은 자리, 사무실과 함께 있는 경우 책상에서 멀리 떨어진 자리가 상석이다.

7) 복도에서 안내할 경우

복도에서는 내방객보다 2~3보가량 비스듬히 앞에서 안내한다. 방향 안내 동작 중 삼점법의 순서는 상대 눈 → 지시 방향 → 상대 눈이다.

8) 배웅

내방객을 배웅할 때는 엘리베이터 앞에서 배웅하거나 현관 입구까지 나와 배웅하는 것이 예의이다.

☞ 내방객응대 상황에서 올바른 물건 수수 자세

- 받는 사람이 보기 편하도록 건넨다.
- 밝게 웃으며 상대방의 시선을 바라본다.
- 가슴과 허리 사이 위치에서 주고받도록 한다.
- 원칙상 물건은 양손으로 건네는 것이 예의이다.
- 작은 물건을 주고받을 때에는 한 손을 다른 한 손으로 받쳐서 공손히 건네도록 한다.

[내방객응대업무 실습]

1. 내방객 방문 시 인사방법에 대해 실습한다.

2. 면담장소 안내방법에 대해 실습한다.

3. 차 주문 시 안내방법에 대해 실습한다.

4. 차 응대방법에 대해 실습한다.

5. 미팅 직후 환송방법에 대해 실습한다.

[내방객응대업무 토론]

1. 음료 주문을 받을 때 아무거나 달라고 하는 경우 뜨거운 음료를 드리는지 차가운 음료를 드리는지?

2. 상사와 손님이 이야기 중일 때 차 주문과 전달방법은?

3. 차 리필방법은?

4. 상사가 미팅 중인데 급한 용건의 전화나 면담자가 왔을 경우

5. 부장과 과장, 각각 자신의 업무가 급하다고 하는 경우

6. 상사의 손님이 아닌데 차 응대를 해달라는 경우

7. 상사의 컨디션이 안 좋은 경우

8. 면담약속 없이 무조건 찾아오는 경우

9. 상사가 꺼리는 내방객인 경우

10. 후원이나 물품구매 등을 강요하는 경우

11. 확인되지 않은 화분이나 선물이 도착한 경우

12. 내방객이 상사 몰래 선물을 전달하는 경우

13. 무례한 내방객인 경우

14. 내방객이 겹치게 방문한 경우

15. 평소 일면이 있는 분이 상사가 부재 중일 때 방문한 경우

16. 미팅 상대방이 면담시간보다 늦어지거나 일찍 온 경우와 반대로 우리 상사의 경우

17. 상사는 선물을 꼭 전달하라고 하고 상대방은 꺼리는 경우와 반대로 꼭 받으라고 강요하는 경우

18. 거래처 손님이 음료나 다과를 사온 경우

19. 상사의 지시로 외국인 내방객에게 이메일을 보내야 하는 경우와 반대로 받은 경우

20. 내방객에게 명함을 받았는데 내가 명함이 없을 경우

제 8 장

의전업무

제 8 장

의전업무

제 1 절 의전의 정의

의전은 과거부터 행해지던 일정한 규범의 형태이다. 사전적 의미의 의전(儀典)은 예(禮)를 갖추어 베푸는 각종 행사와 연회 등에서 기준이 되는 일정의 방식으로 '인간관계 상호 간의 관계를 질서 있고 평화롭게 하는 기준과 절차'라고 할 수 있다. 근래 들어서는 인간관계의 영역을 벗어나 국제 외교관계, 사회, 정부, 일반 기업, 학교, 가정 등 모든 사회활동에 영향을 미치고 있다. 오늘날의 의전은 일정한 사회적 규범으로 다양한 예가 제도화된 것이며 사회의 통합과 화합을 조성하는 데 있어 중요한 역할과 기준이 되고 있다고 정의할 수 있다. 하지만 이러한 역할과 기준은 변하지 않는 것이 아니라 상황과 장소 그리고 시기에 따라 달라질 수 있다.

의전(Protocol)이란 단어는 그리스어의 Protokollen에서 유래된 것으로, 이는 Proto(맨 처음)와 Kollen(붙이다)이 합성된 단어다. 이는 원래 공증문서에 효력을 부여하기 위해 문서 맨 앞장에 붙이는 용지를 뜻하는 것이었는데, 이후 외교관계를 담당하는 정부의 공식문서 또는 외교문서의 양식을 의미하게 되었다.

국내를 비롯한 동양권 문화에서는 특수한 관계라고 한정하기보다 인간이라면 보편적으로 지켜야 할 예절이라는 개념으로 이해되는 경우가 하나의 사회적인 규범으로 인지된다. 의전은 사람과 사람, 사람과 조직, 조직과 사회 등 다양

한 곳에서 활용되고 있으며 최근 들어 그 의미와 역할이 중요해지고 있다. 서양권 문화에서는 동양권 문화와는 조금 다르게 인간관계의 중심이기보다 비즈니스관계의 중심으로 활용되고 있으며 실제로 다양한 행사와 연회에서 의전이 활용되고 있다. 의전은 동양 문화권에서 시작되기는 했지만 발달의 꽃을 피우고 실제 활용가치를 극대화한 곳은 바로 서양이다. '로마에 가면 로마의 법을 따르라'라는 말처럼 서양문화권에서의 의전은 사회적인 질서로 작용하고 있다.

이처럼 의전은 조직과 사회가 원만하게 운영되고 질서를 잡는 데 있어 반드시 필요한 하나의 규범으로 인식되고 있으며 그 중요성은 시간이 지날수록 높아지고 있다. 사람 간의 소통이 줄어들고 조직 간의 소통이 줄어드는 소통부재의 시대에 살고 있는 우리에게는 다소 복잡하고 어려운 일이지만 놓쳐서는 안 될 중요한 일이 바로 의전이다.

제 2 절 의전의 역사

국내 의전은 조선시대 9대 왕인 성종 때 완성된 『국조오례의』(國朝五禮儀, 1474)에서 의전이 시작되었다는 의견이 지배적이다. 『국조오례의』는 나라에서 행하는 각종 의식인 길례, 흉례, 군례, 빈례, 가례의 5가지 예법을 적은 책이다. 오례는 크고 작은 여러 가지 제사를 지내는 것에 관한 '길례'와 자기 나라나 이웃 나라의 왕이 죽은 경우의 국상이나 죽은 왕의 장례를 치르는 국장에 관한 '흉례', 다른 나라를 정벌하러 가거나 군대의 각종 훈련이나 조직의 관리에 필요한 '군례', 국가적인 손님을 맞이하고 보내는 예의에 관한 '빈례', 새로운 임금의 즉위 혹은 왕이나 세자들의 직위를 인정하는 절차인 책봉, 그리고 왕실의 결혼인 국혼, 크게 잔치를 베풀고 선물을 내려주는 등에 관한 기쁘고 좋은 행사에서 행해지는 '가례' 등을 말한다.

조선시대에는 전례(典禮)문화도 발달하였다. 『경국대전』(經國大典)의 6전 가운데 「예전」(禮典)에는 의장(복식), 의주(국가의 전례절차), 조정의 의식, 국빈을 대접하는 연회, 중국 및 기타 외국사신을 대접하는 방식, 제례, 상징 등 의전에 관한 사항이 두루 규정되었다. 근래 들어서는 정부를 중심으로 의전에 대한 다양한 연구활동이 활발하게 진행되고 있으

며 과거 우수한 사료들을 복원하는 현대화 작업도 진행 중에 있다. 또한 기업들의 비즈니스 영역이 국내에 한정되지 않고 우리나라의 국가경쟁력이 높아지고 있는 만큼 의전이 필요한 경우가 많아지고 있어 의전에 대한 연구와 고증이 어느 때보다 활발해지고 있다.

서양권에서 의전의 역사를 말할 때 반드시 살펴봐야 하는 것이 나폴레옹 전쟁 후에 개최된 1815년의 '비엔나 회의(Vienna Congress)'이다. 1815년 비엔나 회의 이전까지는 국가 간의 서열이나 서열 기준에 맞는 행사 원칙 등이 없다 보니 국가 간의 모임이 생기면 무질서한 모습이었다. 거의 대부분이 강대국 중심의 외교관계이거나 일정한 기준으로 정의한 국가 간의 서열이 아니라 힘의 논리에 의한 서열이 기준이었다. 이는 국가 간의 분쟁이나 전쟁으로 번지기도 했다. 행사장에서의 단순한 자리싸움으로 인해 프랑스와 스페인은 외교관계를 단절한 경우도 있었고 프랑스와 러시아의 외교관들은 몸싸움을 벌인 적도 있었다. 이와 같은 문제점은 의전상 서열이 정해지지 않았기 때문인데 비엔나 회의에서 국가 간 의전에 관한 원칙을 처음으로 정하게 되었다. 그로부터 140여 년이 지난 1961년에 체결된 '외교관계에 관한 비엔나 협정'에서 구체화되어 오늘날과 같은 의전 관행이 전 세계로 널리 보급되었다. 이 원칙에는 국가 간의 행사와 의식이 진행될 때 필요한 의전 정보들이 담겨 있고 현재도 이 원칙은 의전의 기준이 되고 있다.

의전구성의 5요소(5R)

1. 의전은 상대에 대한 존중(Respect)과 배려(consideration)다. 의전의 기본 정신 중 하나는 다양한 문화와 생활방식을 이해하고 배려하는 것이다.
2. 의전은 문화의 반영(Reflecting Culture)이다. 의전은 문화의 이해라고 할 수 있다. 특정 지역, 특정 문화를 이해하고 그 품위를 높일 수 있도록 하는 정신이다.
3. 의전은 상호주의(Reciprocity)를 원칙으로 한다. 의전의 기본 정신 중 하나로 내가 배려한 만큼 상대방으로부터 배려를 기대하는 것으로, 국력에 관계없이 동등한 대우를 기본으로 한다.
4. 의전은 서열(Rank)이다. 의전행사에 있어 가장 기본이 되는 것은 참석자들 간에 서열을 지키는 것이다.
5. 오른쪽(Right)이 상석이다. 문화적 · 종교적으로 왼쪽을 불경 또는 불결하게 여겨온 전통의 소산이 오른쪽 상석의 원칙으로 발전된 것 같다. 행사를 host하는 주빈의 경우 손님에게 상석인 오른쪽을 양보한다.

제 3 절 의전의 실전

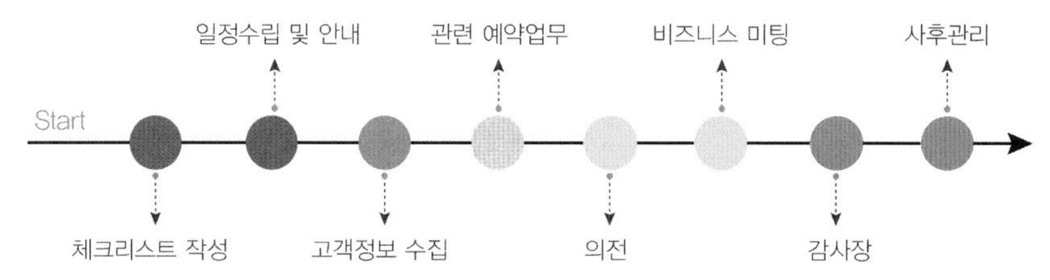

[그림 8-1] 의전의 프로세스

〈표 8-1〉 의전 체크리스트

의전 체크리스트				
Date	항목	내용	비고	체크
D-30	내한 날짜 확인	내방객의 방문 예정일 확인		□
D-30	의전 대상 정보 수집	의전 상대방의 정보수집 (음식, 숙소)	내방객이 선호하는 음식, 숙박 조사	□
D-30	의전 기능 인원/차량 파악	의전 가능한 인원과 차량 파악	의전 시 필요한 의전차량 지원 및 동행인원 파악	□
D-30	일정 수립	의전 활동계획을 수립	회의시간 확인 및 조정	□
D-20	일정 보고 및 조정	일정 수립 후 상사에게 보고	가능한 일정을 여러 가지 제시할수록 좋음	□
D-20	의전 일정 전달	의전 상대방에게 구체적인 일정 전달		□
D-15	회의장소 예약	인원수, 회의 형태 고려	회의장 컨디션 확인	□
D-15	호텔 예약	방문객이 숙박할 호텔 예약	○○호텔 (02-000-0000)	□
D-15	레스토랑 예약	인원수, 다이닝미팅의 형태, 종교·알러지 등을 고려	○○레스토랑 (02-000-0000)	□
D-15	비용 결제	예약 시 발생한 비용 결제	영수증 보관 및 첨부	□
D-7	문화공연/ 볼거리 조사	의전 당일 볼 만한 문화공연이나 볼거리 조사	뮤지컬 콘서트, 전시회 등	□
D-7	회의장소 탐사	회의장 이용에 불편 여부 확인	회의장 크기, 장비 확인, 다과준비여부	□
D-1	내방객 도착 정보 확인	내방객 도착시간, 항공편 재확인 및 차량 지원안내		□
D-1	의전 가능인원/ 차량 차질여부 확인	의전 수행 시 필요한 인원과 차량 가능여부 재확인		□
D-1	회의장/호텔/레스토랑 예약 재확인	예약사항 최종 확인		□
D	공항 내방객 마중	공항-차량간의 거리 네임보드 제작	명함, 꽃 준비, 의전 직원 인솔예정	□
D+	감사장 및 감사 선물 전달	내방객 귀국 시 감사장과 감사선물 전달		□

제4절 의전의 자세

1. 대기자세

- 가슴은 펴고 등은 곧게 하여 호흡을 가다듬은 후 똑바로 선다.
- 몸의 중심을 잘 잡고 두 발의 뒤꿈치는 나란히 붙인다. 앞부리는 남성의 경우 30~45도, 여성은 15~30도 정도로 벌리고 선다.
- 입은 자연스럽게 다물고 시선은 정면을 향한다.
- 고개는 반듯하게 들고 턱은 가볍게 당겨 바닥과 수평이 되도록 한다.
- 허리는 일직선으로 세워 상체와 하체가 기울지 않게 한다.
- 아랫배는 안으로 당기고 엉덩이는 힘을 주어 위로 끌어당긴다.
- 남성은 자연스럽게 주먹을 쥐고 바지 옆선에 붙이거나 왼손을 아랫배 위에 올려놓는다. 여성은 오른손이 위로 가게 하여 공수자세를 한다.
- 전체적으로 위에서 끌어당기는 듯한 느낌이 들도록 신체의 무게중심을 바로 하고 편안하게 선다.

[그림 8-2] 대기자세의 정격

2. 도보자세

- 몸의 중심은 바닥을 내딛는 발에 얹는다. 발은 일직선의 좌우에 붙여서 좌우의 발이 평행이 되도록 하며, 어깨넓이 정도의 보폭으로 걷고, 자신의 체격에 맞도록 자연스럽게 한다.
- 어깨는 수평으로 하며, 머리와 목은 곧게 펴서 흔들지 말고, 똑바로 세운다.
- 시선은 정면을 바라보되 눈높이보다 15도 정도 올려 고정시킨다.
- 허리와 가슴부터 나가는 기분으로 중심을 옮긴다.
- 손은 자연스럽게 쥐고, 팔은 앞으로 40도, 뒤로 15도 정도를 움직이며, 바지 옆선을 스치면서 자연스럽게 흔들어준다.
- 무릎은 펴고 쭉 뻗으면서 무릎과 발목이 스치듯이 걷는다.

3. 인사자세

인사는 인간관계의 시작이자 예절의 기본이다. 정중한 인사는 '존경받는다'는 느낌을 주지만 성의가 없으면 '무시당했다'는 느낌을 주기 쉽다. 인사의 3대 요소는 인사말 · 마음가짐 · 행동(인사법)이다. 밝은 표정과 바른 자세로 진심을 담아 인사하되 상황에 따라 인사법도 달라진다는 것을 유념한다.

[그림 8-3] 올바른 인사자세

한국식 인사는 허리를 숙이는 정도에 따라 목례, 보통례, 정중례 등으로 구분된다. 이때 양손을 포개 아랫배 위에 가볍게 올리는 것이 기본이다. 남성은 자연스럽게 주먹을 쥐고 바지 옆선에 붙인다. 몸을 숙인 채 고개를 들지 않아야 하며, 인사말은 똑바로 선 후 상대방을 보고 해야 한다.

가벼운 인사나 복도 및 실내 등 좁은 장소에서 만났을 때, 상사를 두 번 이상 만났을 때는 상체를 15도 정도 숙여 인사하는 목례가 좋다. 같은 사람을 자주 마주칠 때에도 가벼운 목례를 하는 것이 예의다. 상체를 30도 정도 숙이는 일반적인 인사법인 일반례는 명함을 교환하거나 누군가 마중하거나 배웅할 때 적합하다. 상체를 45도 정도 숙이는 정중한 인사인 정중례는 VIP를 사과 및 응대하거나 감사의 뜻을 전할 때 적합하다. 그러나 각도에 집착할 필요는 없다. 중요한 점은 마음이 자연스레 배어 나오도록 형식보다 매너의 본질인 마음을 잊지 않아야 한다.

목례	일반례	정중례
약 15도 3 ~ 3.5m	약 30도 2 ~ 2.5m	약 45도 1 ~ 1.5m
간단한 인사 좁은 공간 통화 중 엘리베이터 내부 자리안내 동료나 하급자에게	일반적인 인사 내빈 영접 감사 표현 상사 및 웃어른에게	공식석상 VIP 응대 깊은 감사 사과 표현

[그림 8-4] 인사의 방법

- 가슴은 펴고 등은 곧게 하여 바로 선다.
- 두 발의 뒤꿈치는 나란히 붙이고, 앞부리는 남성은 경우 30도, 여성은 15도 정도로 벌리고 선다.

- 입은 자연스럽게 다물고 시선은 정면, 턱은 가볍게 당긴다.
- 아랫배는 안으로 당기고 엉덩이는 힘을 주어 위로 끌어당긴다.
- 남성은 자연스럽게 주먹을 쥐고 바지 옆선에 붙인다.
- 여성은 오른손이 위로 가게 하여 아랫배 위에 올려놓는다.
- 상대와 아이콘택트 후 '안녕하십니까' 인사말을 먼저 한 후 '니까'에서 등과 목을 펴고 배를 끌어당기며 15/30/45도로 허리를 약간 굽히고, 시선은 발끝 3~3.5/2~2.5/1~1.5m 앞에 둔다.
- 상체를 들어 똑바로 선 다음 다시 아이콘택트를 하여 시선을 맞춘다.

4. 착석자세

- 어깨와 가슴을 펴고, 허리는 반듯하게 세워 의자 깊숙이 앉되, 등받이와 등 사이에 주먹 하나 정도 들어갈 약간의 여유를 두고 어깨와 허리를 펴고 앉는다. 옆에서 보았을 때 등받이와 90도가 이루어져야 한다.
- 시선은 정면을 향하여 상대방을 바라보며 편안한 자세를 취한다.
- 어깨와 턱에 힘을 주지 말고, 고개를 바로 하며, 턱은 아래로 당겨준다.
- 남성은 무릎과 발꿈치가 90도가 되게, 다리모양이 'ㄱ'자가 되도록 세운 후, 다리를 어깨넓이로 벌려서 앉는다. 이때 발의 모양은 11자 형태로 되게 한다. 두 손은 힘을 뺀 후 계란을 쥔 모양으로 가볍게 주먹을 쥐고, 허벅지 위에 자연스럽게 올려놓는다.
- 여성의 다리는 가지런히 모아 수직이 되게 세우거나 약간 기울인다. 발끝은 가지런히 모아 정면을 향하게 하며, 발끝은 조금 앞으로 내민다. 스커트를 입었을 경우 스커트의 약간 들리는 부분을 양손을 모아 살짝 누른다.

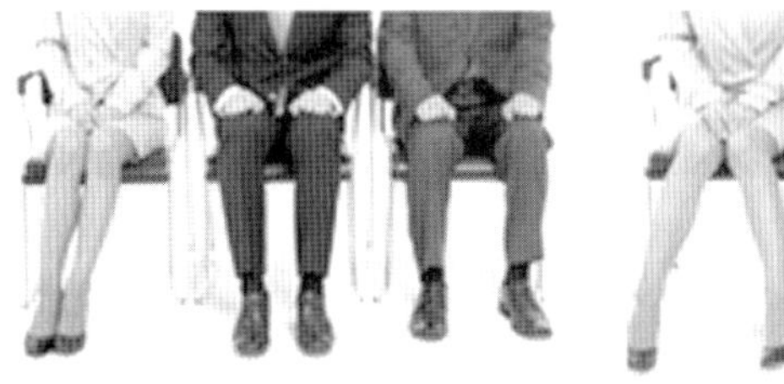

[그림 8-5] 올바른 착석자세(左)와 바르지 않은 착석자세(右)

5. 복장과 용모 매너

비서는 상사의 얼굴이나 다름이 없다. 그런 비서가 다른 이들로 하여금 복장과 용모에 대한 지적을 듣는다면 그것은 곧 상사의 위신과 직결되므로 누구보다도 항상 단정한 복장과 깔끔한 용모에 각별한 신경을 써야 한다. 복장은 사회생활을 영위하는 대인관계에서 중요한 부분을 점하므로 개인 예절의 옷차림새는 그 사람의 됨됨이를 나타낸다.

1) 단정한 복장

- 비서의 기본복장은 항상 Standard한 단정한 이미지가 기본이다.
- 일시적인 유행 패션은 피한다.
- 구두는 항상 청결하게 유지한다.
- 여성의 경우 굽 높은 구두는 삼가고, 소리가 나지 않도록 하며, 상사가 신경 쓰이지 않을 정도의 액세서리만 착용한다.
- 대중으로 하여금 튀지 말아야 한다.
- 때와 장소, 상황에 맞고 사회 관습에 맡는 복장을 착용한다.
- 비서는 상사의 복장과 유사한 스타일의 옷을 입고 수행한다.
- 남성의 경우 양말은 최대한 양복 색과 맞춰 신고 양복에 흰 양말은 절대 금물이며, 포켓에는 소지품을 불룩하게 넣지 않고, 타이(Tie)는 벨트 밑으로 약 5㎝ 내려올 정도의 길이로 조절하며, 수트 안의 조끼도 삼간다.
- 상사보다 밝은 색의 수트나 타이는 삼간다.
- 상사보다 좋은 옷도 삼간다.
- 재킷을 입고 서 있을 땐 단추를 채우고, 앉아 있을 땐 풀어주는 것이 예의이다.
- 남성의 경우 수트에는 긴 드레스 셔츠를 입는 것이 원칙이다.
- 여성의 경우 타이트한 스커트는 피하는 것이 좋고, 무릎 아래로 내려오는 단정한 스커트를 입는 것이 좋으며, 블라우스는 리본이나 프릴 장식이 있는 것보다는 기본 블라우스를 착용한다.

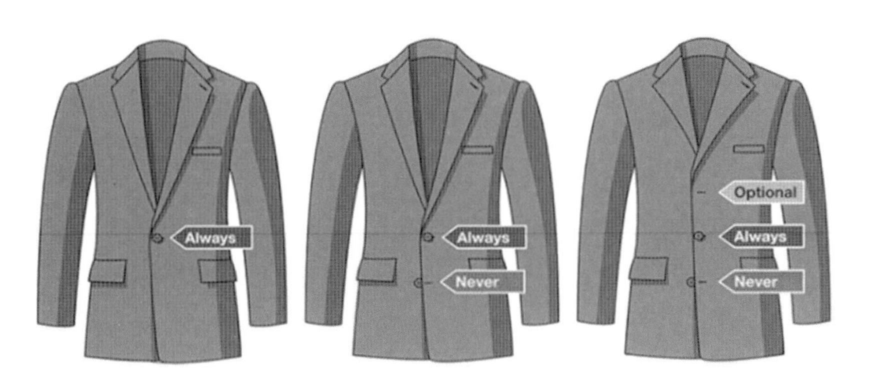

[그림 8-6] Suit Jacket Buttoning Rules

원버튼 재킷의 경우 단추는 반드시 채우고, 투버튼 재킷을 착용할 경우 첫 번째 단추를 잠그고 아래 단추는 풀어주는 것이 좋다. 쓰리버튼 재킷을 입을 때는 가운데 단추를 잠그고 위, 아래 단추는 풀어주는 것이 일반적이다. 그렇지만 첫 번째 단추도 필요하다면 채워도 괜찮다.

2) 단정한 용모

- 비서의 용모는 항상 단정해야 한다.
- 헤어스타일은 남성의 경우 스포츠형이나 장발형은 피하고 단정함의 기본을 유지해야 하고, 여성의 경우 단정한 단발머리, 긴 머리의 경우 하나로 단정히 묶는 것이 좋다.
- 피부, 특히 얼굴 등은 잡티가 생기지 않도록 관리한다.
- 여성의 경우 메이크업은 최소한으로 하며, 향수와 핸드크림 등 향기 나는 제품은 피하는 것이 좋으며, 네일도 최대한 단정하게 유지한다.
- 남성의 경우 손톱과 발톱, 면도 상태는 항상 청결상태를 유지한다.

제5절 의전 동선별 준비사항

의전의 동선은 고도의 수학이다. 수행비서는 수차례에 걸쳐 시운전, 사전답사를 하며 목적지까지 소요시간과 상황별 동선을 체크한다. 여러 명의 VIP를 의전할 경우 한 사람을 맞이하고 다시 '입구'로 나오기까지의 거리, VIP의 보폭까지 고려해 분단위로 시간을 쪼갠다. 주빈일수록 행사시간에 맞춰 나중에 도착하도록 하는 것이 예우이다. 하지만 다른 VIP에게 불만을 살 수 있으므로 호텔로 돌아갈 때는 먼저 온 순서대로 출발하도록 하는 것이 관례이다.

1. 공항의전 준비

공항영접 인사 시 부부동반인 경우 공항영접 때 부인에게 꽃을 선사해 환영의 예를 갖춘다. 환영인사와 함께 피케팅을 하는 것도 좋다.

1) 공항영접을 위한 사전준비사항

VIP 손님(바이어)을 영접할 경우 네임보드, 명찰(사진, 단체명 등), 명함, CIQ 출입허가증(CIQ 안에 들어가서 통관절차를 대행해 주거나 편의를 제공할 때만 지방항공관리국에서 발급받고, CIQ 밖에서 영접할 때는 불필요), Banner 등이 필요하다.

- 도착 공항청사, 여객편, 도착 예정시간을 확인한다.
- 항공사 및 공항 의전 신청을 한다.
- 입국 시 공항의 VIP 주차등록 가능여부를 확인하고 가능하면 등록하도록 한다.
- 항공편과 가장 가까운 출구의 gate번호를 체크하여 기사에게 안내하여 VIP가 걷는 것을 최소화한다. 출국 시에도 항공편 카운터와 가장 가까운 gate를 확인한다.
- 캐리어 크기와 개수, 일반 가방 개수를 확인하여 차량 트렁크에 수하물 공간 확인 후 부족하면 수하물용 차량을 추가 확보한다.
- 차량은 금연차량으로 준비하며 최고 컨디션의 차량을 준비한다.

• 별도의 운전원 없이 수행원이 운전해야 하는 경우 앞좌석(조수석)의 의자를 앞으로 당겨놓아 상사가 공간을 최대한 넓게 활용하도록 한다.
• 손님을 영접할 경우 정확한 호칭은 의전의 기본이다. 의전에서 가장 신경 써야 하는 것 중 하나가 호칭이다. 정확한 호칭으로 상대방을 부르는 것은 의전의 기본이니 주의한다.

서양의 호칭 및 경칭의 대상

• Majesty : 왕족에게 붙이는 경칭
• The Honorable : 귀족이나 주요 공직자
• Sir : 나이나 지위가 비슷한 사람끼리 또는 여성에게는 사용하지 않는다.
• Esquire(ESQ) : 영국에서 사용하며, 편지의 수취인
• Dr. : 전문직업인이나 인문과학분야에서 박사학위를 취득한 사람

☞ CIQ[(세관(Customs), 출입국관리(Immigration), 검역(Quarantine)] 지역에서 주로 이루어지는 행정사항은 세관(Customs)검사, 출입국관리(Immigration), 검역(Quarantine) 등이며(ex. 휴대품 검사, 필요시 회의 참가 입국자의 건강이상 유무 및 동·식물 검역, 여권 및 비자의 적절성 검사) 귀빈실을 사용하는 VIP에 대한 영접(Greeting)도 이곳에서 이루어진다.

2) 공항 내 의전방법

• 비행 도착시간이 단축될 수 있으니 최소 3시간 전 공항에 대기한다.
• 상사가 도착하면 30도 일반례 후 짐을 들어드리는지 여쭙고 컨펌하면 들도록 한다. 공항 등 기자가 많거나 대중의 시선이 많은 경우 눈에 띄는 의전은 불편해 하는 경우가 있으니 반드시 상사에게 확인 후 진행한다.

3) 공항 귀빈실 이용

출국 시 김포공항과 인천공항에는 VIP를 위한 귀빈실이 있다. 귀빈실을 이용할 경우 공항 의전실 직원의 의전에 따라 이용할 수 있으니 사전에 공항 의전실 직원을 통하여 예약한다. 귀빈실을 이용할 경우 탑승 전 수속도 귀빈실 내에서 진행 가능하다.

공항 귀빈실은 보통 의전실이라고도 한다. 인천공항의 경우 공항터미널 3층 동(東)쪽 맨 끝에 위치해 있다. 국내선 탑승장 옆으로 가면 귀빈실로 이어지는 통로가 나오는데 귀빈실 이용객들은 보통 1층 VIP 주차장에 하차한 뒤 엘리베이터를 통해 귀빈실로 이동

한다. 귀빈실 이용객에 대해선 출입국 심사를 대신해 주는 등의 의전 서비스가 제공된다. 귀빈실 이용객은 공항공사 의전팀 직원이 출입국 수속을 대신 밟아주고 보안검색이나 출입국 심사대도 상주직원이나 항공사 승무원 등이 이용하는 별도의 창구를 이용한다. 이 때문에 일반인들은 해외로 나갈 때 최소 2시간 전에 공항에 도착해야하지만 귀빈실 이용객들은 30분 전에만 도착해도 탑승에 지장이 없다. 김포 · 김해 · 제주공항 의전실을 유료로 이용할 때는 이 같은 의전 서비스는 제공되지 않는다.

[그림 8-7] 인천공항 귀빈실 중에서도 최고 귀빈에게만 개방하는 소나무실. 다른 방과 달리 우리나라 전통양식으로 꾸며져 있다.(사진=인천국제공항공사)

[그림 8-8] 공항 더블도어(사진=한국생산성본부)

국토교통부 규칙에 따르면 귀빈실 이용 대상으로 명시된 전/현직 대통령, 3부 요인, 헌법재판소장 등은 출입국 심사대를 거칠 필요 없이 의전실과 탑승구를 곧바로 연결하는 전용문을 통해 이동할 수 있다. 문 두 개만 통과하면 곧바로 탑승구가 나온다고 해서 이 문을 '더블도어'라고도 부른다. 두 개의 문 사이엔 일반 승객들이 출국장에서 보안검색을 받을 때 통과하는 문(門)형 금속탐지기가 놓여 있다.

인천공항 의전실의 더블도어를 통과하면 바로 앞에 9번 탑승구가 나타난다. 전 · 현직 대통령, 현직 3부 요인 등에 대해선 보안 기관과 협의해 아예 이들이 탈 항공기를 9번 탑승구에 댈 수 있도록 조치해 주기도 한다. 동선(動線)을 최소화해 주는 것이다.

인천공항 귀빈 전용통로인 '더블도어' 의전 시 더블도어 대상자의 수행원들은 일반 입국절차로 입국 후, 귀빈주차장으로 이동하여 차량에 탑승하고 다음 목적지로 이동한다.

4) 공항 라운지 활용

- 공항 라운지는 비행에 탑승 전 식사 및 가벼운 음료를 즐기거나 샤워를 하며 휴식이 가능한 공간이다.
- 인천공항에 총 7곳이 있다. 메인 라운지[마티나2(음식), 스카이 허브2(전망), 아시아나 비즈니스(휴식)], 탑승동(KAL, 아시아나)
- 김포공항은 총 3곳, 김해공항 총 4곳, 제주공항 총 2곳, 광주공항 및 대구공항 각 1곳이다.

(1) PP(Priority Pass)카드 활용

- 120여 개 국가, 400개 도시의 700여 개 공항 VIP라운지를 이용할 수 있는 서비스이다. 항공권의 좌석등급이나 항공사에 상관없이 라운지를 이용할 수 있다.
- 스탠다드(연회비 $99, 이용료 $27, 동반자 $27), 스탠다드 플러스(연회비 $249, 10회 방문 무료 후 이용료 $27, 동반자 $27), 프레스티지(연회비 $399, 이용료 무료, 동반자 $27), 법인 가입 시 할인적용이 가능하다.
- 시중 신용카드사에서도 기능이 추가된 신용카드로 발급이 가능하다.(http://www.prioritypass.co.kr)

(2) 출입국 우대

- Fast Track : 빠른 출입국 수속을 위한 진행이 가능하다.
  모범납세자, 독립유공자, 고용창출, 가족친화, 동반성장, 범죄피해자 지원 우수업체 종사자, 외국인 투자가, 종합인증우수업체 카드 소지자, 기업인카드(CIP) 소지자, ABTC카드(APEC경제인 여행카드), 교통약자(보행장애인, 유소아, 고령자, 임산부 등) 등의 카드를 소지하면 Fast Track이 가능하다.
- 자동출입국심사
  만 17세 이상, 만 14세 이상 17세 미만은 부모를 동반하여 가족관계 서류 지참 시 신청 가능하다.

2. 차량이동 시 의전방법

공항영접 후 상사를 자동차 상석에 안내하고 다음 장소로 이동한다. 이때 주의할 점은 상사가 착석한 후 짐을 차에 싣는 것이다. 짐을 싣는 동안 상사를 바깥에서 서서 기다리게 해서는 안 된다. 차량 탑승 후 상사에게 부재중 보고사항과 이후 일정사항에 대해 보고한다.

외국 손님을 의전 할 경우 방문한 한국의 날씨, 이동 중 도로변의 주요 건물 소개, 한국의 최근 상황들, 일정표에 관해 이후의 스케줄 등을 설명해 주면 좋다.(숙소나 식사 이동 시 한국에 대한 첫인상, 비행 중 불편사항 등 가벼운 질문을 하는 것도 좋다.) 이때 손님이 대답을 간단히 한다면 대화를 멈추는 것이 좋다. 대답을 길게 하고, 본인의 의견까지 덧붙일 경우 대화를 하고 싶다는 의중으로 받아들이고 편안한 대화를 하도록 한다. 즉 상대의 컨디션을 보며 대화를 조절하는 것이다. 간단한 대화 후 일정을 안내하여 조정할 사항이 있는지 확인한다. 방문자가 좋아하는 음악이나 방문자의 나라에서 유행하는 음악을 틀어주는 것도 비즈니스 전에 좋은 인상을 심어줄 수 있다.

1) 차량 탑승의 원칙

- 운전원이 있을 경우 뒷좌석 바깥문 쪽이 상석이다. 뒷좌석 안쪽 문 쪽이 그 다음, 운전자 옆자리는 조수석으로 서열이 가장 낮은 사람이 앉는다. 여성 상사일 경우 문을 열어주며 안쪽으로 들어가도록 하는 경우가 있는데 그럴 때는 비서가 먼저 안

쪽으로 탑승한다.

- 상사가 직접 운전할 때에는 조수석이 상석이 된다. 뒷좌석 바깥문 쪽이 그 다음, 서열이 가장 낮은 사람이 뒷좌석 안쪽 문 쪽에 앉는다.
- 지프 차량일 때는 운전자 옆자리가 언제나 상석이다.
- 승차는 상사가 먼저, 하차는 반대로 비서가 먼저 내리는 것이 관습이다.

[그림 8-9] 운전사가 있을 경우(외교부)

[그림 8-10] 상사가 직접 운전할 경우(외교부)

2) **차량 탑승 시 의전방법**

- 오른손은 차문 손잡이를 잡고 왼손은 문이 닫히지 않도록 차문의 끝부분 혹은 차문 윗부분을 잡는다. 이때 자세는 15도 목례를 유지하거나 정자세로 서 있는다.
- 상사가 완전히 탑승 후 착석하면 차문을 살며시 닫는다. 이때 지시사항이 있을 경우에 대비해 차량출발 전까지는 상사를 살펴본다.
- 차 바퀴가 움직이기 시작하면 45도 정중례 혹은 90도 인사를 한다.

[그림 8-11] 차량 탑승 시 의전방법 : 비서는 오른손은 차문 손잡이를 잡고 왼손은 문이 닫히지 않도록 차문의 끝부분 혹은 차문 윗부분을 잡는다.[사진=KBS(左), 뉴스핌(右)]

[그림 8-12] 차량 이동 시 인사[사진=일요시사(左), 프리미엄패스인터내셔널(右)]

3) 차량 하차 시 의전방법

- 비서가 먼저 하차하여 상사의 차문을 연다.
- 이때 오른손은 차문의 윗부분에 대어 상사가 머리를 부딪히는 상황이 발생하지 않도록 하며, 왼손은 차 손잡이 혹은 차문 끝부분을 잡고 있음으로써 차문이 닫히는 것을 방지한다.
- 상사가 완전히 하차할 때까지 문을 잡고 있다가 하차 후 문을 살며시 닫는다.
- 거동이 불편한 상사의 경우 오른손은 손이나 손목을 잡고 왼손은 팔을 잡고 부축하며 상사의 자세높이에 맞춘다.
- 비서가 2인 이상일 경우 한 명은 도어 손잡이를 잡고 다른 한 명은 인사를 한다.

[그림 8-13] 차량 하차 시 비서가 먼저 하차하여 상사의 차문을 열어드리고 양손을 사용하여 차문이 닫히지 않도록 상사가 완전히 내리실 때까지 문을 잡고 있다가 하차 후 문을 닫는다[사진=청와대(左), 서울신문(右)]

[그림 8-14] 비서가 2인 이상일 경우 의전방법(사진=프리미엄패스인터내셔널)

3. 숙소안내 의전방법

- 손님을 의전할 경우 수하물이나 슈트케이스는 비서가 직접 들지 않도록 한다.
- 체크인 후 재미팅 시간을 안내하도록 하고, 늦은 저녁시간에 도착한 경우 익일 픽업 시간과 일정에 관해서만 짧게 브리핑 후 인사한다.

- 손님을 픽업할 때에는 객실에 전화하여 로비에서 만난다. 손님이 객실로 와줄 것을 요구할 때는 그에 따르고 여성 손님일 때는 문을 약간 열어놓고 들어간다.
- 다른 객실의 문이 열려 있더라도 그쪽을 보지 않도록 하고 복도에서는 큰 소리로 대화하지 않도록 한다.
- 호텔 종사원에게 반말을 하지 않도록 한다.
- 손님에게는 응급상황이 아니면 밤 10시 이후나 아침 7시 이전에는 가급적 객실에 전화하지 않도록 한다.

Tip! 수행과 안내

- 안내는 내방객이 목적지를 모를 경우를 안내라고 하며, 가급적 대각선 반보 앞 왼쪽편에서 앞장서서 의전한다.
- 수행은 상사가 목적지를 알고 있을 경우 가급적 대각선 반보 뒤 좌측 뒷부분에서 의전한다.
- 두 경우 모두 등을 완전히 보이지 않고 상체는 상사를 향하도록 한다.

[의전업무 실습]

1. 공항 내 의전방법을 실습한다.
   2인 1조로 팀을 구성하여 한 명은 상사, 다른 한 명은 비서 역할을 하며, 상사의 공항 도착부터 공항 밖 차량까지 의전 한다.

2. 차량 탑승과 하차 시 의전방법을 실습한다.
   2인 1조로 팀을 구성하여 한 명은 상사, 다른 한 명은 비서 역할을 한다.

3. 숙소 안내 시 의전방법을 실습한다.
   2인 1조로 팀을 구성하여 한 명은 상사, 다른 한 명은 비서 역할을 하며, 차량 하차에서 호텔 체크인, 일정 안내까지 의전 한다.

제 9 장

글로벌 비즈니스 매너

글로벌 비즈니스 매너

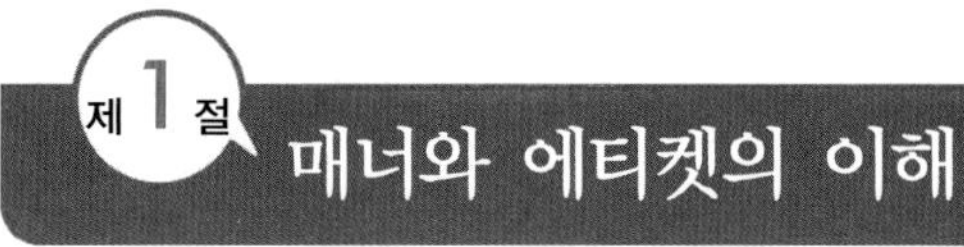

1. 매너의 이해

매너는 'manarius'라는 라틴어에서 유래한 단어로 사람의 행동과 습관을 의미하는 단어인 'manus'와, 방법과 방식을 뜻하는 'arius'의 합성어인 'manarius'가 합쳐진 말로 사람과의 관계에 더 치중하는 의미를 갖는다. 그래서 매너는 '좋다'와 '나쁘다'로 구분되며 사람마다 갖고 있는 독특한 습관이나 몸가짐을 의미한다.

매너의 개념

- 상대방을 존중하는 태도가 매너의 기본이다.
- 매너는 에티켓을 외적으로 표현한 것이다 (ex. '대화 도중 기침이 나올 때는 손으로 입을 가리고 한다. 길 가다가 껌을 뱉을 때에는 종이에 싼 후 휴지통에 버린다. 도서관에서 핸드폰으로 통화할 때에는 밖으로 나가서 사용한다. 출입문을 열고 들어갈 때 뒷사람이 오는 것을 보면 잠시 문을 잡아준다.' 등)
- 매너는 타인을 향한 배려의 언행을 형식화한 것이다.
- 매너는 사람이 수행해야 하는 일을 위해 행동하는 구체적인 방식이다.
- 매너는 사람이 수행하고자 하는 바를 위해 움직이는 행동이나 습관이다.

2. 에티켓의 이해

에티켓은 'estiquier'라는 프랑스어에서 그 유래를 찾을 수 있다. 루이 14세가 집권하던 17세기, 궁중 법도와 규칙이 까다롭던 시절, 성에 출입하는 모든 사람은 그 법도와 규칙을 지켜야 했고, 이 법도를 성 안뜰 벽에 붙여놓은 것에서 기인하였다. 이 때문에 에티켓은 '있다'와 '없다'로 구분할 수 있다. 에티켓은 공공의 의미로 '지킨다'와 '지키지 않는다'라고 표현할 수 있는 반면, 매너는 개인적 혹은 개별적 의미로 사람을 얘기할 때 '매너가 좋다' 혹은 '나쁘다'라고 말할 수 있다. 따라서 매너는 선택사항이지만 에티켓은 필수사항이라고 보면 된다. 에티켓은 지켜야 할 법칙과 규율을 일컫는데, 에티켓에 따른 행동을 실천에 옮기는 것을 매너라고 볼 수 있다.

- 에티켓은 타인과의 생활에 있어 지켜야 하는 바람직한 사회적 약속이다(ex. 공중화장실과 같은 공공시설물은 항상 깨끗하게 이용해야 한다).
- 에티켓은 매너의 기본 단계로서 에티켓도 지키지 않는 사람에게 매너를 기대할 수 없다.
- 기사도는 서양 남성들 사이에서 여성을 존중하고 우선으로 배려하는 일반적인 에티켓정신을 의미한다.

비즈니스 첫 만남 매너

비즈니스 미팅의 흐름은 대개 약속한 장소에서 정해진 시간에 만나 인사를 나누고 명함을 주고받으며 서로를 소개한 후, '스몰 토크'로 이야기를 시작해 본격적인 회의로 돌입하는 것이 일반적이다. 특히 만남과 인사, 소개 과정은 서로의 첫인상을 좌우하는 순간인 만큼 작은 행동이 미팅의 전반적인 분위기로 이어지는 경우가 많다. 약속시간의 경우 글로벌 스탠더드 매너를 기준으로 보면 정시, 혹은 5~10분 일찍 도착하는 것이 정석이다. 물론 나라별, 문화권별로 시간을 대하는 자세에 약간의 차이는 있다. 캐나다,

미국 등 북미지역 사람들은 시간을 무척 엄격하게 지키는 편이고, 남미와 동남아, 중동 사람들은 시간관념이 상대적으로 희박해 약속장소에 30분 이상 늦게 나타나는 상황도 발생한다. 상대방의 성향을 미리 알고 대비하되, 본인은 어떤 경우라도 정시를 지키는 것이 신뢰감을 쌓는 데 도움이 된다.

1. 방문매너

방문은 상대방과의 경계를 누그러뜨리고, 서로의 교제를 깊게 하는 데 큰 역할을 한다. 방문은 친밀감을 느낄 수 있는 가장 자연스러운 계기가 될 수 있으므로, 자신의 입장만 생각하고 계획을 세우면 안 된다. 방문의 에티켓은 상대방을 배려하는 것에서 시작된다. 방문 시 특히 신경 써야 할 부분은 시간에 대한 에티켓이다. 먼저 상대방의 상황에 따라 미리 약속을 정하고 시간을 반드시 지켜야 한다. 시간약속을 하지 않고 방문하는 것은 매우 특별한 경우에 한하며, 사전에 시간약속을 하는 것이 기본적인 에티켓이다.

비즈니스 방문 에티켓

- 소홀하기 쉬운 방문 에티켓을 지키면 상대에게 짧은 시간에 좋은 인상을 심어줄 수 있다.
- 방문시간보다 여유 있게 도착하여 복장을 점검한다.
- 사무실에 들어가기 전에 코트와 장갑은 미리 벗는다.
- 사무실에서는 방문자의 이름을 알리고 본인의 명함을 전달한다.
- 응접실에서 안내를 받으면 출입구에서 가까운 말석에 앉아 기다린다.
- 가방은 바닥에 놓거나 옆 의자에 올려놓는다.

2. 인사매너

한국을 비롯해 동양의 많은 나라는 상체를 굽혀 몸을 낮추거나 절을 하는 수직적 방식의 인사가 일반화되어 있다. 예로부터 농경생활을 해온 습성에 따른 것이다. 그러나 유목과 수렵을 주로 해온 서양에서는 악수와 포옹 등 수평적인 인사형태가 이어져 왔기 때문에 먼저 이러한 문화적 차이를 이해할 필요가 있다.

인사의 기본 원칙은 '먼저 보는 사람이 하는 것'이다. 어떤 장소에 들어갈 경우엔 들어서는 사람이 먼저 와 있는 사람에게 인사하면 된다. 엘리베이터 등 좁은 공간에서 모르는 사람과 만났을 때 한국인들은 서로 인사하지 않지만, 서구인들은 자연스럽게 인사를 나눈다. 만약 모르는 사람이라도 인사할 경우, 같이 인사하지 않는 것은 그 사람을 무시하는 제스처로 인식된다.

3. 소개매너

서로를 소개하는 것은 아주 간단하고 쉬운 일이지만, 뜻하지 않게 소개를 하거나 받게 되었을 때 당황하게 되는 경우가 있다. 처음 만나면 서로 자신을 소개하는 것이 순서일 것이며 소개를 하는 데 있어서 기본적인 예의를 알아두면 당황하지 않고 세련되게 그 순간을 이끌어갈 수 있다. 비즈니스 첫 만남에 있어서 그 첫 단추 역할을 하는 것이 소개이다. 내가 소개받을 때도 있고, 내가 타인을 소개할 때도 있다. 사람을 소개할 때 어느 쪽을 먼저 소개해야 할지 몰라 당황하거나, 소개받은 사람의 이름을 잊어버려 본의 아니게 무례를 범하는 경우도 있다. 소개가 잘 이루어지면 그만큼 만남의 인상도 깊을 것이다. 소개 시 염두에 두어야 할 것은 소개하는 자세, 순서, 명함교환, 올바른 인사법이다. 소개 예절은 첫인상을 좌우하는 매우 중요한 요소이므로 사전에 숙지하는 것이 좋다.

소개방법

- 미국 사람들은 빠른 사람은 처음부터 '퍼스트 네임'을 부르지만, 영국 사람들은 어느 정도 친해지면 '퍼스트 네임'으로 부를 것을 제의하는 것이 일반적이다.
- Mr.는 성 앞에만 붙이고 '퍼스트 네임' 앞에는 절대로 붙여 쓰지 않는다.
- 기혼여성의 경우 Mrs. Peter Smith 식으로 남편의 이름 앞에 Mrs.라는 존칭만을 붙여 쓰는 것이 오랜 관습이다. 그러므로 Mrs. Mary Smith 식으로 자신의 '퍼스트 네임'을 쓰면, 영국에서는 이혼한 여성으로 간주한다. 그러나 미국에서는 직업부인들이 이혼하지 않고도 Mrs.를 붙여 자신의 '퍼스트 네임'을 붙여 쓰며, 이혼한 경우에는 아예 미혼 때의 이름으로 돌아가, Miss Mary Nixon 식으로 호칭하는 사람들도 있다.

소개할 때 소개하는 사람이나 받는 사람 모두 일어서는 것이 예의이며 시선을 통한 교감, 아이콘택트가 중요하다. 소개의 에티켓은 동성끼리 소개받을 때에는 서로 일어서야하며 남성이 여성을 소개받을 때에는 반드시 일어선다. 그러나 여성이 남성을 소개받을 경우에 반드시 일어날 필요는 없다. 나이가 많은 부인이나 앉아 있던 여성은 그대로 앉아 있어도 된다. 자신보다 지위가 매우 높은 사람을 소개받을 때에는 남녀에 관계없이 일어서는 것이 원칙이나 환자나 노령인 사람은 예외이다.

소개의 순서는 연소자를 연장자에게 (직위가 연령보다 우선), 지위가 낮은 사람을 높은 사람에게, 남성을 여성에게 소개한다. 집안 식구의 경우는 중요한 사람이거나 여성일지라도 자기 식구를 다른 사람에게 소개하는 것이 예의이며, 미혼인 사람을 기혼자에게 소개하는 것이 자연스럽다. 한 사람과 여러 사람을 소개할 때에는 한 사람을 여러 사람에게 소개한다. 지위가 아주 높은 경우나 성직자 같은 경우에는 예외적으로 그들에게 다른 사람들을 소개하는 것이 올바른 소개매너이다.

4. 악수매너

악수는 석기시대부터 내려오는 전통이다. 서로 만나면 무기를 감추고 있지 않다는 것을 보여주기 위해 손바닥을 편 채로 팔을 들던 습관이 오늘날의 악수, 손에 입 맞추기, 포옹 등으로 변한 것이다. 악수는 상대방의 눈을 쳐다보면서 부드럽게 행하며, 손을 꽉 잡는다든지, 손바닥에 손가락을 넣는 인사법은 좋지 않다. 악수는 인사를 의미하므로 악수하면서 고개를 숙여 인사하지 않아도 된다. 서로 손을 잡을 수 있는 거리 안으로 들어오는 것은 그 사람의 마음을 잡고 싶다는 것을 의미하며 손을 잡으려는 것은 친밀함을 원하는 무언의 제스처일 수 있다. 그러므로 악수는 단순히 손을 잡는 것만이 아니라 마음을 잡는 것임을 이해한다.

1) 악수의 방법

악수는 비즈니스 하는 사람과 사람 사이의 친근함을 표현하는 것으로 관계형성의 중요한 단계이며, 서양에서 이를 사양하는 것은 결례에 속한다.

악수를 청하는 순서는 지위가 높은 사람이 낮은 사람에게, 윗사람이 아랫사람에게, 선배가 후배에게, 여성이 남성에게, 기혼자가 미혼자에게 건네는 것이 정격이다. 아랫사람이 악수를 청하거나 남자가 여자한테 먼저 악수를 청하는 것은 결례다. 남녀 간엔 서로 악수를 하지 않지만, 최근엔 비즈니스 과정에서 남녀 간에도 악수를 하는 경우가 오히려 일반적이다. 상하관계가 분명하다면 고위직의 남자가 하위직의 여자에게 악수를 청하는 것이 예의에 어긋나는 것은 아니다. 두 쌍의 부부가 서로 인사할 경우엔 부인이 남편의 오른편에 서서 부인끼리 먼저 악수를 한 후 남편끼리 하는 것이 순서다. 그 후 마주보고 있는 남녀 간에도 인사를 나눈다.

악수의 방법은 원칙적으로 오른손으로, 느슨하지 않게 잡는다. 상대의 팔을 당기거나 과도하게 흔들지 않으며 적당한 힘으로 3~5초 정도 가볍게 맞잡는다. 손끝만 잡는 경우 서양에서는 '죽은 생선'을 잡는 것 같다는 의미로 좋은 반응을 얻기 어렵다. 왼손은 자연스럽게 내려놓거나 상대방의 왼팔을 가볍게 터치해 친밀감을 표현하는 것이 좋다.

악수는 서양식 인사이므로 아이콘택트가 중요하다. 감정을 드러내고 표현하는 일이 드문 우리나라 문화 특성상 인사를 나눌 때 어색함으로 인해 무의식적으로 눈을 피하거나 무표정으로 일관하는 경우가 많은데, 자칫 상대방에게 무례한 행동으로 비춰질 수 있으니 주의해야 한다. 오른손에 물건을 들고 있다고 왼손으로 하는 것도 원칙이 아니므로 주의해야 한다. 만약 장갑을 착용했다면 남성은 악수할 때 장갑을 벗어야 하지만, 여성의 경우 팔꿈치까지 오는 긴 장갑을 끼거나 겨울철 야외에서는 벗지 않고 악수해도 된다.

우리나라 사람들은 악수할 때 상체를 굽히는 경우가 많은데 우리 사회에서는 존경의 뜻이지만, 국제사회에서는 비굴한 모습으로 비칠 수 있기 때문에 주의해야 한다. 오바마 전 미국 대통령이 작년 일본을 방문했을 때 일왕(日王)에게 90도로 허리를 굽혀 인사한 것을 두고 논란이 많았는데 이는 '일본식 정중례인 사이케이레이' 방법으로 인사한 것으로, 오히려 상대국에 대한 배려로 해석할 수도 있다.

☞ 악수예절에 있어서 악수는 반드시 일어서서 하도록 하며 한 손으로 잡고 반가운 마음을 표현하기 위해 두세 번 힘차게 흔들어 인사한다.

[그림 9-1] 악수방법[사진=청와대(左), 연합뉴스(右)]

5. 명함 교환매너

명함을 정중하게 취급하는 것은 상대방과 상대회사, 나아가 상대국가에 대한 경의를 나타내고 있다는 마음을 표현하는 것이다. 명함은 자신의 회사, 직책, 성명을 증명하는 역할을 하므로 전달받은 명함을 훼손하는 느낌을 주지 않아야 한다는 것이 기본에티켓이다.

1) 명함 교환을 위한 사전준비사항

- 깨끗하고 올바른 정보의 명함을 준비한다.
- 충분한 수의 명함을 명함지갑에 보관한다. 남성의 경우 상의 안주머니에, 여성의 경우 핸드백에 보관해도 좋다.

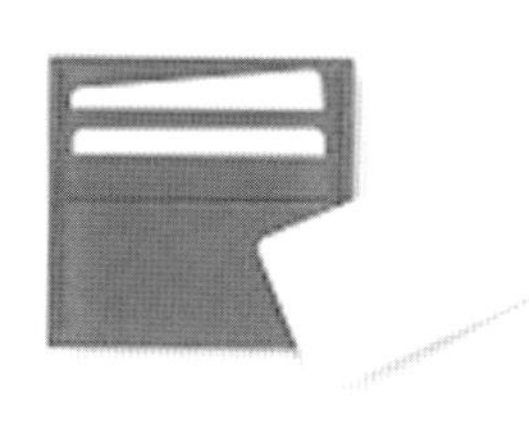

[그림 9-2] 명함은 명함지갑에 보관하거나 남성의 경우 상의 안주머니에 보관한다.

2) 명함 교환방법

명함은 원래 남의 집을 방문하였다가 주인을 만나지 못하였을 때 자신이 다녀갔다는 증거로 남기고 오는 쪽지에서 유래되었다. 이 같은 습관은 현재 많이 변모하여, 선물이나 꽃을 보낼 때, 소개장, 조의나 축의 또는 사의를 표하는 메시지 카드로 널리 사용되고 있다. 우리나라처럼 상대방과 인사하면서 직접 명함을 내미는 관습은 서양에는 없지만 명함을 내밀 때는 같이 교환하는 것이 예의이다.

3) 명함이 없을 경우

상대방에게 명함을 건네받았는데 내가 명함이 없을 경우에는 미팅 후 상대방의 연락처로 자신의 명함을 사진으로 전송하거나, 명함관리 앱을 통해 명함을 문자로 전송한다.

4) 명함을 주는 방법

명함은 아랫사람이 윗사람에게 일어서서 두 손으로 상대가 바로 읽을 수 있는 방향으로 Face up을 해서, 가슴높이에서 간단하게 자기소개를 하며 건넨다. 명함을 받을 때는 일어서서 두 손으로 정중히 받은 후 이름과 직함 등을 확인하고 관심을 표현한다. 상대방 앞에서는 받은 명함에 메모를 하지 않는 것이 매너지만, 상대가 외국인이라면 이름을 다시 한 번 확인한 후 발음이 어려울 경우 작게 메모하는 것은 괜찮다. 앉아서 대화를 나눌 경우 테이블 한쪽에 명함을 두었다가 이야기가 다 끝나면 명함지갑에 넣는다. 명함을 본인만 먼저 명함지갑에 넣으면 실례가 되기 때문에 넣을 때는 상대방 또는 미팅 전체의 분위기에 맞춰 판단한다.

올바른 명함매너

- 명함을 건넬 때는 선 자세로 두 손으로 건네거나 왼손을 받쳐서 오른손으로 주는 것이 예의이다.
- 명함을 받을 때는 일어서서 두 손으로 받는다.
- 명함을 건넬 때 정중히 인사하고 자신의 소속과 이름을 정확히 말한다.
- 명함을 받은 후 상대방 앞에서 명함에 메모하거나 낙서하는 행위는 매너에 어긋나지만 상대가 외국인일 경우에는 이름을 메모하는 것은 괜찮다.
- 명함을 받은 후 대화가 이어질 경우 테이블 위에 올려놓고 직위와 이름을 기억하며 대화 하는 것이 좋다.

[그림 9-3] 명함 교환방법

5) 1대1로 명함을 교환한 경우

받은 명함을 테이블 위에 직접 놓는 것보다는 자신의 명함지갑 위에 올려놓는 게 좋다. 여러 사람들과 명함을 교환한 경우 직책이 가장 높은 사람의 명함을 본인의 명함지갑 위에 놓고 다른 사람들의 명함을 테이블 위에 놓는다. 테이블 위의 명함은 상대방 좌석 순으로 올려놓고 이름과 얼굴을 확인하면서 이야기한다.

6) 명함을 동시에 교환할 경우

- 오른손으로 명함을 건네면서 왼손으로 받아 들고 나서 두 손으로 잡는다.
- 이슬람 문화권은 왼손을 사용하지 않으므로 반드시 오른손으로만 건네고 받는다.
- 자신이 상대방보다 서열이 낮은 경우에는 상대방보다 낮은 위치에서 전달한다.
- 명함이 부족할 경우 사과의 뜻을 전하고 복귀 후 바로 받은 상대방의 명함을 확인한 뒤 사과 메일이나 문자를 보내는 것이 좋고, 다음 만남에서 상대방이 요청하기 전에 먼저 명함을 전달하는 것이 좋다.

올바른 명함 수수법

- 명함은 상대의 입장에서 바로 볼 수 있게 건네도록 한다.
- 명함은 두 손으로 건넨다.
- 명함을 동시에 주고받을 때에는 오른손으로 주고 왼손으로 받는다.
- 앉아서 대화를 나누다가 명함을 교환할 때도 일어서서 건네는 것이 원칙이다.
- 앉아서 대화를 나누는 동안 받은 명함을 테이블 위에 놓고 이야기하는 것은 상대방을 정확히 인지하는 데 도움이 된다.

6. 선물매너

선물만큼 세심한 배려가 필요한 것도 없다. 선물은 일괄적으로 맞추기보다는 개개인의 취향을 반영하여 결정하는 것이 좋다. 상대국 반입가능 물품인지, 수령 가능한 선물 금액을 사전에 확인하는 것이 중요하다. 미국의 경우 약 400달러가 넘는 물품은 국가가 소장한다.

1) 주요 국가별 선물매너

(1) 미주지역 & 오세아니아

- 미국

  미국기업의 경우 거래처에서 선물을 받을 경우 50달러까지 허용하는 곳도 있으므로 사전에 기업 윤리규정을 파악하는 것이 중요하다. 바이어의 자택에 초대받는 경우 꽃이나 화분, 과일바구니 등의 일반적인 선물이 좋으며, 미국인에게 백합은 죽음을 의미하므로 선물용으로는 피하는 것이 좋다. 자택 초대 시 디저트류의 선물은 피하는 것이 좋은데 이는 안주인이 직접 만들어서 대접하는 것이 예의이기 때문이다. 미국인들은 선물을 받은 자리에서 뜯어보고 감사의 마음을 전하는 것을 예의로 생각한다.

- 캐나다

  캐나다인에게는 간단한 선물을 하는 것이 좋다. 캐나다는 재택근무가 많은 편이므로 가정을 방문하는 경우가 있는데 이러한 경우에는 꽃, 와인이 좋은 선물이 될 수 있다. 선호하는 선물은 실용적인 것이 좋으며 금기하는 선물은 죽음을 의미하는 백합이다.

- 브라질

  브라질인은 비즈니스 시 첫 만남에서 선물을 전달하는 경우는 드물고, 여러 번 만난 이후에 상대방과의 신뢰감이 형성되면 선물을 하는 편이다. 그러므로 비즈니스 첫 만남에는 회사 기념품 정도의 선물이 좋으며, 이후에 어느 정도 관계가 형성되면 상대방의 취향을 고려해 적당한 가격대의 선물을 주는 것이 좋다. 선물보다는 식사에 초대하는 것이 더 좋은 방법이며, 점심초대는 예의를 의미하고

저녁초대는 어느 정도 비즈니스가 진전되고 있음을 의미한다. 선물을 받은 경우에는 감사를 표하고 상대에게 물은 후에 열어보는 것이 예의이다. 선호하는 선물은 소형 전자제품이고, 관계와의 단절을 의미하는 칼이나 불길함을 상징하는 검은색, 자주색 물건은 피하는 것이 좋다.

• 호주

비즈니스 관계에서는 서로 선물을 주고받지 않는 편이다.

(2) 유럽지역

• 영국

대부분의 영국인들은 사업상 파트너나 동료들과는 선물을 주고받지 않지만 계약을 체결한 후 이를 기념하기 위해 선물하는 경우는 있다. 영국인의 특성상 금액이 높지 않은 작은 선물에도 감동받는 경우가 많다. 크리스마스, 연말연시의 경우에는 카드를 보내는 것이 좋으며 만약 영국 업체로부터 먼저 선물을 받은 경우라면 선물에 대한 감사카드를 보내는 것이 좋다. 가정에 초대를 받으면 간단한 선물을 준비해야 하며 일반적으로는 초콜릿이나 쿠키를 선물한다. 실용적인 선물을 선호하며 백합은 장례식에 사용되는 꽃이므로 피하는 것이 좋다.

• 독일

독일 기업 중 10유로 이상의 선물을 받거나 식사 대접을 받을 경우, 상사나 내부부서에 보고해야 하는 경우가 있으므로 고가의 선물은 준비하지 않는 것이 좋다. 대부분의 독일인들은 금액이 높지 않은 이국적인 선물을 선호하며 태극무늬가 들어간 부채, 전통 도자기 등을 좋아한다. 꽃을 선물할 때에는 홀수로 준비하되, 13송이는 13일의 금요일처럼 불길하게 여기므로 피하는 것이 좋다. 흰색, 검은색, 갈색 포장지와 리본은 불길한 색상으로 여기므로 피하는 것이 좋다.

• 프랑스

공무원인 경우 100유로 이상의 선물은 상부에 보고 대상이 될 수 있으므로 사전에 내부 규정을 확인하는 것이 좋다. 빨간 장미는 구애의 뜻으로, 통상적으로 연인 사이에서만 주고받으며, 카네이션은 장례식용으로 사용되므로 피하는 것이 좋다. 선물은 꽃이나 초콜릿이 좋으며 금액이 높지 않은 이국적인 선물을 선호하고 태극무늬가 들어간 부채, 전통 도자기 등을 선호한다. 음식, 향수, 와인은 개인의 취향이므로 선물하지 않는다. 특히 향수와 와인은 프랑스가 주 생산국이기 때문에 선물용으로는 피하는 것이 좋으며 기업 로고가 새겨진 선물을 받는 것은 선호하지 않는 편이다. 선물은 가급적 사람들이 보는 앞에서 열어보는 것이 예의이며 선물은 방문의 마지막 단계에 주는 것이 무난하다.

- 이탈리아

이탈리아인들은 실용적이고 의미가 있는 것을 선호하므로 비즈니스 첫 만남에서 고가의 선물은 피하는 것이 좋다. 한국 음식, 공예품 등 한국의 지역 특산물이나 한국산 아이디어 상품 등의 선물을 좋아한다. 기업 로고가 새겨진 선물을 받는 것은 선호하지 않는 편이다.

- 스페인

스페인에서는 비즈니스 관련 미팅 시에 일반적으로 선물을 주고받지 않는 편이다. 그러나 비즈니스 관계가 깊어진 후 비즈니스 파트너의 자택이나 별장 등으로 초대받은 경우라면 반드시 선물을 준비하는 것이 좋으며 20유로 미만의 와인이나 사탕, 꽃 등을 선물하는 것이 무난하다. 기업 로고가 새겨진 선물을 받는 것은 선호하지 않는다.

- 러시아

러시아인들에게 선물을 할 때에는 한국적 특성이 녹아 있는 기념품, 공예품 등이 좋다. 선호하는 선물은 향수, 라이터, 계산기, 지갑, 카메라 등이며, 금기하는 선물은 불운을 상징하는 짝수의 선물이다. 꽃을 선물할 때에는 홀수로 하는 것이 좋으며, 노란색, 흰색 꽃은 장례식에서 사용하기 때문에 선물하지 않는 편이다.

(3) 중동 & 아프리카 지역

- 사우디아라비아

중동지역에서는 선물하는 문화가 거의 없는 편이고, 고가의 선물은 뇌물로 여겨 이슬람에서는 금기시되고 있기 때문에 첫 방문부터 고가의 선물을 하는 것은 좋지 않다. 친분을 쌓고 특별한 기회가 될 때 작은 선물을 주는 것이 바람직하다.

사우디인들은 비즈니스와 개인적인 친분을 별개로 간주하는 편이므로 선물로 인해 거래관계에 큰 변화를 주기 어렵다는 점을 알아두는 것이 좋다. 그러나 때때로 주는 사람의 성의와 정성이 담긴 자그마한 선물이 효과를 발휘하는 경우도 있다. 선물로는 인삼제품(인삼차, 인삼절편, 인삼농축액 등), 한국 전통문양이 들어간 수공예품 등이 적당하다. 현지 바이어의 부인이나 자녀들에게는 선물을 삼가는 것이 좋다. 애완동물은 격이 낮은 선물로 평가하고, 손수건은 이별과 눈물을 상징하므로 피하는 것이 좋다. 이슬람교에서 금기시하는 돼지가죽 제품이나 주류, 향수를 피해서 준비한다.

- 아랍에미레이트

선물을 전달할 때에는 인삼제품과 우리나라 전통 공예품 등이 적당하며 한국 전통음식의 경우, 알코올이나 돼지고기 성분이 있는지 확인하고, 확인이 되지 않는 음식은 준비하지 않는 것이 좋다. 아랍에미리트에서 향수의 사용은 사회적 지위를 나타내기 때문에 중요하게 여겨지나 남성이 여성에게 향수를 선물하는 경우, 일종의 모독으로 간주될 수 있으며, 남자답지 못한 물건으로 간주되는 보석과 실크의상은 선물하지 않는 것이 좋다. 아랍에미리트를 포함한 이슬람 국가에서 선호하는 선물은 하루 5번 메카를 향해 기도하는 의식을 해외에서도 치르기 때문에 나침반을 선물로 주면서 선물의 의미를 이야기하면 세심한 배려에 감사해한다.

(4) 아시아 지역

- 일본

일본인들은 선물 시에도 세심한 배려를 통해 선물을 선정하므로, 선물 시에는 이러한 배려를 보여주는 것이 좋다. 한 해의 절반을 보내고 지인들에게 감사와 안부를 전하기 위해 6~7월에 선물하는 관습이 있으니 알아두는 것이 좋다. 일본인과의 선물 교환에서 주의할 점은 일본인들은 사소한 친절에도 물질로 답례하고 물질적인 선물을 받았을 때에는 나중에 답례하는 것은 물론이고 선물받는 자리에서도 세심한 언어로 감사인사를 전한다. 따라서 작은 선물이라도 우선적으로 주고받는 것이 좋다.

일본인들은 쌍으로 된 물건은 행운을 가져다준다고 믿기 때문에 쌍으로 된 물건의 선물을 선호하고, 건어물 종류의 식품과 도자기, 김치, 김 등을 선물하면 좋다. 한류의 영향으로 한국 CD나 DVD 등도 좋은 선물이 된다. 그러나 모든 사람들이 한국 음악과 영화, 배우 등에 열광하는 것은 아니기 때문에 주의를 기울여야 한다. 그 밖에도 인삼 관련된 제품이나 김치, 깻잎, 라면 등도 가격적으로 큰 부담이 없으면서도 환영받는 아이템이다. 일본인들은 선물의 가격보다 포장에 더 중점을 둔다. '포장은 마음을 전하는 남다른 것'이라고 의미를 부여하기 때문이다. 고위 인사 사이에서 선물을 주고받을 때에도 고가의 물건 대신 소박한 기념품을 나누되 포장만큼은 정성을 다해 최고의 아름다움을 추구하는 편이다. 흰색은 죽음을 상징하기 때문에 흰 종이로 포장하는 건 금기시되고 있다. 우리나라와 마찬가지로 흰 꽃 특히 국화를 선물하는 것은 피해야 하며 홀수보다는 짝수로 선물하는 것이 좋다. 짝수로 선물하는 것이 행운을 불러온다는 속설 때문이다.

'괴롭게 죽는다'라는 의미가 있는 빗(くし)은 절대로 보내서는 안 되는 금기물품이다. 병문안 갈 때 화분은 절대 선물하지 않는데 이유는 뿌리내린다는 뜻의 '네즈쿠(ねづく)'와 화분의 발음이 비슷해 오랜 기간 입원하라는 뜻으로 잘못 비춰질 수 있기 때문이다. 결혼하는 사람에게는 가급적이면 유리잔 등을 선물하지 않는 것이 좋다. 유리는 잘 깨지고 쉽게 부서지는 물건이라서 '결혼이 깨지다'라는 뜻으로 해석될 수 있는 까닭이다. 윗사람에게 선물할 경우에는 구두, 양말, 슬리퍼 등을 선물하는 것은 '짓밟는다'라는 의미가 있으니 특별한 경우가 아니면 지양할 필요가 있다. 그간의 친분을 단절하는 의미나 인연을 끊겠다는 의미로 해석되는 칼도 좋지 않다.

- 중국

선물을 받은 경우, 그 자리에서 선물포장을 뜯는 것은 예의가 아니다.

중국인들에게 선물할 때에는 차와 술 종류가 좋고, 중국은 짝수를 길하게 여기기 때문에 선물은 가능하면 짝수로 준비하며, 포장지는 행운을 의미하는 붉은색을 활용한다. 선물 아이템으로 술, 담배, 라이터, 칼을 선호한다.

중국에서 부정적인 의미를 내포하는 물건들은 구별하여 선물하지 않도록 주의해야 한다. 금기하는 선물은 죽음과 관련된 물건인 황새, 두루미, 흰색 · 검은

색 · 파란색이 들어간 물건이나 짚신, 이별을 상징하는 과일인 배, 단명을 의미하고 장례식에서 사용하는 꽃, 눈물과 이별은 상징하는 손수건은 피하는 것이 좋다. 발음이 욕과 비슷한 거북이, 이별과 비슷한 발음의 우산은 선물하지 않는 것이 좋으며 저녁식사에 초대 받았을 때에는 먹을 것을 선물로 가져가지 않는다. 탁상시계 및 종(鍾)이 달린 괘종시계는 피하는 것이 좋다. 시계를 의미하는 '종(鐘)'과 종말을 뜻하는 '종(終)'의 발음이 같아 중국에서 시계는 부정적인 선물이라는 인식이 있다. 실제로 미국 텍사스 주지사가 대만 총통에게 시계를 건넸다가 큰 비난을 받은 사례가 있으며, 회사 판촉물로 제작한 탁상시계를 중국 바이어에게 선물했다가 계약이 파기된 경우도 있다.

• 홍콩

선물은 짝수로 하는 것이 좋으며, 대체로 과일 선물이 가장 무난하다. 특히 '길(吉)'과 발음이 같은 귤이 인기가 많다. 시계는 가급적 선물하지 않는 편이다.

• 태국

공무원들의 경우 3,000밧(약 10만 원) 이상의 선물을 받지 못하게 규정되어 있으므로 주의해야 한다. 간단한 디저트 종류와 IT 제품을 선호하는 편이고, 인삼이나 홍삼 관련 제품은 익숙하지 않아 선호하는 편은 아니다. 또한 검은색을 선호하지 않는 경향이 있으므로 선물 시 검은색은 되도록 피하는 게 좋다.

• 인도

인도에서는 선물을 받자마자 열어보는 것은 예의가 아니다. 인도인들은 하루 5번씩 메카를 향해 기도하는 의식을 치르기 때문에 이에 도움이 되는 나침반은 배려심 있는 좋은 선물로 여기고, 금기시하는 선물은 힌두교의 영향으로 소를 숭배하기 때문에 소가죽 제품과 장례식에 사용하는 재스민 꽃은 피하는 것이 좋다. 포장은 흰색과 검은색은 피하고 녹색 · 빨간색 · 노란색을 선택하는 것이 좋다. 힌두교도들이 소를 신성시하므로 소가죽으로 된 선물은 하지 않는다.

• 싱가포르

뇌물 수수에 대해 엄격한 법률이 시행되고 있는 국가로, 공무원들은 선물받는 것 자체가 금기시되고 있다. 선물도 아주 친하지 않은 이상 잘 하지 않는다. 상대의 체면을 고려하여 상대 앞에서 선물을 직접 풀지 않는 것이 예의라고 여긴다. 금기시하는 선물은 중국계의 경우 가위, 칼, 시계, 손수건, 꽃 등이고, 말레이계의 경우 술 종류의 선물은 피하는 것이 좋으며, 남성이 여성에게 선물할 경우 오해를 살 수 있으니 주의해야 한다. 인도계의 경우 자택에 초대받았을 때에는 반드시 선물을 준비하며 포장지는 밝은 원색계열로 하는 것이 좋다.

- 필리핀

선물을 받은 경우 다른 사람 앞에서 열어보지 않는 것이 좋다. 두터운 유대관계가 형성되기 전에 고가의 선물을 주는 것은 거래에 악영향을 줄 수 있으므로 주의한다. 한국 인삼에 대한 인식이 상당히 좋은 편이므로 인삼 또는 한국의 전통차를 선물하는 것이 좋다.

- 말레이시아

선물을 준비할 때에도 사전에 상대방의 종교를 파악하는 것이 좋다. 이슬람에서는 교리상 사람이나 사물의 형체를 본떠서 만든 물건을 거부하므로 유의해야 하고, 강아지를 부정한 것으로 생각하기 때문에 장난감 강아지나 개 그림이 들어간 것은 선물하지 않는다. 종교적 계율과 관련해서 술은 물론 알코올이 첨가된 향수와 음식도 선물하지 않는다. 청색과 백색은 죽음을 의미하므로 피하는 것이 좋다.

- 인도네시아

인도네시아인들은 선물을 주고받는 것을 좋아하는 문화이므로, 첫 만남에 선물을 준비하는 것도 좋다. 인삼에 대한 인식이 좋은 편이니 인삼차와 인삼관련 제품을 준비하는 것도 좋다. 우산을 선물하면 '다시는 보고 싶지 않다'라는 의미이므로 주의하는 것이 좋다.

- 베트남

베트남인들은 오가는 정을 중요하게 여긴다. 정성이 담긴 작은 기념품 정도의 선물은 비즈니스에 활력을 줄 수 있다. 남부지방 사람들은 실용적인 제품을 선호하고, 정부부처가 있는 북부지방 사람들은 브랜드가 있는 제품을 선호하는 편이다. 베트남인에게 초대받는 경우에는 과일이나 인삼차, 홍삼, 수삼 등이 선물로 무난하다. 금기되는 것들은 음력으로 매월 첫날이나 구정에 라이터, 성냥 등 불과 관련된 선물은 하지 않는 편이다. 받는 사람은 따뜻한 복을 받아 좋다고도 느낄 수 있으나 주는 사람은 복을 남에게 주는 것을 의미하기 때문에 상대방이 의아

하게 생각할 수 있다. 다른 문화권과 마찬가지로 칼, 가위, 손톱깎이 등 날카로운 것은 선물로 적합하지 않은데 이는 관계 단절을 의미하기 때문이다. 수건은 헤어지는 것을 연상시키므로 피하는 것이 좋으며 검은색은 불행과 연관되므로 선물로는 적합하지 않다. 베트남인들은 숫자 3과 5, 액운의 상징으로 간주하는 13을 싫어하기 때문에 3, 5, 13과 연관된 선물은 피하는 것이 좋다.

제 3 절 레스토랑 매너

1. 레스토랑 이용 시 매너

1) 예약매너

상대방(손님)과 사전에 식사 약속을 정하고 레스토랑은 조용하고 전망이 좋은 곳을 확인하여 미리 예약한다. 약속일에는 예약시간 전에 먼저 도착해서 상대를 맞이하도록 한다.

2) 도착과 착석 매너

약속시간 10분~20분 전에 도착해서 상석을 확인한 후 전망 좋은 곳은 손님이 앉도록 준비하고 손님을 맞이한다. 호스트는 상석 건너편 자리에 착석한 후, 손님이 들어오는 입구를 주시하며 맞을 준비를 한다. 레스토랑에 들어서면 겉옷, 모자, 가방 등의 소지품을 클로크 룸(cloakroom)에 맡기도록 하는데 이는 외투를 자신의 의자에 걸어두는 것이 매너에 어긋나기 때문이다. 정식 만찬이라도 남자는 실내에서 모자를 벗어야 한다. 식사 중에 전화가 올 때는 가급적 받지 않는 게 좋으며 식사 전에 무음상태나 전원을 끄고 식사에 집중하는 것이 예의이다. 식사 중 자리를 비우거나 화장실에 가는 것은 실례이므로 미리 화장실을 다녀오는 것이 좋다.

3) 주문매너

식사 시 모든 행동은 손님을 초대한 사람을 중심으로 이루어지도록 예의를 갖춘다.

주문은 손님이나 여성이 먼저 하도록 하고 편안히 식사할 수 있도록 배려한다. 손님이 주문의사가 없으면 직원에게 추천받는 것이 좋다.

4) 식사매너

식사는 손님과의 속도에 맞추고 식사 중 너무 큰 소리를 내거나 웃는 것을 삼간다. 직원을 부를 때는 오른손을 가볍게 든다.

5) 기물 사용매너

나이프와 포크는 바깥쪽부터 안쪽으로 차례로 사용한다. 나이프는 오른손, 포크는 왼손을 사용한다. 냅킨은 전원이 모두 자리에 앉은 후 첫 요리가 나오기 직전에 펼치는 것이 예의이며, 반을 접은 쪽이 자신의 앞으로 오도록 하여 무릎 위에 반듯하게 놓는다. 처음 만나서 인사하고 건배하는 동안 혼자서 냅킨을 만지는 행동은 상대방을 불안하게 하기 때문이다. 냅킨은 입을 문지르지 않고 입 주위를 가볍게 두드려 닦는 용도로만 사용해야 한다. 냅킨은 펼친 상태로 무릎 위에 놓되, 셔츠 상체부분이나 드레스 속에 넣지 않도록 한다. 예전에는 옷 안에 냅킨을 넣는 것이 허용되었으나 최근에는 매우 예의 없는 행동으로 여겨진다. 식사가 끝나기 전 부득이하게 일어나야 할 경우에는 서버에게 미리 자리를 비운다고 말한 뒤 냅킨을 의자 위에 올려두면 된다. 식탁 위에 냅킨을 두는 것은 식사가 끝났다는 의미이기 때문이다. 자리에 돌아와서는 냅킨을 다시 무릎 위에 얹어 사용한다. 실수로 냅킨이 바닥에 떨어졌을 때에는 일어나서 줍지 말고 서버가 새로운 냅킨으로 교체해 줄 때까지 기다리도록 한다. 냅킨에는 음식은 물론, 다른 것을 올려두지 않도록 하며, 식사를 마치고 자리를 떠날 때는 살짝 접어 테이블 왼편에 가지런히 올려두는 것이 좋다. 단, 플레이트 위에는 올리지 않도록 한다.

제 4 절 애프터 비즈니스 매너

애프터 비즈니스(After Business; AB)문화란 흔히 맞선이나 남녀 간 미팅을 하고 나서 호감을 가질 경우 다음 만남을 기약하게 되는데 이를 '애프터(after)'라고 한다. 사업이나 상거래의 경우에도 마찬가지다. 첫 만남에서 서로 'win-win'할 수 있는 요소를 발견했을 경우 협상 테이블을 다른 방식으로 가져간다. 서로 친근감을 높일 수 있는 방법을 찾는 것인데, 이것이 바로 '애프터 비즈니스(After Business)', 약어로 'AB'라고 한다. 이는 최근 비즈니스의 중요한 업무로 인식되는 나라도 있을 만큼 글로벌 비즈니스에서는 중요한 요소로 인식되고 있으며, 문화와 운치가 있는 접대를 의미한다. 특히 음식문화의 한 부분인 음주문화는 그 나라의 역사와 풍습이 담겨 있어 한 국가의 문화를 이해하는 데 있어 빼놓을 수 없는 요소이다.

1. 초청비용 처리

- 초청자 측은 피초청자가 한국에 왔을 때 모든 비용을 부담해야 한다는 부담을 갖지 않는다. 개인적 소비나 관광은 부담하지 않아도 된다.
- 항공권은 초청자가 부담하고 비즈니스석으로 왕복 항공권을 준비한다.
- 호텔의 경우 숙박비용을 초청자가 부담하고 투숙자(피초청자)가 개인적으로 소비하는 사항은 본인 부담으로 한다.
- 투숙자(피초청자)의 국제전화, 세탁비, 팁 등 개인적 비용은 투숙자가 부담하기도 한다.
- 투숙일에는 welcome drink와 과일바구니에 초청자의 명함과 작은 카드(card)를 동봉하여 객실에 준비하면 좋다.
- 피초청자의 개인쇼핑 비용도 개인이 부담하도록 하며, 호스트가 쇼핑을 안내할 때 한국 토산품숍 등으로 안내하는 것이 좋다.
- 국내 체류기간 중 이동할 교통수단은 초청자가 제공할 수도 있으나 피초청자가 대중교통의 이용을 원하면 이용안내를 돕는다.

2. 주요 국가별 애프터 비즈니스 매너

1) 미주지역

- 미국

미국인들의 음주문화는 우리와는 다소 상이하다 한국의 직장인들은 퇴근 후 회식이나 술자리를 갖는 데 반해 미국인들은 곧바로 집 또는 헬스클럽(gym)에 가거나, 집 근처 공원에서 조깅을 하면서 건강을 다진다. 남성들만의 모임은 드물고 술자리가 있는 사교모임엔 부부동반이 일반적이다.
미국은 건배를 하지 않는 문화이다. cheers 혹은 bottoms up 문화가 있기는 하지만 거의 하지 않는 편이며 결혼, 출산 등 특별한 날에만 건배를 한다. 미국의 음주문화는 함께 어울려 술을 마시더라도 서로 잔을 권하거나 2차를 가는 일이 거의 없고 취해서 비틀거릴 정도로 마시는 사람도 드물다. 술값도 특정인이 계산하겠다고 선언하지 않는 한 각자 계산한다. 미국에서는 기본적으로 옥외에서는 술을 마실 수 없다.

- 멕시코

멕시코의 음주문화는 길게 같은 장소에서만 한다. 한국처럼 2차, 3차 자리를 이동하지 않고, 같은 곳에서 한 잔 더 마시는 문화이며, 안주를 거의 먹지 않는다. 그래서 파티에 가면 테이블에는 병(Bottle)밖에 없고 사람들은 보통 앉아 있지 않고 서서 술을 마시는 문화이다.

2) 유럽지역

- 영국

영국은 음주의 역사가 아주 길고 음주층이 광범위하며 지역에 따라 문화도 상당히 다르다. 잉글랜드, 웨일스, 스코틀랜드, 북아일랜드 등의 각기 다른 지역색이 음주문화에도 그대로 투영돼 있다. 유럽권의 다른 나라 사람들은 보통 식사와 함께 반주로 즐기거나 오랜 시간에 걸쳐 술을 마시는 반면 영국인들은 빨리 마시고 많이 마시기로 유명하다. 영국의 음주문화는 취하도록 마시는 문화이며 대표적 음주

문화인 Binge Drinking은 한국말로 하면 폭음을 의미한다. 주로 위스키와 맥주를 마시고 안주 없이 술만 즐긴다.

• 이탈리아

이탈리아인들은 저녁식사 때 와인 한두 잔을 마시거나 식사시간을 겸해서 긴 시간에 걸쳐 술을 마시는 편이기 때문에 과음으로 다음 날 속풀이를 하는 문화는 거의 없는 편이며 숙취라는 단어 자체가 없다. 이탈리아의 대표적인 술은 와인이다. 약 450여 개의 포도 품종만큼이나 다양한 와인을 보유하고 있으며, 매년 전문잡지들이 선정하는 전 세계 와인랭킹 Top 10 와인에도 이탈리아가 강세를 보이고 있다.

• 프랑스

주로 식사와 함께 반주로 와인을 마시고 와인의 종류도 다양하다. 와인 중에서 프랑스의 대표적인 술은 샴페인이다. 호스트는 손님에게, 남성은 여성에게 잔을 채워주는 것이 관례이고 식사가 끝나면 코냑이나 칼바도스 등 알코올 농도가 높은 술을 한 잔 마셔 마지막 입가심을 한다.

프랑스의 음주문화는 식문화와 함께 설명되어야 한다. 프랑스 가정에 손님으로 초대되면 먼저 거실로 안내되어 초대된 여러 손님과 함께 아페리티프(aperitif, 食前酒)를 자그마한 잔에 한 잔 정도 마신다. 아페리티프가 끝나면 다이닝 테이블(Dining Table)로 이동하여 여주인이 정해준 자리에 앉는다. 점심 또는 저녁 식사에 따라 첫 순서가 약간 달라진다. 점심의 경우 오르되브르(Hors d'oeuvre, 前菜料理; 전채요리; 가장 처음으로 먹는 전채요리를 의미)가 나오며 주로 음식을 불에 요리하지 않은 계절에 맞는 요리가 나온다. 두 번째로 앙트레(Entree, 前菜, 전채; 수프 이후에 먹는 앙트레를 중간식 요리로 의미)로 더운 요리를 먹는 타르트(tarte, 파이류의 일종), 위트르(huitre, 굴), 소몽(saumon, 연어), 푸아그라(foie gras, 거위 간) 등이 나오며, 이때 남자 주인은 백포도주를 손님들에게 따라준다. 보통 손님 앞에는 백포도주잔, 적포도주잔, 물잔, 샹파뉴잔 등 3~4개의 잔이 놓인다. Entree가 끝나면 본 식사가 시작되는데 먼저 생선요리, 육류, 조류가 나온다. 이때부터는 적포도주와 함께 식사한다.

본 식사가 끝나면 프렌치 소스가 곁들여진 샐러드, 프로마주(fromage, 치즈)가 나온다. 프랑스에는 400여 종의 치즈가 있다. 그 다음은 데세르(dessert, 後食)로 타르트(tarte), 가토(gateaux)가 나오는데 단맛이 깃들인 후식은 샹파뉴와 함께 먹는다. 그 후 과일을 먹는다. 이렇게 식사가 끝나면 거실로 가서 커피, 코냑을 마신다. 코냑은 코냑 잔에 한 잔 정도 마시며 술에 취하도록 마시거나 술주정을 하는 사람은 없다. 술을 즐기되 취하면 안 된다는 것이 생활화되어 있기 때문이다. 이와 같이 다양한 식문화를 곁들인 프랑스의 음주문화는 삶의 커다란 즐거움 가운데 하나이며, 그 즐거움을 위해서 비용과 시간을 아낌없이 투자하는 것도 바로 프랑스인이다. 이런 점에서 볼 때 세계 어느 나라를 가도 프랑스처럼 호화로운 식탁문화가 없으며 예술의 경지에까지 이른 음주문화를 가지고 있다. 참고로 프랑스에서 pot de vin(와인단지)은 뇌물을 뜻하는 관용적인 표현이다.

• 독일

맥주의 나라 독일은 음주가 생활의 일부다. 독일에 맥주가 등장한 것은 약 10세기경으로 기록되어 있으므로 약 천 년 정도의 역사를 가지고 있다. 맥주를 마시는 역사가 오래된 만큼 독일은 성숙한 음주문화를 자랑한다. 독일인들은 엄격하고, 정확하며, 정직하고, 검소한 워커홀릭으로 비쳐지고 있다. 또한 이들은 매사에 공과 사를 잘 구분하며, 질서와 약속을 잘 지키고, 자기 통제를 잘하는 사람들로 여겨지고 있다.

독일의 음주문화는 크게 3가지로 요약된다. 첫째, 독일인들의 음주는 대화를 즐기기 위한 하나의 수단이다. 둘째, 시간이 흘러 취한 기분이 넘치더라도 결코 고함소리가 들리지 않는다. 셋째, 독일의 술집에서는 술값을 계산할 때 각자가 해야 한다. 따라서 남에게 술을 강요하고 싶으면 자기가 술을 사야만 한다. 독일인은 술을 마실 때 술잔을 돌리는 법도 없으며, 아주 예외적인 경우가 아니면 다른 사람에게 술을 따라주고 권하는 문화도 아니다. 독일인들은 술을 취하기 위해서가 아니라 주로 분위기를 즐기기 위해서 마신다. 술자리에는 항상 다양한 이야기가 주제들로 등장하고 술자리의 분위기는 일상적인 삶과는 달리 열려 있다. 독일에는 한국과는 달리 연고가 그리 중요하지 않기 때문에 술이 연대망을 맺어주는 기능은 약한 편이다.

독일인들의 또 다른 음주문화는 와인으로 볼 수 있다. 독일의 13개 와인 생산지역에

서 가을에 햇와인이 출시될 때 와이너리별로 또는 생산지별로 연합하여 얼마간의 회비를 내고 와인 잔을 구매하여 원하는 모든 햇와인을 시음할 수 있는 기회를 준다. 이 같은 흐름은 와이너리 경영 주체가 젊은 세대로 넘어가면서 와인의 레이블이나 맛 또한 세계적인 흐름을 받아들이는 경향으로 나타나고 있다.

- 러시아

러시아는 한국 못지않게 알코올 소비가 높은 나라이다. 한국에 폭탄주문화가 있듯 러시아에도 요르쉬(보드카+맥주)라는 러시아식 폭탄주가 있다. 러시아인들은 술을 많이 마시기도 할 뿐만 아니라 술잔을 기울인 뒤에야 비로소 서로 친해지는 한국의 음주스타일과 가장 비슷한 곳으로 보드카를 함께 한잔해야 마음을 나눈 사이로 인식한다. 평소에는 보드카를 마시고 코냑이나 위스키 같은 유럽 스타일의 술은 다이닝 미팅 자리에서 나온다. 음주문화는 폭주 스타일로 혼자 마시는 경우는 거의 없고 대부분 누군가와 함께 마시며, 개별적으로 잔을 건네는 풍습은 없고 전체 잔을 한 번에 채워 한꺼번에 마신다. 러시아인들은 보드카 원액을 스트레이트로 마시며, 한국과는 달리 술을 받을 때 잔을 내려놓고 받는다. 술을 못 마셔도 첫 잔은 비우는 것이 예의인데 이는 건배한 후 술을 남기면 불신(不信)이 남는다고 생각하기 때문이다. 따라서 술을 건네받으면 거절하지 않는 것이 예의이다. 러시아인들도 한국인과 유사하게 술병 라벨을 손바닥으로 잡고, 다른 손의 손바닥은 아래에 받치고 있어야 한다는 예절을 지킨다. 여성과 연장자에게 먼저 술을 따르고, 자신의 잔은 맨 마지막에 채운다. 와인을 따라줄 때는 먼저 자신의 잔에 조금 따르고 다른 사람들에게 따라준 다음, 다시 자신의 잔에 따른다. 상대방은 잔을 들 수도 있고 들지 않을 수도 있다. 러시아인들은 잔을 돌리지 않으며 빈 병은 즉시 치운다. 이는 대접하는 사람이 빈 병을 치우지 않으면 그 빈 병이 마지막 병이므로 더 이상 술을 마시고 싶지 않다는 의미이기 때문이다.

3) 아시아 지역

- 중국

다민족국가인 중국의 음주문화 역시 다양하지만 역사적으로 한족(漢族)의 지배가 우세했던 만큼 이들의 음주문화가 오늘날까지 이어지고 있다.

이 중 우량예주(五粮液酒), 마오타이주(茅台酒), 죽엽청주(竹葉青酒), 분주(汾酒), 고정공주(古井貢酒), 양하주(洋河酒), 동주(董酒), 노주(盧酒) 등의 중국 8대 명주는 우리나라에도 널리 알려져 있다. 이들 명주의 공통된 특징은 모두 45도 이상의 독한 술로 좋은 물과 양질의 고량을 원료로 하는 순곡주가 대부분이다. 이 중에서도 특히 800년 역사를 가진 마오타이주가 유명한데 구이저우성 마오타이 지방의 기후가 만든 명주이다. 외교적으로 중요한 자리에서 대접하는 술이므로 마오타이주를 외교주라 부르기도 한다. 중국의 3대 명주는 마오타이, 우량예, 젠난춘이다. 이 3대 명주를 중요한 손님에게 많이 선물한다.

중국도 우리와 마찬가지로 술은 비즈니스에 좋은 윤활유다. 그러다 보니 상담(商談) 책임자가 술에 약할 경우 우리의 '술상무'처럼 대신 마셔주는 이가 있는데, 이를 '배주원(陪酒員)'이라 부른다.

중국 비즈니스의 핵심은 '꽌시(關係)'이고 꽌시는 곧 접대다. 중국의 접대는 스케일이나 쏟는 정성에서 압도적이다. 중국에서 접대는 '친구가 되자'는 의미다. 중국 사람들은 친구가 되기 전에는 어떤 비즈니스도 함께하지 않는다. 그래서 접대는 곧 꽌시의 형성이다. 무사히 접대시험을 통과하면 사업상 많은 도움을 받을 수도 있는 자리가 된다. 중국인들에게 접대자리와 술자리는 같은 의미다. 음식을 먹는 자리와 술 마시는 자리가 별도로 있지 않다. 우리처럼 음식을 먹으면서 간단히 술을 하고 다시 2차를 가서 술을 마시는 일은 없다.

중국 땅에서의 접대는 전쟁터고 치열한 두뇌싸움의 장이다. 상대가 나를 관찰한다면 나 또한 상대의 전술이 무엇인지를 파악해야 한다. 우리처럼 예의상 술잔을 뒤로 돌려서 마시는 것이 실례가 되는 것 정도는 상식으로 알아야 한다.

중국의 술자리 예절은 다양하다. 건배를 하지 않고 대신 잔으로 테이블을 가볍게 두드리는데 이는 여러 명이 갖는 식사자리에서는 굳이 잔을 직접 부딪치지 않고 자신의 술잔으로 원탁을 침으로써 이를 대신하기 때문이다. 그러나 상석에 앉은 사람이 건배를 제의할 때에는 두 손으로 잔을 감싸 경의를 표한다. 한국인처럼 술잔을 돌리는 문화는 없다. '깐베이(干杯, 건배)'를 외치면 잔을 비운다. 우리나라에서 건배 제의를 하더라도 잔에 있는 술을 다 안 마시는 경우도 있지만 중국에서는 '깐베이'라는 말 자체가 글자 그대로 술을 비운다는 의미이기 때문에 잔을 비워야 한다. 반면에 '원하는 만큼' 마시고자 할 때는 '수이이(意)'라고 하며 마신다. 술을 받을 때 검지와

중지로 탁자를 두세 번 두드리며 예의를 표한다. 이러한 예절은 사복차림으로 시찰하던 건륭황제가 신하들에게 차를 하사할 때 신분 노출을 방지하기 위해 자신에게 무릎을 꿇어 예의를 표하는 대신 손가락으로 이를 대신하게 하면서 유래되었다.

또한, 상대방이 잔을 다 비우지 않았더라도 수시로 잔을 채워주는데 이를 첨잔이라고 한다. 그렇다고 해서 따라주는 속도에 맞춰주는 대로 받아 마실 필요는 없으며 안 마실 경우엔 정확하게 의사표시를 해야 한다. 잔을 받는 것도 좋지만 상대방의 잔을 채워주는 것도 중요하며, 본인의 술잔을 본인이 따르는 건 금물이다.

중국인과의 술자리에서는 시작했으면 끝을 봐야 한다. 처음부터 못 마신다 하고 술을 시작을 하지 않으면 50점이지만, 마신다고 하고 중간에 그만두는 행위는 비즈니스 술문화에서는 0점이다. 손님을 초청한 경우 술을 많이 마시도록 권하는데 이때 초대한 손님이 특별한 이유를 말하지 않고 술을 피하면 자신을 무시한다고 받아들인다.

즐겨 마시는 술은 맥주지만 취할 때까지 마시는 경우는 극히 드물다. 특히 비즈니스 술자리에서는 취하는 것을 금기시한다. 인사불성으로 술에 취하는 것은 상대방에 대한 큰 실례로 생각하기 때문이다.

'술은 지기를 만나 마시면 천 잔으로도 모자란다(酒逢知己千杯少)'라는 중국의 옛말처럼 중국의 음주문화는 한국에서만큼 중요하다. 애프터 비즈니스 자리에서 그 나라의 문화와 예절을 파악하지 못하여 실수하는 일은 없도록 한다.

- 일본

일본은 술에 대해서 비교적 관대한 분위기다. 연장자에게 술을 건넬 때 한 손으로 건네는데 일본인에게 양손으로 술을 건네는 것은 실례이기 때문이다. 중국과 함께 첨잔문화가 있기 때문에 술잔이 항상 채워져 있는 상태를 유지해야 예의이며, 반만 마셔도 곧바로 잔을 채워주는 문화이다. 잔이 3분의 1 이하로 남았는데 술을 첨잔하지 않는 것은 술자리를 끝내자는 표시다. 일본의 술자리 문화는 채워주는 것이 예의지만 반드시 마실 의무는 없다. 더 마시고 싶지 않다면 술잔을 그대로 두면 된다. 일본은 잔을 돌리지 않으며 상대방에게 술을 억지로 권하지 않는다.

또한, 술자리를 마치고 헤어질 때 '잇폰지메'라는 것을 하는데 '잇폰지메'는 경사스러운 자리에서 감사를 표하는 풍습으로 '요~'를 외치고 박수를 친다. 술자리가 즐겁게 끝나서 축하하는 의미이다.

4) 이슬람 문화권

이슬람 문화권에서는 와인으로 오해할 수 있는 사과 또는 포도주스로 건배하는 것조차 꺼리는 경우가 있어 오렌지주스로 대체한다.

제 5 절 레이디퍼스트 매너

서양의 에티켓은 멀리 기독교 정신이나 중세의 기사도에 기원을 두고 'Lady First(숙녀존중)'의 개념을 바탕으로 형성되어 있다고 해도 과언이 아니다. 신사는 무엇보다도 이 'Lady First'의 몸가짐을 몸에 익히는 것이 중요하다.

- 서양에서는 방이나 사무실을 출입할 때 언제나 여성을 앞세우고, 길을 걸을 때나 자리에 앉을 때는 언제나 여성을 오른쪽에, 또 상석에 앉히는 것이 원칙이다.
- 문을 열고 닫을 때 뒤에 오는 사람을 위해 잠시 문을 잡아주는 것은 여성에 대한 것뿐 아니라 일반적인 예의이다.
- 승강기를 탈 때 남성은 아주 복잡하지 않는 한 여성이나 어린이 그리고 노인을 앞세운 후 타고 내리는 것이 예의이다.
- 식당이나 극장 · 오페라에서 안내인이 있을 때는 여성을 앞세우나, 안내인이 없을 때는 남성이 앞서고, 여성을 먼저 좌석에 안내한다.
- 길을 걸을 때나 앉을 때 남성은 언제나 여성을 우측에 모시는 것이 에티켓이다. 서양에는 "A lady on the left is no lady."라는 말까지 있다.
- 차도가 있는 보도에서는 남성이 언제나 차도 쪽으로 위치해야 하는데 이 원칙은 윗사람에게도 적용된다. 즉 윗사람을 항상 오른쪽에, 앞뒤로 걸을 때는 앞에 모신다.
- 남성이 두 여성과 함께 길을 갈 때나 의자에 앉을 때 두 여성 사이에 위치하지 않는 것이 예의이나, 길을 건널 때만은 신속하게 두 여성 사이에서 걸으면서, 양쪽 여성을 함께 보호한다.
- 여성에게 뒤통수를 보이면 실례이다.

- 호텔에서 여성 혼자 남성 손님의 방문을 받았을 때는 로비(Lobby)에서 만나는 것이 원칙이다. 자신의 객실에서 만나는 것은 자칫하면 오해를 받기 쉬우며, 부득이 객실에서 방문을 받을 때는 출입문을 조금 열어놓는 것이 에티켓이다.
- 겨울철 여성이 외투를 입고 벗을 때에는 반드시 도와주어야 하며, 식당이나 극장에서 외투를 벗어 Cloakroom에 맡길 때나 찾을 때도 남성이 맡기고 찾는 것이 예의이다.
- 자동차 · 기차 · 버스 등을 탈 때는 일반적으로 여성이 먼저 타고 내릴 때는 남성이 먼저 내려, 필요하면 여성의 손을 잡아주는 것이 마차시대부터 내려오는 서양의 에티켓이다.
- 비행기는 언제나 여성이 먼저 타고 먼저 내린다.
- 여성은 자동차를 탈 때 안으로 먼저 몸을 굽혀 들어가는 것보다는 차 밖에서 차 좌석에 먼저 앉고, 다리를 모아서 차 속에 들여놓는 것이 보기 좋으며, 차에서 내릴 때는 반대로 차 좌석에 앉은 채 먼저 다리를 차 밖으로 내놓은 뒤 나오도록 한다.
- 계단을 오를 때는 남성이 앞서고 내려올 때는 반대이다.

제6절 글로벌 비즈니스 매너 성공 및 실수 사례

1. 글로벌 비즈니스 매너 성공사례

1) 개인의 관심사를 반영한 선물

청와대는 2009년 미국 오바마 전 대통령의 첫 방한을 기념할 선물을 오랜 시간 고심을 거듭한 끝에 오바마 전 대통령이 과거 일리노이주 상원의원 시절이던 2001년부터 4년간 태권도를 배워 4~5급 수준의 실력을 가졌다는 점과, 태권도가 한국문화의 주요 아이콘이란 점을 고려하여 오바마 전 대통령의 이름이 새겨진 태권도복과 검은띠, 명예단증을 선물하였고, 건강 식단에 관심이 많은 미셸 오바마 여사를 위해 저칼로리 건강식인 한식을 직접 만들어볼 수 있도록 영문 한식조리법과 한식 역사를 담은 책자를 선물하였다.

오바마 전 미국 대통령은 이명박 전 대통령으로부터 도복을 받자마자 매우 즐거워하며 태권도의 '정권 지르기' 자세를 직접 취해 보였다.

2) 상대의 문화를 존중하는 마음이 담긴 선물

중국의 시진핑 주석은 독일과 아르헨티나 국빈 방문 시 아르헨티나에서는 10번의 등번호와 시 주석의 이니셜이 새겨진 축구 유니폼을, 뉴질랜드 방문 시에는 등번호 8번과 시 주석의 이니셜이 새겨진 국가대표 럭비팀인 올블랙스 유니폼을 선물로 받고 매우 기뻐하였다. 시 주석의 축구사랑은 매우 유명하고, 숫자 8을 좋아하는 중국인의 정서를 반영한 선물인 것이다. '8(八)'의 중국어 발음이 'ba(𠂹)'인데, 복을 가져다준다는 '발(發, fa)'과 발음이 비슷하여 중국인들이 숫자 8을 좋아한다고 한다. 참고로 베이징올림픽은 2008년 8월 8일 오후 8시에 개막하였다. 시 주석에게 선물하는 유니폼 등번호가 '8' 다음으로 많은 숫자는 '10'이다. 축구에서 10번은 보통 팀의 주장이 등번호를 다는 경우가 많기 때문이다. 축구황제 펠레, 마라도나, 리오넬 메시도 등번호가 10번이다. 각국에서 중국 최고 지도부에 등번호 8번이나 10번의 유니폼을 선물하는 이유는 축구에서처럼 중원을 지휘하는 핵심 미드필드와 같이 전략을 세우고 지휘하는 영도력의 의미를 담고 있다고 중국 언론은 분석하고 있다.

[그림 9-4] 오바마 전 미국 대통령이 태권도복을 선물받고 '정권 지르기'를 하는 모습. 중국 시진핑 주석이 등번호 8번과 이니셜이 새겨진 유니폼을 선물받는 모습[사진=경향신문(左), KBS(右)]

2. 글로벌 비즈니스 매너 실수사례

1) 대담자세

1대1 대담에서는 자세가 중요하다. 양다리를 모으고 상대방 쪽으로 몸을 돌려 한쪽 팔걸이에 기대 앉은 채 손은 앞으로 모아 경청하는 태도를 취하는 것이 글로벌 매너인데, 양쪽 팔걸이에 두 손을 올리거나 다리를 벌리고 앉는 경우 상대방은 무의식적으로 무시당했다는 느낌을 받을 수 있으므로 주의하는 것이 좋다. 또한 상대측으로 몸 전체를 돌리지 않고 고개만 돌려 상대 보면 째려보는 듯한 상황이 연출될 수 있으므로, 대담 시 상대측으로 몸 전체를 향하게 하여 바라보는 것이 좋다.

2) 핸드백의 위치

여성의 경우 미팅 시 핸드백을 무릎 위로 올려놓는 경우가 종종 있는데 서양에서는 가방이 은폐물 역할을 하기 때문에 이를 무례하다고 여긴다. 핸드백은 옆 의자 혹은 바닥, 작은 클러치일 경우 엉덩이 뒤쪽에 놓는 것이 매너이다.

[그림 9-5] 대담자세 정격모습[사진=청와대(左), 인터넷타임즈(右)]

3) 미팅에서 손의 위치

회의나 미팅 중 팔을 테이블 아래로 내리면 '더 이상 말하기 싫다, 빨리 끝내자'라는 의미이므로 미팅 중에는 테이블 위로 손을 반드시 올려야 한다. 손목 부위를 책상 가장 자리에 살짝 걸치게 하고, 어깨 폭으로 11자 모양으로 올려놓는 것이 정격이다.

미팅 중 테이블 위로 두 손을 모으는 행동의 의미는 '내가 졌으니 잘 좀 봐달라'라는 의미로 애원하는 모양새가 되므로 하지 않는 것이 좋다.

미팅 중 손으로 얼굴을 만지는 행위는 글로벌 비즈니스상에서는 대답에 자신이 없어서 시선을 분산시키려는 의도로 여기기 때문에 주의하는 것이 좋다. 더불어 대담 중에 손으로 얼굴의 어느 부위든 만지는 행위는 무매너로 간주되므로 주의한다.

[그림 9-6] 미팅 중 펜의 위치(左), 박수의 정격(右)

4) 미팅 중 펜의 위치

회의 중 손가락에 펜을 계속 끼우고 있는 상태로 미팅을 진행하는 경우 공격적인 행위로 인식하므로 메모할 때에만 들었다가 마치면 바로 내려놓아야 한다.

5) 박수의 정격

박수의 정격은 두 손을 높이 들어 박수를 치는 것이다. 배꼽 근처에서 치는 박수는 상대를 깔본다는 의미, 명치에서 치는 박수는 '내가 너와 동격이다'라는 의미이다. 눈높이까지 올려서 박수를 치는 것이 매너이다.

6) DVD 선물

미국 오바마 행정부 당시 미국을 방문한 영국 브라운 총리는 대통령에게 특별히 제작한 노예 활동을 반대했던 영국 해군함선의 나무로 만든 펜 홀더를 선물하였으나 오바마

전 미국 대통령은 브라운 총리에게 미국영화 DVD 25개를 전달하여 성의 없는 선물로 언론에서 비판을 받았다.

V자 사인		• 한국, 미국 등: 승리, 기쁨, 환호 • 영국, 호주, 그리스: 손등이 상대를 향하게 하면 심한 욕설
Okay 사인		• 한국, 일본: 돈 • 미국: All correct 정확함 • 중국: ‘Zero’, Nothing • 프랑스, 벨기에: ‘Zero’, ‘가치가 없음’ • 터키, 중동, 아프리카, 러시아, 브라질, 그리스: ‘동성애’ 등 외설적인 표현
엄지세우기		• 대부분의 나라: 최고 • 독일: ONE • 일본: FIVE • 호주: 거절, 무례함 • 중동: 음란한 행위 • 러시아: 나는 동성애자입니다. • 방글라데시, 필리핀: 욕 • 그리스: get out of here
검지 구부리기		• 일본, 호주: 외설적 행위
검지와 약지로 황소 뿔 만들기		• 이탈리아: 욕설

[그림 9-7] 국가별 비언어적 커뮤니케이션의 의미(계속)

윙크		• 대만, 인도, 호주: 모욕을 주는 것으로 이해 • 영국: 이야기를 재미있게 듣고 있다.
고개 끄덕임		• 대부분의 나라: 긍정의 의미인 'YES' • 터키, 그리스: 'NO'
귀 잡기	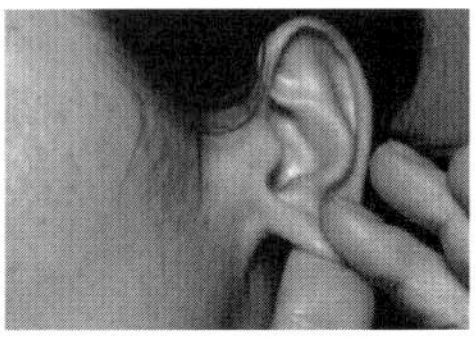	• 인도: 후회, 실수에 대한 사과 • 브라질: '이해한다', '잘 먹었다' • 스코틀랜드: '당신의 말을 믿을 수 없다' 라는 불신의 의미
검지로 코 때리기	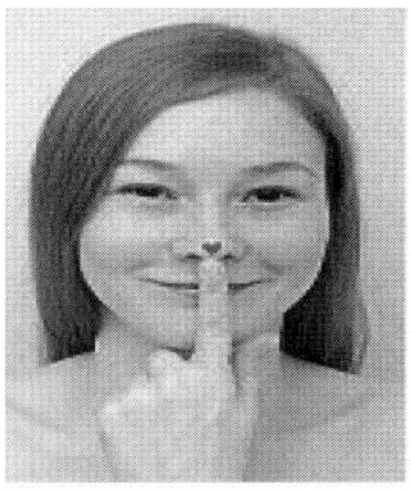	• 영국: 비밀 • 이탈리아: 우정의 충고
턱 두드리기		• 이탈리아: 흥미 없다 • 브라질: 모르겠다
휘파람 불기		• 유럽: 조롱 • 미국: 찬사

[그림 9-7] 국가별 비언어적 커뮤니케이션의 의미

제 10 장

출장지원업무

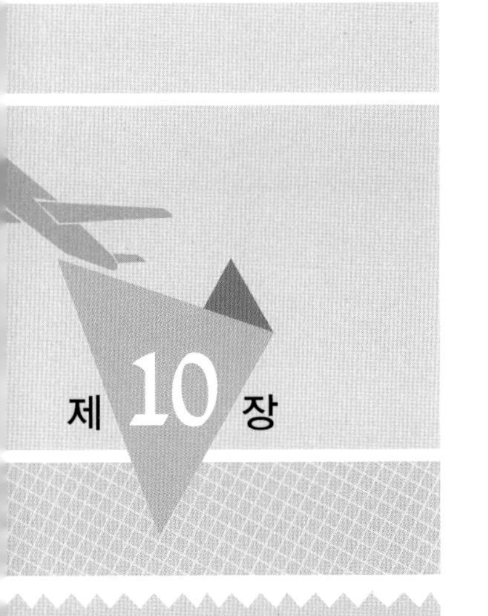

제 10 장 출장지원업무

비서의 출장지원업무는 국내출장과 해외출장으로 나눌 수 있다. 공통 준비사항은 출장관련 내부규정(항공 좌석 및 호텔과 객실 등급 등)을 면밀히 검토 후 교통편(항공편, 기차, 차량 등) 및 숙박예약을 한다. 출장관련 사내규정 서류 작성 및 결재를 받은 후 출장경비(실비, 환전 등)를 준비하고, 인물정보와 미팅자료 등을 작성한다.

비서의 출장 준비업무

1. 국내출장과 해외출장 준비업무

〈표 10-1〉 비서의 국내/외 출장지원업무

국내출장	해외출장
• 교통편(항공, 기차, 차량 등) 예약 (※ 교통편, 숙박 등급은 내부규정 확인 후 예약 진행) • 숙박 예약(필요시) • 출장품의, 출장비(내부규정 확인 후) 준비 • Lump sum의 경우 계약서 규정 유무 확인 • 미팅자료, 인물정보 등 준비 • 명함 준비 • 비상약 키트 준비	• 출장품의, 출장비(내부규정 확인 후) 준비 • 여권 및 비자 만료일 (※ 미국의 경우 여권은 최소 6개월의 유효기간이 남아 있어야 하고, 중국은 비자 필요국가임) • 도착비자 필요국가 유무 확인 * 도착비자 필요국가는 한국에서 발급가능 여부 확인, FAST TRACK 확인 • 교통편, 숙박 예약(내부규정 참조) (항공은 Transit Time 최소시간, 최소 환승으로 확인하며, 총 비행시간이 최단시간인 것이 좋다.) • 공항 라운지 이용여부 및 위치 확인 • 출장비(실비, 환전) 준비 (※ 환전 시 Tip을 고려하여 권종은 골고루 환전한다.) • 출장집 준비(기본사항, 일정표, 미팅인사 인물정보, 주요 연락자, 바우처(이티켓, 호텔, 식당, 차량 등) • 출장국가 비즈니스 매너, 테러 등 현지상황 파악, 문화 · 주의할 점 확인(대사관, 영사관) • 예방접종 국가여부 확인 후 필요시 접종 (남미국가의 경우 황열 예방접종 후 입국 시 황열병 예방접종 증명서인 Yellow card 지참 필수) • 여행자보험 가입 • 기념품 준비여부 확인

	• 기후, 사용 화폐, 환율, 전압 확인 • 식당, 관광지 조사 • 명함 준비 • 비상약 키트 준비 • 미팅자료, 인물정보 등 준비 • 학회 참석일 경우 사전 등록 및 자료 준비 • 주최측에 Dress Cord 확인 • 환전(신권으로 권종은 골고루 준비하며 $1 짜리는 Tip용으로 $10~20 정도), 선물(기념품) 보고 후 준비, 격려금 필요 여부 확인 * 기념품 : 한국적이거나 의미가 있는 것

2. 출장 전일 전달사항

- 여권(미국 방문 시 ESTA는 반드시 출력해서 여권 뒷면에 넣어서 함께 전달)
- 입국 출입국신고서, 입국/귀국 세관신고서 작성 후 전달(요청 시)
- 출장집, 출장비, 격려금, 기념품
- 명함
- 상비약 KIT, Travel KIT(칫솔, 치약, 폼클렌징, 토너, 애프터쉐이브로션, 선스크린, 샴푸 등)

3. 상사 출장 중 비서의 업무

- 전화응대 및 클라이언트를 접대할 때에는 상사의 부재 여부를 공개할지 여부를 상사와 상의하여 대응한다.
- 중요한 안건은 직접 상사에게 연락하거나 수행비서와 상의하여 처리한다.
- 이메일 체크 후 Urgent Case는 보고한다(업무의 우선순위 판별 필요).
- 부재중 전화, 업무 등은 상사 출장지의 일정 및 시차를 고려해서 보고하도록 한다.
- 항공, 교통, 숙박은 전일 재확인한다.
- 필요한 자료를 지원한다.

• 상사의 교통, 숙박 변경, 식당 예약 요청 시 이행한다.
• 부재중 보고서(일정, 부재중 전화, 우편물, 내방객 등)를 작성하여 귀국 전일 이메일로 보고한다.

제 2 절 국내 대기업 그룹총수 비서실의 출장지원업무

국내 대기업 그룹총수의 전략비서는 국내 · 외 공식행사 수행 및 국가 빅이벤트(올림픽, 월드컵, FIFA Ballon d'or) 등 해외출장 수행업무를 한다. 출장 전 출장관련 자료 수집 및 자료집 작성, 항공 및 숙박 스케줄링 및 예약확인 진행을 하며, 각 항공사와 공항별 의전 신청 및 VIP차량 등록을 하고, 라운지 위치 및 공항의 도착 게이트 위치를 확인하여 가장 인근의 게이트 번호를 수행기사에게 안내한다. 여권과 비자 유효기간을 확인하고, 현지의 도착비자 필요국가인 경우 국내 대사관에서 발급 가능여부를 확인하여 가능하면 국내에서 발급받도록 하고 어려울 경우 Fast Track을 신청한다. 출장집(출장자료)은 기본사항(기후, 사용 화폐, 환율, 전압, 날씨, 항공여정표), 일정표, 미팅인사 인물정보, 주요 연락자, 바우처(이티켓, 호텔, 식당, 차량 등), 출입국자료(ESTA, 입국 시 출입국신고서, 입국/귀국 시 세관신고서 작성), 관광지, 레스토랑, 공연정보 등으로 구성한다. 대사관, 영사관을 통하여 테러 등 현지상황 파악 및 문화 · 주의할 점 등을 확인하고, 예방접종 국가여부 확인 후 필요시 접종하도록 준비한다(남미국가의 경우 황열 예방접종 후 입국 시 Yellow card 지참 필수). 주최측에 Dress Cord 확인하여 보고하고 선물 및 기념품은 한국적이고 의미가 있는 것으로 보고 후 준비하고 격려금 필요여부 확인한다. 명함 및 상비약 KIT, Travel KIT를 전달한다. 출장 중에는 국내 및 사내 현안에 대해 이메일 보고하고, 급한 건은 휴대폰으로 구두보고 한다. 도착 하루 전 부재중 보고서를 작성하여 이메일로 보고한다. 공식행사 말씀자료 작성 및 사내외 인사 경조사 수행업무를 한다.

비서실의 일반비서는 출장집 보고서의 초안을 작성하며, 예약 실무(항공, 숙박, 차량, 가이드, 식당, 공연 등)를 진행한다. 명함 및 상비약 KIT, Travel KIT를 준비한다. 출장예산 및 출장비를 준비할 때는 출장비 실비를 사전에 보고하여 상사가 개인여비를 준비하

는 데 도움이 되도록 하고, 출장비는 환전할 경우 신권으로 권종은 골고루 환전하여, Tip을 전달할 때 번거로움이 없도록 한다.

국내 대기업 그룹총수 비서실의 출장 전 체크리스트는 아래와 같다.

1. 항공편

- Transit Time 최소시간, 최소환승으로 총 비행시간이 최단시간인 것으로 확인한다.
- 공항의전, 라운지 위치 확인, Transit할 경우 Luggage Through 가능여부를 확인한다.
- 평소 상사의 선호좌석으로 좌석배정을 한다.

2. 숙소

- 거리(출장 목적지와 공항, City와의 거리)를 확인한다.
- 출/도착 항공시간에 따른 Early Check In, Late Check Out 여부 및 금액을 확인한다.
- 멤버십 디스카운트, 혜택 등을 확인한다.
- 선호하는 룸 타입, 베드 타입, 매트리스 타입, 금연층 및 금연룸 여부 확인, 호텔 및 객실 내 시설 확인, 차량 렌트 시 주차비, 발레(Valet)비용을 확인한다.
- 결제(한국에서 선결제 가능여부, 조식 포함 여부)를 가능하면 완료한다.

3. 교통편(자동차, 기차, 버스, 트램, 호텔 리무진 등)

- 차량 : 렌트(자가운전, Driver+Guide, Driving Guide), 자가운전 시 내비게이션, 보험 가입 필수, 택시(한인 또는 현지인) 확인한다.
- 수하물 가능 개수를 확인한다.
- 이동 소요시간, 비용(톨비 포함여부 체크)을 확인한다.

4. 기타(식당, 공연, 전시, 관광, 쇼핑)

- 식당, 공연, 전시 사전예약 시 반드시 Confirmation Letter 받아서 전달한다.
- 쇼핑몰 할인 바우처를 전달한다.

제 11 장

보고서 및 문서 작성 관리업무

제 11 장 보고서 및 문서 작성 관리업무

비서로서 갖춰야 할 페이퍼워크 중 기본이라 할 수 있는 보고서 및 문서 작성과 관리업무는 반드시 숙지하고 있어야 하고 그 역량을 토대로 전략비서로 거듭날 수 있어야 한다.

비서의 문서 작성업무는 일정표(일일/주간/월간), 추가 일정 보고, 미팅 및 회의 강평 및 말씀자료, 강연 발표 및 프레젠테이션 자료, 조찬 · 오찬 · 만찬 말씀자료, 미팅 인물 정보, 출장 전 보고서, 출장 결과보고서, 출장집, 부재중 보고서, 신규 오픈 레스토랑 및 다이닝 미팅 시 추천 레스토랑 보고서, 뉴스클리핑, 감사장, 초청장, 좌석배치도, 사내/외 문서, 품의서, 신년사, 인사말, 건배사, 레터, 전자메일, 연하장 등이다.

제 1 절 문서 작성 및 관리 방법

비서의 문서 작성 및 관리업무는 문서의 사용 목적에 따라 필요한 자료를 수집하고 적절한 형식과 내용을 갖추어 문서를 작성한 후 관리하는 방법이다.

1. 문서 기획하기

- 작성할 문서의 특성을 확인하여 종류별로 문서 작성에 필요한 구성요소를 파악한다. 문서는 사무실 내에서 서면과 전자문서를 포함하며, 공문서, 사문서, 사내문서, 사외문서, 의례문서, 품의서, 보고서, 초청장, 감사장, 전자메일, 프레젠테이션 자료, 웹사이트 문서와 상사의 지시, 업무처리상 작성해야 하는 모든 문서를 뜻한다. 문서의 특성은 문서의 종류, 작성목적, 형식, 작성기한 등을 포함한다.
- 문서의 내용을 작성하기 위하여 필요한 자료를 수집한다.
- 문서의 내용에 따라 초안을 구상한다.

2. 문서 작성하기

- 수집된 자료를 활용하여 문서의 특성에 맞게 문서의 초안을 작성한다.
- 작성된 초안을 상사의 지시, 제3자의 의견 및 검토, 문서 작성방법, 맞춤법, 자체 검토 등을 통해 필요에 따라 수정한다.
- 완성된 문서를 상사에게 보고하고 결재 받는다.
- 결재 받은 문서를 문서의 특성에 따라 유관기관에 전달한다.

3. 문서 관리하기

- 조직 및 상사가 사용하는 문서관리 원칙(문서관리 규정, 문서보관 여부 및 보관방법 등)을 파악한다.
- 접수된 문서를 문서관리 원칙에 따라 경영진 또는 담당자에게 정확히 전달하고 전달일시 등을 기록한다.
- 문서의 종류에 따라 문서 관리방법을 결정하고 분류 및 정리한다.
- 문서 보존기간 규정에 따라 문서를 보관하고 폐기한다.

4. 전자문서 관리하기

- 조직에서 사용하는 전자문서 관리원칙을 파악한다. 전자문서에는 전자결재, 전자메

일, 사진, 영상물 파일, 프레젠테이션 파일, 웹사이트상의 문서, 종이문서의 전자화 된 파일문서 등 전자적인 형태로 된 모든 기록물을 포함한다.

- 전자문서 관리원칙(관리방법, 관리규정, 보관원칙, 보관규정 등)에 따라 전자문서를 분류하며 정리하고 보관한다.
- 워드프로세서 SW(ex. 한글, MS-word 등)를 이용한 문서 작성방법은 스프레트 시트(ex. MS-Excel 등)를 이용한 문서 작성방법, 전자출판 SW(ex. MS-Publisher 등)를 이용한 문서 작성방법, 프레젠테이션 SW(ex. MS-Powerpoint)를 이용한 문서 작성방법, 웹사이트상의 문서 작성방법, 전자메일을 이용한 문서 작성방법, 편지병합기능을 이용한 봉투 및 레이블 작성방법을 포함한다.
- 필요에 따라 전자문서를 재사용하는 경우 보관된 전자문서를 갱신하고 수정한다.
- 문서정리 및 보관하는 것은 저장매체(ex. 하드디스크, USB, 외장하드, CD 등)에 보관 및 백업을 포함한다.
- 회사규정에 따라 보존기간이 지난 전자문서를 폐기하고 보안 및 관리한다.

〈표 11-1〉 문서관리대장

NO.	수/발신	전달일시	문서제목	전달인	비고
1	IN	18-09-02	9월 월간회의자료	기획팀 김철수 과장	전달완료
2	OUT	18-09-10	유명그룹 인수검토자료	이영준 사장	전달완료

5. 문서 보관 및 폐기

문서 보관 및 관리는 비서의 중요한 직무 중 하나이므로 효율적으로 보관 및 폐기할 수 있어야 한다. 특히 회의실이나 상사의 사무실 내 메모라도 일정기간 폐기하지 않고 보관해야 하며, 회사 내부문서는 중요도에 따라 보관기한이 다르기 때문에 이를 확인하여 회사 규정에 맞게 보관한다. 또한, 보안관리에 철저해야 하기 때문에 책상 위에 중요문서를 남긴 채 자리를 비우지 않도록 한다.

제 2 절 보고서 작성방법

1. 미팅인사 인물자료

1) 미팅인사 인물정보

미팅인사 인물정보 작성 시 필수로 기입해야 하는 사항은 아래와 같다.

- 사진
- 나이(출생연도)
- 학력
- 가족관계
- 경력(최근 순으로 기입)

2) 미팅 말씀자료

미팅 시 말씀자료는 인물정보 하단에 기입하며 최근 일신상의 변동사항, 주요 안건, 미팅 인사들의 장/단점, 최근 현안, 우리측 요구사항 등을 기입한다.

〈표 11-2〉 인물정보 자료

■ 참석자

- 회장님
- 김철수 사장
- 박유식 사장(유명그룹)

■ 이영준 부회장

- 37세(81년생), 서울
- 서울대 법학과(00~04), 동 대학원 수료, 서울고 졸
- 가족관계 : 미혼
- 현. 유명그룹 부회장(16~현재)
- 유명그룹 사장(15~16)
- 유명그룹 경영지원 본부장(14~15)
- 유명그룹 경영지원 상무(13~14)
- 보스턴컨설팅그룹 사원(12~13)

■ 박유식 사장

- 37세(81년생), 서울
- 서울대 법학과(00~04), 동 대학원 수료, 서울고 졸
- 가족관계 : 미혼
  ※ 이영준 부회장 초등학교 친구
- 현. 유명그룹 사장(16~현재)
- 유명그룹 전무(15~16)
- 유명그룹 경영지원 상무(14~15)
- 유명그룹 경영지원 팀장(13~14)

■ 말씀자료

2. 다이닝 미팅 보고자료

1) 장소 보고자료

다이닝 미팅 시 상대방에서 선호하지 않는 음식이나 Allergy, 자주 가는 식당 등을 확인 후 레스토랑 선정을 위한 보고서를 작성한다. 이때 한식, 중식, 일식, 프렌치, 이탈리안 모두 2가지 정도의 장소 중 신규오픈 위주의 핫 플레이스, 평이 좋은 레스토랑 위주로 선정하여 보고서를 작성한다. 이때 보고서에는 식당명, 식당 내·외부 사진, 룸 가능 여부와 수용인원, Room charge 여부, Room에서 식사 시 코스주문만 가능한지 여부, 메뉴, Corkage charge, 선결제 및 유선결제 가능여부, 전용엘리베이터 이용 가능여부, 약속일에 실제 예약 가능여부 등을 확인 후 보고한다. 다이닝 미팅 종료 후 결제는 원만히 이루어졌는지, 휴대폰 혹은 귀중품은 두고 가신 게 없는지 확인하고, 식당에 감사인사를 전한다. 매월 신규 레스토랑을 보고한다.

〈표 11-3〉 추천 레스토랑 보고서

10/16(목) 18:30분 2분 룸 가능 레스토랑

* Antibes(앙티브)

주소 : 서울시 서초구 방배동 1-3, 2층(방배중학교에서 함지박 삼거리 가는 길목 오른편 위치)
전화 : 02 593 3325

특징 : 2013년 서래마을에 오픈한 해산물 전문 프렌치 레스토랑
미국 존슨앤웨일스를 졸업 후 프렌치 레스토랑 레스쁘아(L'Espoir)에서 경력을 쌓은 조성범 오너셰프가 운영한다.
독특한 조명과 감각적인 실내인테리어로 꾸며진 테이블과 오픈키친 카운터 좌석으로 구성되어 있다.
매일 공수한 신선한 생선과 해산물을 이용한 코스메뉴와 단품메뉴를 제공한다.

* 룸 예약 가능(단품 주문 가능, 디너코스 : 7만 5천 원)

2) 장소(레스토랑) 결정 후 준비 진행사항 보고

레스토랑이 결정되면 레스토랑 측에 이용당일 메뉴안을 2~3안 정도 요청하여 상사가 결정하도록 준비하고, 음료/주류, 선물, 말씀자료, 인물정보를 준비하여 보고한다.

〈표 11-4〉 다이닝 미팅 메뉴안 보고서

■ 화이트(부르고뉴)

1. 도멘 슈발리에 몽라쉐 쟝 샤르트롱 2011(Chevalier-Montrachet-Jean Chartron)

- 등급 : 슈발리에 몽라쉐 Grand Cru AOC
- 가격 : 약 572,000원
- 생산지 : 프랑스, 부르고뉴
- 품종 : 샤도네이
- 프랑스 부르고뉴의 중심에서 남쪽으로 내려가면 부르고뉴의 6개 그랑크뤼 화이트와인 중 2가지를 생산하는 뿔리니 몽라쉐마을이 있습니다. 레드품종으로는 피노누아만을 생산하고 화이트품종은 오직 샤도네이만을 생산하며 강렬한 밝음 황금빛을 띠고 꽃향기가 지배적인 신선한 느낌의 와인 입니다. 원래 화이트와인만 생산하며 최고의 화이트와인 중 하나로 일컬어집니다.
  *드실 땐 2시간 전 미리 오픈해 놓고, 온도도 약간 높은 상태에서 드시는 게 좋다고 합니다.

대한민국 레스토랑 스페셜 메뉴안(20만 원/1인)

- 이베리코하몽 멜론
- 대게살샐러드 with 이탈리안드레싱
- 블랙트러플을 슬라이스해서 올린 후레시가리비 with 화이트와인 크림소스
- 송아지안심 스카모르짜치즈구이
- 전복 오일소스스파게티
- 메인선택(아래 3가지 또는 메뉴에 있는 모든 메뉴 현장에서 선택 가능)
  1) 한우안심 양갈비 도미
  2) 이베리코목등심 매콤한 닭그릴
  3) 소꼬리찜 중에서 선택
- 초코, 애플, 과일, 셔벗
- 커피, 티

3. 출장 보고자료

1) 출장 전 보고자료

출장 전 보고서에는 일정에 따른 항공, 호텔, 렌터카, 드라이버, 관광지, 식당, 미팅인사 선물리스트, 공연정보 등을 기입해야 한다.

- 항공 보고서 기입사항은 일자, 출/도착시간(비행시간), 출/도착 장소(대기시간), 편명/기종/좌석, 업그레이드 가능여부, Top Class 기종, 호텔-공항 거리 및 소요시간 등이다.
- 호텔 보고서 기입사항은 호텔명(한글/영문), 등급, 내/외부 사진, 주소, 전화번호, 팩스번호, 위치설명, 특징, 객실 수, 부대시설, 객실시설, 체크인/아웃시간, 룸 타입/금액(조식 포함 여부) 등이다.
- 렌터카 보고서 기입사항은 차량명, 내/외부 사진, 수용인원, 렌트 비용, 수하물 수용개수(ex. 2 중형 수트케이스, 2 기내 수트케이스), 내비게이션 장착여부 및 한글 내비게이션 추가비용 등이다.
- 관광지 보고서 기입사항은 관광지명(한글/영문), 내/외부 사진, 주소, 전화번호, 입장시간 및 종료시간, 입장료, 설명 등이다.
- 레스토랑 보고서 기입사항은 식당명(한글/영문), 내/외부 사진, 주소, 전화번호, 웹사이트, 운영시간, Last order 시간, 특징, 드레스코드 등이다.
- 골프장 예약 시에는 예약일자별 Tee-Off 시간, 라운딩비, 캐디피, 카트피, 클럽하우스 메뉴, 골프장 송영차량 등을 확인한다.
- 선물(안) 보고서 기입사항은 접견진행 방안 및 접견인사 리스트, 접견인사별 선물준비(안), 선물검토 결과 기입 후 선물 상세내용으로는 제목(한/영), 사진(포장/실물), 금액, 사이즈, 재질, 설명서(한/영) 등이다.
- 공연정보 보고서에는 공연명, 공연일자, 공연시간, 상영시간, 극장정보(극장명, 주소), 좌석, 금액, 좌석배치도, 공연설명 등이다.

2) 출장집

출장일 전일 상사에게 전달하는 출장집에는 기본정보(시차, 환율, 해당 국가 기본정보), 출장기간 날씨, 최종 예약된 항공, 호텔과 차량정보, 비상연락망, 최종일정표, 미팅인사

인물정보, 말씀자료, 최종 결정된 선물리스트, 바우처(이티켓, 호텔, 식당, 골프장, 공연 티켓 등 예약자료), 관광자료, 식당자료, Tipping방법 등을 포함한다.

3) 부재중 보고서

출장 귀국 당일 일정표, 업무 관련 일정 및 결정사항, 외부 일정 및 참조사항, 부재중 전화 등을 기입한다.

4. 연하장 및 명절 선물 발송 리스트 보고자료

연하장 및 명절 선물 발송 리스트 보고자료는 사전 보고자료와 사후 관리자료로 분류하며, 사전 보고자료는 준비 리스트(전년도 수신/발송 명단 포함), 사후 관리자료는 해당 연도 발송/수신 리스트로 구분할 수 있다.

- 준비 리스트 작성 시 전년도 리스트와 대비하여 명단을 구성한다. 고객명단으로는 해당연도 미팅자, 상사가 속해 있는 모임멤버, 사외이사, 지인/재계, 지인/정계, 지인/학계, 지인/언론, 국외, 해당연도 국내/해외 명단 추가 리스트, 전년도 수취인 등을 포함하고, 기존 고객 이외의 잠재적인 고객 리스트를 작성 후 보고하여 향후 비즈니스 관계에 긍정적인 영향을 줄 수 있도록 한다.
- 연하장 수신 리스트에는 소속, 성함, 직함, 회사, 주소, 우편번호, 비고 등으로 기입한다.
- 명절 선물 수신 리스트에는 성함, 직함, 회사, 소속, 내용, 발신여부, 발신주소, 우편번호, 전화번호, 결과 등을 포함하여 기입한다.
- 연하장 및 명절 선물 발신 리스트에는 소속, 성함, 직함, 회사, 주소(회사 또는 자택), 우편번호, 전화번호, 확인여부, 비고 등을 포함하여 기입한다.

〈표 11-5〉 연하장 수신 리스트

NO.	소속	성함	직함	회사	주소(회사/자택)	우편번호	전화번호
1	지인	박서준	부회장	유명그룹	서울 강남구 청담동 12-14 20층	123-234	02-123-1234
2							

〈표 11-6〉 명절 선물 수신 리스트

NO.	성함	직함	회사	소속	내용	발신 여부	주소	우편 번호	전화 번호	결과
1	지인	박서준	부회장	유명 그룹	와인	0	서울 강남구 청담동 12-14 20층	123-234	02-123-1234	
2										

〈표 11-7〉 명절 선물 발신 리스트

NO.	소속	성함	직함	회사	주소 (회사/자택)	우편 번호	전화 번호	확인 여부	비고
1	지인	박서준	부회장	유명 그룹	서울 강남구 청담동 12-14 20층	123-234	02-123-1234	0	
2									

5. 선물 보고자료

미팅, 다이닝 미팅, 자택만찬, 운동, 회사 방문 등의 경우에 선물을 준비하는데 이때 상대측의 취향을 고려하여 정리한 선물 리스트를 상사에게 보고하여 준비한다.

선물 보고자료에는 사진, 선물명, 작품일 경우 작가명, 상세 내용, 선정사유, 금액, 구매 가능수량 등을 기입한다.

〈표 11-8〉 와인 선물 보고서

레드	화이트
온다 도로 2009(Onda d'Oro) • 가격 : 약 330,000원 • 생산지 : 미국, 나파밸리 • 품종 : 까베르네 소비뇽 • 이탈리아어로 '황금의 물결'을 뜻한다. 코코아 바닐라 향과 과일의 풍미가 느껴지는 와인. G20 정상회담 만찬 시 사용되었다.	팔메이어 샤도네이 2013(Pahlmeyer) • 가격 : 약 230,000원 • 생산지 : 미국, 나파밸리 • 품종 : 샤도네이 • 전통적 재배법과 기술로 나파밸리 초특급 와이너리의 와인. 풍부한 향과 깊은 풍미로 유명하며 이건희 회장 칠순연에 사용되어 국내에서 알려졌다.

[보고서 작성 실습]

1. 상사가 A그룹 임원들과의 다이닝 미팅 장소 보고를 요청한다. 다이닝 미팅 시 추천 레스토랑 보고서를 작성하시오.

2. 출장 전 보고서와 출장집을 작성하시오.
   - 출장일정
     - 6/13일 15:00~17:00 UN 콘퍼런스 참석@UN Conference Room #D, United Nations Headquarters
     - 6/14일 18:00~21:00 콘퍼런스 초청자 만찬 참석@4F, Delegates Dining Room, One United Nations Plaza
     - 6/15일 12:00 UN 관계자 오찬
18:00 BCG 관계자 만찬
     - 6/16일 자유시간(일정+자료조사)
     - 6/17일 뉴욕 출발

제3절 문서 관리업무

1. 우편물 관리업무

우편물 관리업무는 상사와 관련된 우편물, 등기우편물, 업무관련 서류, 연하장, 감사장 발송 등에 대한 업무이다. 우편물 보고 시에는 상사에게 개봉 여부를 사전에 확인하여 상사가 원하는 방향으로 진행한다.

연하장 및 감사장을 발송하는 경우 미리 명단을 파악하여 무분별하게 낭비되는 것이 없도록 하며 우편물 발송 시 메일 머지 기능을 이용하여 라벨지(ex. 폼텍)를 사용할 줄 알아야 한다. 비서의 경우 내용증명 우편을 보내는 경우가 간혹 발생하는데 그 개념과 효과를 이해해야 하고 발송 후 남은 우편을 분실하지 않고 효율적으로 보관해야 한다. 그러나 상사의 개인적인 우편물을 무분별하게 개봉하여 전달하는 것은 지양해야 한다.

1) 배달증명우편

배달증명우편이란 등기우편물의 배달일자 및 받는 사람을 배달우체국에서 증명하여 보낸 사람에게 알려주는 우편서비스를 말한다. 즉 중요한 우편물이어서 누가 언제 받았는지 확실하게 증명 받고 싶으실 때 신청한다.

2) 내용증명우편

내용증명우편이란 발신인이 어떤 특정한 내용을 언제 · 누가 · 누구에게 발송했다는 사실을 공공기관인 우체국에서 공적으로 증명해 주는 제도(우편법시행규칙 제46조)이다. 내용증명을 보내는 행위만으로는 법률적 효력이 발생하지 않지만 수취인에게 내용증명을 보냈다는 사실을 입증할 수 있다.

- 배달증명, 내용증명우편 모두 우체국 방문 없이 24시간 인터넷우체국을 통하여 내용증명을 신청할 수 있다.

2. 연하장 관리업무

1) 연하장 수신 및 발신 업무

연하장은 10월 중순에서 11월 초부터 준비하기 시작하여, 12월 중순에는 발송을 시작해야 하며, 해외로 연하장을 보낼 경우 크리스마스 일주일 전에 발송하도록 한다. 발송 시에는 반드시 발송 전 확인전화를 하여 정확한 주소지를 확인하여 반송 처리되지 않도록 하며, 주소는 반드시 폼텍을 활용하여 라벨지에 작성 후 부착한다. 연하장 수신과 발신 후 반드시 관리대장에 리스트를 작성하여 관리한다.

3. 선물 발송 관리업무

비서는 상사에게 선물 리스트를 컨펌 받은 후 개인명의로 보낼 것인지, 회사명의로 보낼 것인지를 확인하고, 선물 내에 상사의 명함을 반드시 동봉한다. 동일 선물이 재발송 되지 않도록 발송 리스트를 관리하고, 선물 수신 시에도 선물관리대장에 기록하여, 상사가 선물 시에 비슷한 금액대로 선물하는 것이 좋다. 주의할 점은 김영란법에 위배되지 않는지, 수신인 회사의 윤리규정에 위배되지 않는지 반드시 확인한다.

선물 주문 시 해당 업체에 요청할 사항은 아래와 같다.

- 작품일 경우 국/영문 설명서(작가 프로필 & 작품설명)
- 케이스 포장 후 사진 전송
- 포장 후에도 상품을 알아볼 수 있도록, 선물마다 포스트잇으로 작가이름 및 작품명 표시
- 항공 탑승일 경우 진공포장
- 선물 필요일까지 배송 요청

제 12 장

정보관리업무

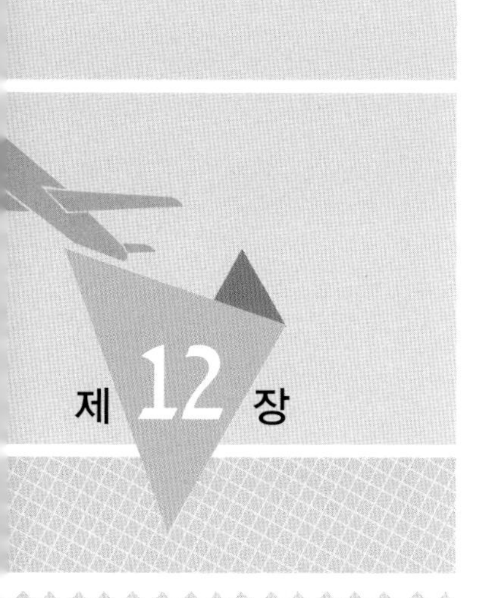

정보관리업무

비서가 관리해야 하는 정보는 상사의 이력관련 문서관리, 고객정보 관리, 서류 관리, 모임리스트 관리, 경조사 정보관리로 나눌 수 있다.

제 1 절 정보수집 및 관리 방법

비서의 일과는 아침 뉴스와 신문으로부터 시작하여 마감뉴스와 가판 신문으로 끝난다고 해도 과언이 아니다. 그만큼 비서는 상사의 일상 업무에 능동적으로 대처하기 위해 무엇보다도 사회의 흐름에 따른 정보수집이 필요한 것이다. 또한 상사의 업무는 정세의 판단과 전략적 의사결정을 하는 일이라 할 수 있다. 이러한 업무를 보좌하기 위해서는 의사결정을 위한 확실하고 신뢰할 수 있는 정보의 수집이 반드시 필요하다. 정보수집 능력은 상사의 원만한 업무수행에 있어서 유리한 위치에서 활동할 수 있도록 하기 위한 비서 본연의 임무 중 중요도 높은 일의 일부분이라 할 수 있다.

1. 정보수집방법

정보수집은 상사의 출장업무에 많은 활용이 필요하다. 현지의 상사가 묵을 숙소에서 업무장소와 현지의 안전 상태, 현지 경찰과의 공조 및 핫라인, 응급상황 시 갈 수 있는 병원, 레스토랑, 관광명소에 이르기까지 방대한 양의 정보

수집에 대한 시간과 노력을 필요로 한다. 입수된 데이터를 분석한 후 현지상황이나 안전문제에 있어서 부족한 부분은 외교부나 현지 대사관에 문의하여 참고하는 것이 좋다.

정보관리는 대외적 요인 이외에 대내적 요인 또한 매우 중요하다. 상사가 기업인인 경우 기업 내의 임원 및 노조에 관하여 완전히 파악하고 특히 노조위원장과 노조 간부들의 동향 등을 면밀히 파악하고 있어야 하며, 외부인사들의 인사 · 동정 · 부고 등을 수시로 체크해야 한다.

또한 상사에 관한 정보들, 기본적으로 영문과 한자의 이름, 주민등록번호, 건강상태, 좋아하는 운동, 기호식품, 혈액형, 신체사이즈, 선호 및 비선호 사항, 가족사항 등과 같은 상사에 관한 모든 것들을 알아둘 필요가 있다. 이것은 비서가 상사를 보좌하는 데 있어서 주요한 자료이며 비서가 상사를 이해함으로써 업무활동을 더욱 효과적으로 할 수 있도록 할 뿐만 아니라 상사가 지니고 있는 잠재적인 생각 및 선호도를 파악하는 데 도움을 주기 때문이다.

2. 정보관리방법

정보관리의 정의 즉 시스템 및 정보를 고의 혹은 실수에 의한 공개, 변조, 파괴 및 지체로부터의 보호를 다른 말로 표현하면, 시스템 및 정보의 기밀성(Confidentiality), 무결성(Integrity), 가용성(Availability)을 확보하는 것이며 이들은 정보보안의 속성 혹은 목표가 될 수 있다(한국정보보호센터, 1996, p.17).

1) 기밀성(Confidentiality)

정보는 소유자가 원하는 대로 비밀이 유지되어야 한다는 원칙이다. 정보는 소유자의 인가를 받은 사람만이 알아야 하며 인가되지 않은 정보의 공개는 절대로 금지되어야 함을 뜻한다. 기밀자료의 경우 그 기밀성이 노출되지 않도록 반드시 인가된 자에 의해서만 접근이 가능해야 한다. 이러한 기밀성을 보장하기 위한 메커니즘으로 접근 제어와 암호화를 들 수 있다.

비서로 종사하고 있는 이들은 "비서는 입이 무거워야 한다."라는 말을 수없이 듣는다. 기밀유지에 대한 의무는 비서직뿐만 아니라 조직에 속해 있는 모든 직원의 의무이지만

비서의 경우에는 기밀을 접할 수 있는 기회가 많고 상사의 개인적인 사항도 가장 많이 접하기 때문에 비서에게 기밀유지의 중요성은 더 크게 작용하며, 기밀유지를 할 수 없는 비서는 자신의 의무 중 가장 큰 의무를 저버리게 되는 것이다. 그렇다면 기밀유지를 어떻게 해야 하는지는 아래의 예를 들어 살펴보기로 한다.

- 자신의 조그만 말실수로 인해 상사나 조직에 큰 해를 입힐 수 있음을 언제나 각인한다.
- 직무상 얻은 기밀에 관해서는 개인적으로 아무리 가까운 사람일지라도 절대 누설해서는 안 된다. 비서는 상사나 조직 내의 많은 기밀을 알고 있기 때문에 이를 이용하고자 하는 사람들의 접근에 늘 경계심을 늦추지 않으면서도 원만한 대인관계를 유지하기 위해 노력해야 한다.
- 상사와 조직에 관련된 문서관리를 철저히 한다. 기밀문서는 문서보관함에 넣어 잠그고, 책상 위에 방치해 둠으로써 지나다니는 사람들이 보게 해서는 안 되며, 잠시라도 자리를 비울 경우에는 보이지 않게 서랍에 보관한다. 또한 문서보관함이나 상사 집무실 내의 열쇠의 관리에도 소홀함이 없도록 철저히 해야 한다.
- 컴퓨터를 사용할 때 암호를 사용하거나 screen saver 등을 이용함으로써 중요한 기밀이 컴퓨터 화면에 그대로 노출되지 않도록 항상 주의한다. 특히 암호를 사용할 때, 한 달에 한번 등 시기를 정해놓고 번호를 바꾸도록 한다.
- 복사기 및 팩스를 사용할 때, 기밀문서를 복사기에 그대로 놓고 나오거나 팩스 주변에 남기지 않도록 주의한다.
- 방문객 응대 시나 전화 통화 시 상대방의 말에 현혹되어 기밀을 누설하지 않도록 주의한다. 특히 경쟁 상대측의 사람들에게 조직의 현황이나 상사의 스케줄 및 출장 등에 대해서 지나가는 가벼운 말조차 절대 삼가야 한다.
- 외부에서 조직에 관하여 다른 사람과 이야기할 경우에 각별히 주의해야 하고, 조직의 기밀서류를 가지고 나가지 않아야 한다.

2) 무결성(Integrity)

정보는 정해진 절차에 의해 그리고 주어진 권한에 의해서만 변경될 수 있다는 것을 의미한다. 정보는 항상 일정하게 유지되어야 하며, 오로지 인가받은 방법에 의해서만 변경될 수 있다. 즉 정보는 우발적이건 고의적이건 간에 허가 없이 변경되어서는 안됨을 의미한다. 무결성 제어를 위한 메커니즘으로는 물리적인 통제(Physical Control)와 접근

제어(Access Control)를 들 수 있다. 또한 이미 변경되었거나 변경 위험이 있을 때는 이를 탐지해 복구할 수 있는 메커니즘도 필요하다.

3) 가용성(Availability)

적시에 주어지는 자원의 가용성은 무엇보다도 중요한 요소이다. 소유정보를 적시에 적절하게 사용할 수 없다면 그 정보는 이미 소유의 의미를 잃게 되거나 정보 자체의 가치를 상실하기 때문이다. 가용성을 확보하기 위한 통제수단으로는 자료의 백업, 중복성 유지, 물리적 위협요소로부터의 보호 등이 있다.

제2절 상사의 이력관련 문서 관리하기

비서는 상사의 이력사항을 문서화(한글/영문)하여 타인 요청 시 언제든 제공할 수 있는 상태를 만들어야 하며, 타인 제공 시에는 반드시 상사 컨펌 후 진행하도록 한다. 이력사항에 포함되어야 할 내용은 아래와 같다.

- 증명사진
- 이름(한글/한문/영어)
- 생년월일(양력/음력 표시)
- 학력
- 기관 경력
- 기타 경력

제 3 절 고객정보 관리

회사에서 상사 및 동료와 더불어 비서가 가장 많이 대면하게 되는 것이 내방객이다. 상사 혹은 내방객에게 직접 전달받은 명함이나 신상 관련 정보는 즉시 수령 날짜를 기재하여 연락처 저장 폴더에 저장하고, 필요시 유관자들에게 공유한다. 이 경우 많은 양의 내용을 입력할 때 자칫 오류가 생길 수 있으므로 정확도에 만전을 기하도록 한다. 상사의 요청에 따라 변경된 고객 정보(승진 및 이직, 담당자 변경)를 저장된 연락처에 업데이트한다. 고객의 신상에 변경사항이 발생할 경우 필요시 유관자들과 내용을 공유한다.

최근에는 고객정보사항을 아웃룩 연락처 또는 구글 연락처에 기입하여 관리한다.

아웃룩 연락처 기입방법은 아웃룩 연락처 클릭 → 명함 내용 기입 → 프로필, 미팅관련 메모는 '메모'란에 기입이다. 작성방법은 기본사항은 이름, 회사, 부서, 직함, 이메일주소, 전화번호(사무실/휴대폰), 팩스번호, 회사/자택 주소이고, 메모란에는 인물정보 기본사항, 미팅일시, 내용, 배석자, 특이사항 등을 기입한다.

제 4 절 모임관리업무

1. 상사의 모임관리업무

상사의 모임관리업무는 상사의 가입 모임관리 및 비즈니스 네트워킹에 도움이 되는 모임을 수집하여 관리하는 업무이다. 별도의 모임리스트를 작성해서 관리하는 것이 좋다. 모임의 주요 이슈와 변동사항(인사, 동정, 부고, 자녀관련) 등을 수집하여 보고하며, 모임의 총무 및 간사 연락처는 필수적으로 알아두고, 주요 연락처는 휴대전화에 저장한다. 업계와 관련된 협회나 단체에 대한 조사 및 상사의 개인 관심사와 관련된 모임에 대한 조사도 병행한다.

- 별도의 모임리스트를 작성해서 관리한다.
- 모임의 주요 연락처는 비서의 휴대전화에 저장한다.
- 모임의 주요 이슈와 변동사항 등을 수집한다.
- 상사가 모임의 리더나 스태프를 맡을 경우에 대비한다.
- 회사의 업종과 관련된 협회나 단체에 대한 조사를 한다.
- 상사의 개인 관심사와 관련된 모임에 대한 조사도 병행한다.

〈표 12-1〉 모임관리대장

모임명	정기 모임일	직책	가입일	회비	구성원	연락처	홈페이지	비고
전경련	매월 30일	회장	14-10-24	연 1백만 원				

상사뿐만 아니라 비서도 모임이 중요하다. 모임을 통하여 정보수집이 가능하므로 다양한 모임에 참석하는 것이 좋다.

2. 비서의 인맥관리

탄탄한 인적 네트워크는 개인의 능력을 뒷받침해 줄 수 있는 필수적인 요소다. 국내의 한 경제연구소가 직장인을 대상으로 실시한 설문조사에서 최고경영자(CEO)가 될 수 있는 덕목으로 '대인지능(Interpersonal Intelligence)'이 꼽혔다. 그룹총수의 비서는 양적이나 질적으로 상당한 인맥을 구축하고 있어야 하고 인맥관리도 매우 철저해야 한다. 국내 상위 1% 그룹총수 사이에서 본인의 상사가 외부에서 최고의 의전 및 서비스를 제공받기 위해서는 비서의 인맥을 통한 실무자들의 협의가 가장 중요한 요소이기 때문이다.

인맥관리의 방법으로는 첫째, 업무에서 만나는 사람을 꾸준하게 관리하는 것이다. SMS로 안부문자를 보내거나 생일 혹은 어려운 부탁을 들어주었을 때는 반드시 가벼운 선물(ex. 케이크나 꽃 등)을 보내는 것이 좋다. 꼭 필요한 사람에게는 연하장, 크리스마스 카드 등도 보낸다. 가끔은 가벼운 점심 약속을 잡을 필요도 있다.

둘째, 외부모임으로 인적 네트워크를 넓히는 것이다. 업계 종사자들 모임 등의 활동을 통한 커뮤니티가 본인의 업무에 다양하게 기여할 것이다.

셋째, 인맥 관리는 장기전이다. 인맥을 쌓는 데도 선택과 집중의 자세가 필요하다. 구체적인 목표를 세우고 실천방법까지 꼼꼼히 살피는 것이 좋다. 먼저 주변사람부터 챙긴다. 자연스런 관계를 통해 업무상 필요한 정보를 얻을 수도 있고 다른 사람들을 소개받을 기회도 생긴다. 꾸준한 인맥관리를 위한 노력과 투자를 하면 작든 크든 성과물을 만들 수 있다.

제5절 경조사 관련 업무

1. 경조사 관련 업무

결혼식, 장례식장 등 경조사 현장은 또 하나의 비즈니스 만남의 장이다. 비서는 경조사 규정에 따라 상사와 관련된 사내/외 경조사가 발생된 경우 시기와 준비방법에 맞추어 업무지원을 한다.

경조사 관리업무는 크게 경사와 조사 관리, 인사 · 동정 · 모임 관리, 행사관리로 나눌 수 있다.

경조사 및 행사관련 업무에서는 상사의 참석여부 확인, 불참할 경우 대리인 참석 여부 확인, 준비사항 확인 및 준비, 경조금이나 기념품의 경우 회사명의(會社名義)인지 상사명의(上司名義)인지를 확인하여 준비한다.

〈표 12-2〉 비서의 경조사 관리업무

구분	경사	조사
상사	취임, 결혼, 졸업, 승진/영전, 입사일, 생일, 결혼기념일, 출산, 돌잔치, 환갑, 회갑 등	장례식, 추도식, 애도식, 제사, 병문안, 좌천 등
전사	연중행사, 일반행사, 특별행사, 이전식, 비전선포식, 확장식, 근속기간 하례식, 이/취임식, 창립기념일	장례식, 추도식, 퇴임식

경사의 사전준비사항은 아래와 같다.

- 화환, 축의금 수령여부를 확인하여 상사에게 보고한다.
- 화환을 수령할 경우 상사보다 먼저 도착하도록 조치한다.
- 경조사 지급기준 확인 후 준비한다.
- 경조금은 반드시 신권으로 준비한다.

경사의 사후관리사항은 명함관리, 감사장 작성, 경조사대장 작성, 경조사 추가일정 수집 등이다.

조사의 사전준비사항은 아래와 같다.

- 조화, 부의금 수령여부 확인하여 상사에게 보고한다.
- 조화 수령할 경우 상사보다 먼저 도착하도록 조치한다.
- 부의금은 거절하였으나 중간에 변경하는 경우도 있으니 수시로 확인한다.
- 조문시간을 확인한다(가족상을 먼저 지낸 후 조문객을 받는 경우가 있으니 반드시 체크한다).
- 상사의 도착 예정시간을 상대방 비서실에 안내한다.
- 빈소의 호수를 변경하는 경우가 있으니 장례식장으로 상사가 출발하기 전에 재확인한다.
- 동선을 사전에 확인하여 수행원 또는 기사에게 안내한다.

사후관리사항은 명함관리, 감사장 작성, 경조사대장 작성 등이며 차량에 경조사 봉투와 단자, 명함, 검정 타이(Tie)는 상시 준비한다.

2. 비서의 경조사 관리업무방법

- 경조사와 선물에 관련된 정보를 경조사 관리대장을 만들어 데이터베이스화하고 수시로 갱신하여 활용한다.
- 경조금은 반드시 경조사 단자 봉투양식을 사용하여 전달한다.
- 주요 임원들의 경조사는 별도로 메모하여 보고한다(ex. 생일, 결혼기념일).
- 음력일정에 대한 체크는 반드시 한다(ex. 생일).
- 비서가 대신 참석하는지의 여부를 확인하고 참석 못할 경우에는 우체국 경조금배달서비스를 이용한다.
- 연하장과 선물을 보내는 경우, 회사의 규정과 상사의 요구에 따라 물품을 조사하고 구매업무를 수행한다.
- 경조사 규정에 따라 화환을 신속하게 관련업체에 주문하고 자주 사용하는 문구는 기록해 둔다.
- 인터넷, 신문 등에서 부고(부음)와 승진 등을 확인 후 보고한다(ex. 조인스 인물정보 등).
- 서비스 혹은 총무팀에 대신 참석할 인원을 확인한다.
- 선물 반송 시에는 회사 윤리규정상 수령이 어렵다는 안내장과 함께 반송한다.

〈표 12-3〉 경조사 관리 대장

일시	구분	회사명	성함	경조금	경조화	장소	비고
18-10-24	결혼식	유명 그룹	박서준 부회장	1백만 원	Y	신라호텔 다이너스티홀	대리 참석

1) 단자(單字)

- 단자는 봉투 안에 넣는 일종의 편지다.
- 숫자단위는 갖은자인 일(壹), 이(貳), 삼(參), 사(四), 오(伍), 육(陸), 칠(漆), 팔(捌), 구(玖), 십(拾), 백(栢), 천(阡), 만(萬), 억(億)으로 적는다.
- 예를 들어 20만 원은 '二十萬원'이 아니라 '貳拾萬원'으로 적는 것이다.

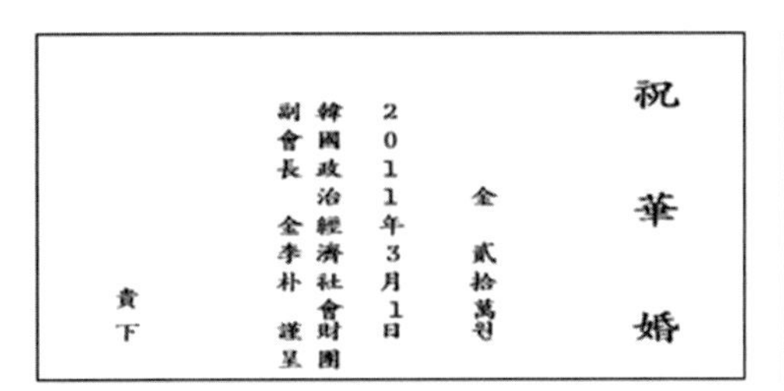

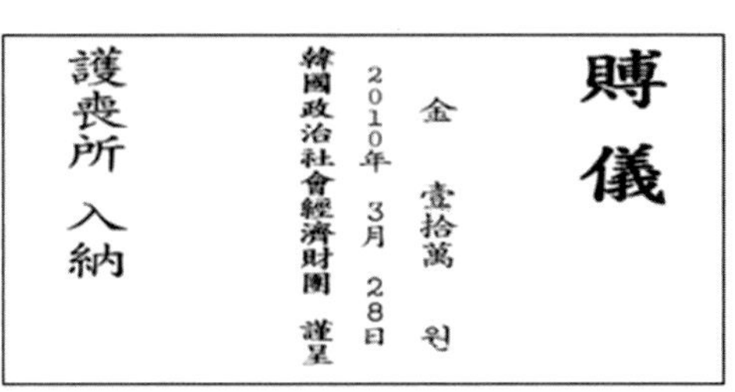

[그림 12-1] 경조금 단자(單字)

2) 우체국 경조금배달 서비스

- 웹사이트 : http://www.epostbank.go.kr
- 종류 및 수수료 : 축하카드+우편환(3,000원), 우편환만(2,500원), 축하카드+현금배달(5,060원), 현금(4,560원)
- 우체부가 배달하며 당일 및 주말 이용 불가하다.
- 스마트폰으로 배달 주문 시 할인서비스를 받을 수 있다.

3) 경조사 관련 기본 용어

〈표 12-4〉 기본 경조사 용어

경조사 용어	의미
부조(扶助金)	1. 잔칫집이나 상가(喪家) 따위에 돈이나 물건을 보내어 도와줌. 또는 돈이나 물건 2. 남을 거들어서 도와주는 일
부조금(扶助金)	도와주는 내용이 돈일 경우에 '부조금(扶助金)'이라고 한다.
근조금(謹弔金)	1. 사람의 죽음에 대하여 삼가 슬픈 마음을 나타내는 뜻으로 내는 돈 2. 부의금은 항렬이 같을 때, 근조금은 항렬이 높을 때 표기한다.
조의금(弔意金)	남의 죽음을 슬퍼하는 뜻으로 내는 돈
축의금(祝儀金)	축하하는 뜻을 나타내기 위하여 내는 돈

〈표 12-5〉 기본 경조사 문구

구분	경조사 문구
취임/승진 축하	축 취임(祝 就任), 축 영전(祝 榮轉), 축 승진(祝 昇進), 축 부임(祝 赴任), 축 진급(祝 進級) 취임 : 새로운 직무를 수행하기 위하여 맡은 자리에 처음으로 나아가는 것. 부임 : 임명이나 발령을 받아 근무할 곳으로 가는 것(ex. 새로 부임한 사장)
창립/개업/이전 축하	축 발전(祝 發展), 축 개업(祝 開業), 축 개원(祝 開院), 축 개장(祝 開場), 축 개점(祝 開店), 축 창립(祝 創立), 축 창간(祝 創刊), 축 창설(祝 創設), 축 개관(祝 開館), 축 성업(祝 盛業), 축 번영(祝 繁榮), 축 이전(祝 移轉)
기공/기공 축하	축 기공(祝 起工), 축 준공(祝 竣工), 축 완공(祝 完工)
동상/기념비 완공서	축 제막식(祝 除幕式)
우승/당선	축 우승(祝 優勝), 축 당선(祝 當選)
전시/공연	축 전시회(祝 展示會), 축 전람회(祝 展覽會), 축 박람회(祝 博覽會), 축 품평회(祝 品評會), 축 발표회(祝 發表會), 축 연주회(祝 演奏會), 축 공연(祝 公演), 축 개인전(祝 個人展), 축 독주회(祝 獨奏會)
결혼/약혼/결혼 기념 축하	경하혼인(慶賀婚姻), 축 결혼(祝 結婚), 축 약혼(祝 約婚), 축 성혼(祝 成婚), 축 화혼(祝 華婚), 석혼식(錫婚式) : 10주년, 도혼식(陶婚式) : 20주년, 은혼식(銀婚式) : 25주년, 진주혼식(眞珠婚式) : 30주년, 금혼식(金婚式) : 50주년, 회혼식(回婚式) : 60주년
장례 애도	부의(賻儀), 근조(謹弔), 추모(追慕), 추도(追悼), 애도(哀悼), 조의(弔意), 위령(慰靈), 조도(弔悼), 사십구제(四十九齋), 백일탈상(百日脫喪)
병문안/위문	기쾌유(祈快癒), 기완쾌(祈完快)
출산 축하	경하순산(慶賀順産), 축 출생(祝 出生), 축 출산(祝出産), 축 득남(祝得男), 축 득녀(祝得女), 축 공주탄생(祝 公主誕生)
백일/돌/생일 축하	경하수연(慶賀壽筵), 축 돌(祝 돌), 축 백일(祝 百日), 축 생일(祝 生日), 축 생신(祝 生辰), 축 회갑(祝 回甲, 61세), 축 고희(祝 古稀, 70세), 축 희수(祝 喜壽, 77세), 축 송수(祝 頌壽, 80세), 축 미수(祝 米壽, 88세) 축 구순(祝 九旬, 90세), 축 백수(祝 白壽, 99세)
연말연시	근하신년(謹賀新年), 송구영신(送舊迎新)

4) 문상절차

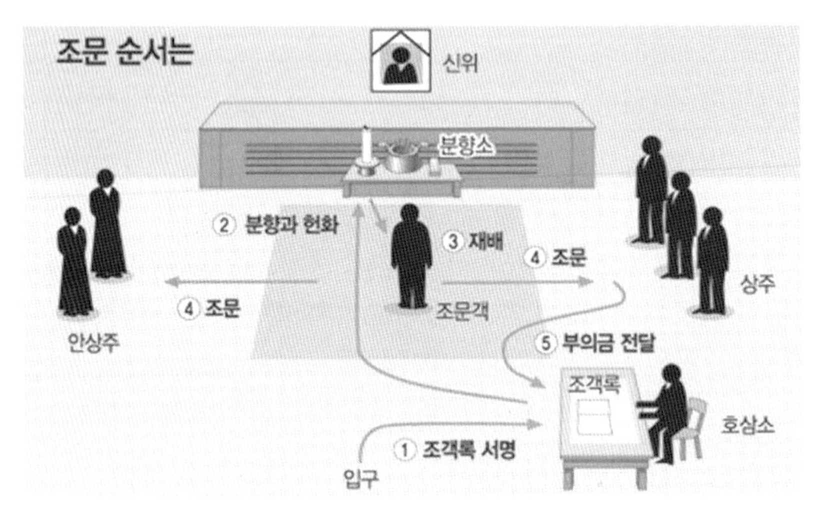

[그림 12-2] 장례식 조의예절

문상절차는 아래와 같다.

① 조객록 서명 : 상가에 도착하면 조객록에 서명한다.
② 분향과 헌화 : 상주에게 목례 후 영정 앞에 무릎을 꿇고 앉는다.
③ 재배 : 영좌 앞에 일어서서 잠깐 묵념 혹은 두 번 절한다.
④ 조문 : 영좌에서 물러나 상주와 맞절을 한다. 종교에 따라 절하지 않는 경우에는 정중히 고개 숙여 예를 표한다.
⑤ 부의금 전달 : 부의금을 전달한다.(이때 부의금 봉투는 반드시 밀봉한다.)

분향소에 도착하면 문밖에 모자나 외투 등을 미리 벗어두고 상주에게 가볍게 목례 후 본인의 종교에 맞게 분향 또는 헌화를 한다. 분향하는 방법은 오른손으로 향을 집고 왼손은 오른 손목을 받친 후 촛불에 불을 붙이고 왼손으로 흔들어 끄면 되는데 이때 절대 입으로 불어서 끄면 안 된다. 향의 불을 끈 후 향로에 두 손으로 공손히 꽂으면 된다. 향은 3개를 피우는 것이 원칙이지만 최근에는 1개만 해도 예의에 벗어나지 않는다. 단지 홀수가 길한 숫자를 뜻하기 때문에 1개 아니면 3개를 해야 한다. 향이 많이 꽂혀 있을 경우 생략하기도 한다.

- 봉투 : 봉투의 경우 결혼식장에서 축의봉투는 오픈하며, 장례식장에서 조의봉투는 닫는다.
- 조객록 : 장례식장에서는 방문록/방명록이 아닌 조객록이다.
- 조객록 서명이 가장 먼저이고, 조의금은 가장 마지막에 전달한다.

(1) 절하는 방법

① 절하기 전 바른 자세

[그림 12-3] 절하기 전 바른 자세

- 남성은 양팔을 자연스럽게 내려 양옆에 둔다(손가락을 모두 모아 가볍게 주먹을 쥔다).
- 공수한 손을 허리선 부분에 놓는다(평상시 공수자세는 왼손을 위로 하여 맞잡고 흉사에는 오른손이 위로 가도록 잡는다).
- 여성은 양팔을 자연스럽게 내려 양옆에 둔다(손가락을 모두 모아 가볍게 오므린다).
- 공수한 손을 허리선 부분에 놓는다(평상시 공수자세는 오른손을 위로 하여 맞잡고 흉사에는 왼손이 위로 가도록 잡는다).

② 절하는 방법

절하는 방법으로는 영전에 2번 반 절을 하고 상주와 1번 반 절을 한 후 두세 걸음 뒤로 물러난 후 아무 말 하지 않고 나오는 것이 예의이지만 보통 짧은 말로 조의를 표하는 것이 일반적이다. 조문 인사말로는 '뭐라 드릴 말씀이 없습니다' 정도가 무난하다.

절을 할 때 남성은 오른손을 위로 포개고 여성은 왼손을 위로 한 후 절을 한다.

헌화 시 두 손으로 공손히 헌화대에 꽃을 바친 후 묵념한다.

이때 꽃봉오리가 영정을 향하도록 해야 한다는 의견과 조문하는 사람 쪽으로 두어야 한다는 의견으로 나뉘는데 어느 것이 옳다고 판단하기 어렵다. 가장 좋은 방법은 먼저 헌화한 사람들의 방향을 보고 동일하게 하는 것이 좋다.

• 남성(상례 : 큰절을 두 번 한다)

① 자세를 바로 한다.
- 이때, 공수(供水)한 손은 허리선 부분에 두고 바른 자세로 선다.
※ 공수(供水) : 평상시에는 왼손을 위로 하고 흉사(凶事) 시에는 오른손을 위로 한다.

② 공수(拱手)한 손을 눈높이로 올린다.
- 이때, 손바닥은 바닥을 향하도록 하고 눈은 발등을 향한다.
※ 평절의 경우 공수한 손을 가슴높이로 올릴 뿐 나머지 방법은 큰절과 같다.(한 번만 한다.)

③ 왼발을 조금 뒤로 빼면서 공수한 손으로 바닥을 짚고 무릎을 꿇는다.
- 이때, 왼쪽 무릎을 먼저 꿇고, 오른쪽 무릎을 꿇는다.

④ 몸을 앞으로 깊이 숙여 절한다.

[그림 12-4] 남성 절하는 방법

• 여성(상례 : 큰절을 두 번 한다)

① 자세를 바로 한다.
- 공수(供水)한 손은 허리선 부분에 두고 바른 자세로 선다.
※ 공수(供水) : 평상시에는 오른손을 위로 하고 흉사(凶事) 시에는 왼손을 위로 한다.

② 공수(拱手)한 손을 풀어 바로 선 자세에서 무릎을 꿇고 앉는다.

③ 양손을 무릎 앞부분 양옆의 바닥을 짚으며 절한다.

① 자세를 바로 한다.
- 이때, 공수(供水)한 손은 허리선 부분에 두고 바른 자세로 선다.
※ 공수(供水) : 평상시에는 오른손을 위로 하고 흉사(凶事) 시에는 왼손을 위로 한다.

② 공수(拱手)한 손을 눈높이로 올린다.
- 이때, 손바닥은 바닥을 향하도록 하고 눈은 발등을 향한다.

③ 공수(拱手)한 손을 눈높이에 둔 채 무릎을 꿇고 앉는다.

④ 몸을 앞으로 깊이 숙여 절한다.

[그림 12-5] 여성 절하는 방법

경조사업무 토론

1. 경사의 사전 및 사후준비 체크리스트 기본사항에 대해 토론한다.

2. 조사의 사전 및 사후준비 체크리스트 기본사항에 대해 토론한다.

3. 거래처 외국인 상사의 자녀 결혼식에 선물을 보내야 하는 경우와 반대로 우리 상사의 경우에 대해 토론한다.

4. 상사는 선물을 꼭 전달하라고 하고 상대방은 꺼리는 경우와 반대로 꼭 받으라고 강요하는 경우에 대해 토론한다.

제6절 행사관리업무

행사란 특정한 목적을 가지고 일정한 형식과 규칙에 따라 집단으로 이루어지는 일련의 과정이다.

대체로 행사는 의식을 동반하는데 의식의 사전준비, 진행, 행사주관, 참석자의 영접 및 접대행위까지도 행사의 범주에 포함된다. 행사는 일반행사와 특수행사로 크게 구분할 수 있는데 일반행사는 정례회, 관습화된 절차와 방법에 따라 행해지는 행사로 시무식, 종무식, 창립기념식, 연도 시상식, 정례조회 등을 사례로 들 수 있으며, 특수행사는 특수한 목적에 맞게 행해지는 행사로 이/취임식, 착공식, 기공식, 기타 특수행사 등이 해당된다고 볼 수 있다.

행사 운영에 있어서 가장 중요한 것은 추진방향이며, 추진방향은 행사 본연의 의의를 높일 수 있는 뚜렷한 목표를 설정한 후 기획을 수립하는 것이 바람직하다. 기념일은 통상 정해진 날짜에 진행돼 예측이 가능하고 매년 반복되므로 비서는 사전에 일정을 수집하여 메모하고, 매뉴얼을 숙지해 행사를 진행하는 것이 바람직하다.

비서의 행사관리업무로는 행사의 종류 파악, 행사관련 준비사항 확인 및 행사 진행사항 준비, 행사 및 홍보 관련 업무, 내부행사 Committee 모집, 내부행사 일정계획, 장소섭외, 식음료 업체점 메뉴선정, 행사장 기자재 확인, 행사 일정 및 주제 공지, 참석여부 확인, 행사 홍보물 최종검토, 행사 관련 비용처리, 외부행사 진행협조, 은행업무(ex. 행사 비용 송금), 구매업무(ex. 행사 시 기념품, 협찬품 등 구매) 등이 있다.

1. 사내 행사

〈표 12-6〉 사내 행사의 종류

구분	행사명	예상 시기 및 의미
전사	시무식/종무식	한 해 업무의 시작/마무리를 알리는 행사로 시무식은 연초에, 종무식은 연말에 진행된다. 회사의 1년간 실적 및 차년도 계획을 임직원들과 공유하는 행사이다.
	주주총회	회사별 결산일경
	경영이사회	분기별(3월, 6월, 9월, 12월)
	체육대회	기업 임직원들의 내부결속행사(5~9월)
	창립기념일	보통 회사내규에 의해 휴일로 지정되는 경우가 많으므로 행사는 하루 전에 진행된다. 창립기념일에는 보통 시상식(우수사원, 공로상 등)도 거행되는데, 수상대상자에 대해서는 사전에 인사팀 또는 총무팀과 협의를 거쳐 규모를 파악해 두는 것이 좋다.
	워크숍(전사/임원/팀장)	특정한 주제나 문제를 해결하기 위한 내부구성원들의 회의(봄, 가을)
	기공식	공사의 시작을 알리는 행사, 테이프 커팅, 착공식, 상량식
	준공식	실제 공사가 완료된 후 진행하는 축하행사
	취항식	항공, 해운사에서 항공기 혹은 선박 취항에 앞서 실시하는 행사
	현판식	특정 기업이나 단체의 간판을 건물에 거는 행위
	협약식	기업이나 단체와 특정한 업무를 제휴하는 행사
	제막식	동상이나 기념비 등을 만든 뒤에 하는 행사
	비전선포식	기업의 경영목표와 비전을 내부구성원들에게 공유하는 행사
	발대식	특정한 목적을 가진 단체의 시작을 알리는 행사, 발족식, 출범식
	추도식	기업이나 단체의 주요 임직원을 기리는 행사
	공청회	중요 정책의 결정에 즈음하여 이해관계자나 권위자를 모아놓고 공식석상에서 의견을 듣는 행사
개인	근속 기념 및 축하	근속 10주년, 20주년, 30주년 등 사내에서 규정한 일정한 근속기준에 해당하는 대상자를 축하하는 행사(창립기념일)
	임직원 결혼 및 생일	임직원 개인별
기타	사외 봉사활동 및 동호회 행사	지정 행사 진행 시 별도 수립
	송년회 행사 등	
	외주기관 시상 및 포상행사 지원 등	

2. 이사회 및 주주총회 관련 업무

이사회는 기업경영에 관한 포괄적인 권한을 가지며 기업과 주주의 이익을 위하여 성실하게 직무를 수행하도록 주주와 경영진 간에 의사소통이 원활히 이루어지도록 하는 역할을 한다.

이사회는 주주총회를 통해 선임된 이사들로 구성되어 기업의 주요 업무집행 및 의사결정사항에 관한 의견과 업무집행 감독을 통해 주주 등의 이해관계자를 보호하는 역할을 하는 기업운영의 핵심기구이다. 이사회의 주요 기능으로는 경영목표와 전략의 설정, 경영진의 임면 및 경영진에 대한 감독, 경영성과의 평가와 보상수준의 결의, 주요 경영사항에 대한 의결 등이다.

주주총회(Stockholders' Meeting)는 회사의 구성원인 주주들이 모여 이사로부터 영업에 관한 보고를 받고 재무제표 및 이익배당의 안을 승인하거나 이사, 감사 등을 새로 선임하는 등 법률과 정관에 의하여 정해놓은 중요한 사항을 심의, 결정하는 회의체인 기관이다. 주주총회의 기능으로는 경영감독기능, 주주의사의 결집기능, 회사의 정보공시기능, 회사의사의 결정기능 등이다.

비서의 이사회 및 주주총회 진행 시 수행업무는 이사회 및 주주총회 일정 조율, 소집통지서 준비 및 발송, 참석현황 파악, 자료보고, 진행사항 제반업무(포디움, 이사봉, 마이크 등 확인), 다과준비, 이사회 및 주주총회 후 오/만찬 준비, 의전(차량, 안내, 의전기준비), 이사회 · 주주총회 후 결과보고 등이다. 오/만찬 장소 섭외 시 회사 혹은 이사회 및 주주총회 장소 인근의 레스토랑으로 섭외하며, 반드시 별도의 룸으로 준비하고, 사전에 메뉴안 등을 구성하여 바로 식사가 진행되도록 준비한다. 식사 후 이동에 불편함이 없도록 차량 준비 및 의전이 원활히 진행되도록 사전에 철저히 준비한다.

〈표 12-7〉 주주총회 소집통지서

주주 여러분께,

제10기 정기주주총회 소집통지서

주주님의 건승과 댁내의 평안을 기원합니다.
상법 제363조, 365조 및 회사 정관 제24조의 규정에 의거 유명그룹 주식회사의 제10기 정기주주총회를 아래와 같이 개최하오니 각 주주님께서는 참석하여 주시기 바랍니다.

\- 아 래 -

1. 일 시 : 2018년 3월 26일 금요일 오전 11시
2. 장 소 : 유명그룹 본사 10층 대회의실(서울 강남구 청담동 134-13)
3. 회의목적사항

가. 보고사항
1) 감사보고
2) 영업보고

나. 의결사항
제1호 의안 : 제10기(2017.01.01~2017.12.31) 재무상태표, 손익계산서 및 이익잉여금처분계산서(안) 승인의 건

제2호 의안 : 감사선임의 건

※ 첨부
1. 참석장, 위임장
2. 의결권 행사 안내문

2018년 3월 14일

유명그룹 주식회사

대표이사 이영준, 박유식

3. 그린미팅 및 골프대회 행사 관련 업무

주주 및 주요 경영진 그린미팅 행사 시 비서의 역할은 그린미팅 일정 조율, 골프장 선정 및 예약, 초청장 발송, 참석현황 파악, 라운딩 전/후 식사 준비, 조편성, 시상식 준비, 협찬품·기념품·상금 준비, 행사 진행 및 수행 등의 역할을 한다.

〈표 12-8〉 초청 안내문 샘플

안녕하십니까?

어느덧 8월도 며칠 남지 않았습니다. 어서 빨리 시원한 바람이 부는 가을이 오기를 기대해 봅니다.
10월 23일 목요일 "제25회 골프대회"를 개최하고자 합니다.

2000년부터 시작된 이 대회는 회원들의 교류 활성화를 위해 개최하게 되었습니다.
이번 대회는 대한민국C.C.에서 개최하고자 합니다.
대한민국C.C.에서는 폭포처럼 흐르는 계곡물과 아름드리나무들 등 자연이 선사하는 극치의 아름다운 전경을 만나실 수 있습니다.

경기방식은 작년과 동일하게 개인전과 조별로 나뉘어 진행될 예정입니다. 한 조에 4명 이상 참석하여 주시기 바랍니다.

회원 여러분의 많은 신청 바라며 원활한 행사진행을 위해 9월 1일 화요일까지 행사 참석여부를 회신 부탁드립니다.

또한 회원님들의 선물 협찬을 받고 있습니다. 회원사 자사제품 또는 자사제품이 아니어도 협찬을 희망하는 분께서는 비서실로 알려주시기 바랍니다.

– 아 래 –

- 일　　시: 2018년 10월 23일(목) 12:00~저녁식사
- 세부일정: 12:00~ 개별도착 점심식사
  12:45 단체 사진촬영
  13:00 tee off예정 (2way 동시티업) 총 10팀 예상
  18:30~ 저녁식사

- 장　　소: 대한민국C.C.(경기도 이천시 이천면 354-1 전화. 031-123-1457)
- 참 가 비: 50만 원
- 게임방식: 조우승: 조별로 점수가 좋은 4분의 점수만 합산
  개인전: 메달리스트, 니어리스트, 롱기스트
  특별상

* 게임방식은 필요에 따라 변경될 수 있습니다.

〈No Show Penalty〉

* 목적: 행사에 참석하기로 통보한 회원이 특정사유 및 통보 없이 행사 당일에 참석하지 않을 경우 Penalty를 부과함으로써 현재 약 10%를 차지하는 취소율을 감소시키는 데 있습니다.
* 취소 규정: 9월 1일(화) 오전 12시 이전까지 취소 시 penalty 없음
  9월 1일(화) 오전 12시 이후 취소 시 : 10만 원/1인(행사 3일 전)
  행사당일취소 또는 no show : 30만 원/1인
* 청구방법: 서면 RSVP Form에 근거하여 청구

-------------------------- Fax-Back Form --------------------------

- 행사명 : 골프대회
- 일　시 : 2018년 10월 23일(목) 12:00~
- 장　소: 대한민국C.C.(경기도 이천시 이천면 354-1 전화. 031-123-1457)
- 참가비: 50만 원

- 회원 이름 : ________________ ☜ 필히 기재
  ☐ 골프 참석(핸디 ____________☜ 필히 기재)
  저녁식사 ☐ 가능　　☐ 불가능

  ☐ 불참 (V 체크)
  저녁식사 ☐ 가능　　☐ 불가능

비고 :

* 본 양식을 작성하신 후 9월 1일(화)까지 비서실 이메일 혹은 Fax(02-1234-0000)로 보내주시기 바랍니다.

4. 사내 만찬 및 자택 만찬 행사

사내 만찬 및 자택 만찬 행사 시 비서업무는 참석자 리스트 작성, 초청장 준비 및 발송, 참석현황 파악, 테이블 레이아웃, 좌석배치도 작성 및 준비, 메뉴안 및 주류 및 음료(리셉션, 식사) 리스트 준비, 셰프 및 서버 인원 구성, 의전 준비 및 진행(차량, 안내 등), 수행인원 및 기사인원 명단 파악 및 식사 관련 비용 준비, 말씀자료 작성 등이다.

[행사관리업무 토론]

1. 이사회 및 주주총회 전/중/후 비서의 업무 및 역할에 대해 토론한다.

2. 그린미팅 전/중/후 비서의 업무 및 역할에 대해 토론한다.

3. 사내 만찬 시 전/중/후 비서의 업무 및 역할에 대해 토론한다.

4. 홈파티 혹은 회사로 초대받은 경우와 반대로 우리 상사의 집이나 회사로 초대하는 경우에 대해 토론한다.

제 13 장

회계업무

제 13 장

회계업무

기본적인 회계업무는 주로 사내 ERP 시스템(ex. SAP, 오라클, MS 등)을 사용하여 처리한다. 비서가 개별적으로 ERP 시스템에 내역을 입력하고 영수증을 첨부하여 회계팀에 전달하여 일괄 처리한다.

제 1 절 회사 경비관련 회계업무

1. 접대비 관련업무

식사비, 라운딩 비용 등의 접대비용은 월말에 일괄 처리하는 경우가 대부분이지만 상사의 접대비 한도금액을 확인하여 처리하도록 하며, 접대비 및 법인카드 한도내역을 수시로 확인하여, 상사가 법인카드 결제 시 불편함이 생기지 않도록 한다. 법인카드 관련 결재를 받을 때에는 카드 사용내역을 작성하여 함께 보고하면 상사가 사용비용 및 사용처를 기억하는 데 도움이 된다.

〈표 13-1〉 카드 사용내역

번호	카드명	사용일	사용처	사용내역	사용금액	총 합계
1	AB 카드	18-10-24(일)	대한C.C.	운동비	1,285,400	1,694,800
2		18-10-26(화)	민국식당	식사비	409,400	
3	CD 카드	18-10-06(수)	레드식당	식사비	402,400	1,078,532
4		18-10-03(월)	콘티넨탈	식사비	676,132	
5						2,773,332

2. 현금 관련업무

경조금, 게임비, 비서실 물품 구매 등 관련하여 현금 필요시 회계팀의 가지급금 신청 프로세스에 따라 기안 작성 후 선지급 받고, 비용 처리한 영수증을 추후 첨부하여 처리한다.

3. 출장비 관련업무

출장 전 항공, 숙박, 교통비, 출장비 등을 작성하여 회계팀 업무 프로세스에 따라 출장 결의서를 작성 후 결재를 받는다. 결재 완료 후 출장비를 상사에게 보고하고, 출장비는 출장 1~2일 전 권종을 골고루 신권으로 환전하여 전달 드린다.

제 2 절 상사의 개인 회계업무

개인 세금, 보험료, 연말정산, 자녀 학자금, 개인자금 입/출금 및 송금 업무, 모임 연회비, 기부금 관리 등이다.

- 입금/송금 업무를 처리할 때는 반드시 처리 후 내역서를 받고 사진 혹은 스캔하여 보관한다.
- 모임 연회비 관리업무는 모임별 연회비, 골프장별 연회비 일자 및 금액을 기입하여 내역을 정리하여 중복 입금되는 일이 없도록 하며, 수령이 가능하다면 연회비 입금 확인서를 모임 간사에게 받도록 한다.
- 기부금 관련 업무는 기부단체별로 기부금액 혹은 물품 내역서를 작성하여 관리하고, 추후 연말정산에 누락되는 일이 없도록 철저히 관리한다.
- 연말정산은 회계팀이 프로세스에 따라 진행하도록 하며, 연말정산 반영 영수증인 소득공제증명서류(신용카드 및 현금영수증 사용내역, 기부금 지출내역 및 영수증, 보험, 의료비, 안경비 등)를 발급받아 첨부하도록 한다.

- 연말정산 결과가 나오면 총 환급금과 정산내역 세부사항을 작성 및 추후 세금신고 예정 일정 및 내역에 관해 보고한다.
- 개인세금은 종합소득세, 자동차세, 재산세(주택, 토지), 주민세, 증여세, 종합부동산세 등이다.
- 세금별 납부기한은 3월, 6월, 9월, 12월은 부가세 신고, 5월은 종합소득세 신고, 6월과 12월은 자동차세, 7월과 9월은 재산세, 12월은 종합부동산세 신고기한이다.

〈표 13-2〉 세목별 내용 및 납부기한(국세청)

세금	내용 및 납부기한
종합소득세	종합소득(이자 · 배당 · 사업(부동산임대) · 근로 · 연금 · 기타 소득)이 있는 사람은 다음해 5월 1일부터 5월 31일(성실신고확인서 제출자는 6월 30일)까지 종합소득세를 신고 · 납부하여야 한다.
종합부동산세	과세기준일(매년 6월 1일) 현재 국내에 소재한 재산세 과세대상인 주택 및 토지를 유형별로 구분하여 인별로 합산한 결과, 그 공시가격 합계액이 각 유형별로 공제금액을 초과하는 경우 그 초과분에 대하여 과세되는 세금이다.
증여세	타인으로부터 재산을 무상으로 받은 경우에 당해 증여재산에 대하여 부과되는 세금을 말한다. 증여를 받은 사람, 즉 수증자는 증여세 납세의무가 있으므로 증여받은 날이 속하는 달의 말일부터 3개월 이내에 주소지 관할세무서에 증여세를 신고 및 납부하여야 한다.

제 3 절 비서실 예산안

비서실 예산안은 회계팀 혹은 전략팀에서 요청 시 차기연도 예산안을 전년도 대비하여 〈표 13-3〉과 같이 계정별로 작성한다.

결재된 예산안에서 추가예산 발생 시 〈표 13-4〉와 같이 예산전용신청서를 작성하여 처리한다.

〈표 13-3〉 비서실 예산안

소속 : 회장 (단위 : 천원)

구분		2018					2018년 계	2019년 추정											
계정코드	계정명	귀속부서	1~9월 실적	10월 추정	11월 추정	12월 추정		1월	2월	3월	4월	5월	6월	7월	8월	9월	10월	11월	12월
51151001	판관-복리후생비(직원식대차대)	회장		1,431	248	1,277		2,000	2,000	2,000	2,000	2,000	2,000	2,000	2,000	2,000	2,000	2,000	2,000
51151015	판관-복리후생비(체력단련비)	회장		0	850			4,000	4,000	4,000	4,000	4,000	4,000	4,000	4,000	4,000	4,000	4,000	4,000
51171001	판관-시내교통비	회장		35	15	71		100	100	100	100	100	100	100	100	100	100	100	100
51171003	판관-국내출장(교통비)	회장		0	0			500	500	500	500	500	500	500	500	500	500	500	500
51171005	판관-국내출장(숙박비)	회장		0	0			500	500	500	500	500	500	500	500	500	500	500	500
51171007	판관-국내출장(식대)	회장		0	0			500	500	500	500	500	500	500	500	500	500	500	500
51171011	판관-국내출장(일당)	회장		0	0			500	500	500	500	500	500	500	500	500	500	500	500
51171015	판관-국외출장(교통비)	회장		0	0			10,000	10,000	10,000	10,000	10,000	10,000	10,000	10,000	10,000	10,000	10,000	10,000
51171017	판관-국외출장(숙박비)	회장		0	0			5,000	5,000	5,000	5,000	5,000	5,000	5,000	5,000	5,000	5,000	5,000	5,000
51171019	판관-국외출장(식대)	회장		0	0			1,000	1,000	1,000	1,000	1,000	1,000	1,000	1,000	1,000	1,000	1,000	1,000
51171021	판관-국외출장(차량임대료)	회장		0	0			300	300	300	300	300	300	300	300	300	300	300	300
51171023	판관-국외출장(일당)	회장		0	0			2,000	2,000	2,000	2,000	2,000	2,000	2,000	2,000	2,000	2,000	2,000	2,000
51371005	판관-운반보관비(서류발송비)	회장		71	104	81		120	120	120	120	120	120	120	120	120	120	120	120
51391017	판관-지급수수료(서류발급수수료)	회장		0	3			10	10	10	10	10	10	10	10	10	10	10	10
51431011	판관-기술개발비(도서대)	회장		149	0	70		300	300	300	300	300	300	300	300	300	300	300	300
51491099	판관-소모품비(기타)	회장		0	121			200	200	200	200	200	200	200	200	200	200	200	200
	합계			1,686	1,341	1,499		27,030	27,030	27,030	27,030	27,030	27,030	27,030	27,030	27,030	27,030	27,030	27,030

〈표 13-4〉 예산전용 신청서

[별지서식 제2호]

예산전용신청서

신청일자	2018년 07월 01일
신청부서	회 장
전용총액	

결재	담당	팀장	본부장

구분	대계정	소계정	1월	2월	3월	4월	5월	6월	7월	8월	9월	10월	11월	12월	계
전용 前	복리후생비	직원식대차대	0	0	0	0	0	0	0	0	0	0	0	0	0
		경조사비	2,333	2,333	2,333	2,333	2,333	2,333	2,333	2,333	2,333	2,333	2,333	2,333	27,996
		탕비용품대	0	0	0	0	0	0	0	0	0	0	0	0	0
		기타 복리후생비	0	0	0	0	0	0	0	0	0	0	120	0	120
		계	2,333	2,333	2,333	2,333	2,333	2,333	2,333	2,333	2,333	2,333	2,453	2,333	28,116
전용 後	복리후생비	직원식대차대	0	0	0	0	0	0	820	0	0	0	0	0	820
		경조사비	2,333	2,333	2,333	2,333	2,333	2,333	1,933	1,933	1,933	1,933	1,943	1,833	25,508
		탕비용품대	0	0	0	0	0	0	620	100	100	100	0	0	920
		기타 복리후생비	0	0	0	0	0	0	340	100	100	100	130	100	870
		계	2,333	2,333	2,333	2,333	2,333	2,333	3,713	2,133	2,133	2,133	2,073	1,933	28,116

[예산전용사유]
사용금액 초과

기 타	

※ 소계정간 전용은 대계정 예산총액 내에서만 가능

기획팀	담당	팀장

〈표 13-5〉 추가경정예산 승인신청서

[별지서식 제3호]

추가경정예산 승인신청서

결재	담당	팀장	본부장	대표사장

신청일자	2018년 10월 26일	신청부서	회장
미계정	지급수수료	추가예산액	110
소계정	기타	추가배정월	11월

예산배정금액			집행누계 (B)	잔여예산 (A–B)	추가예산액 (C)	변경예산 (A+C)
당초예산	추가예산누계	계(A)				
0	0	0	55	-55	110	110

[추가예산사유]

예산 계획분 초과 및 미사용금의 정정

기타	

※ 증빙서류 첨부 : 원안품의서/기타 근거서류

합의	담당	기획팀장

[검토의견]

제 14 장

커뮤니케이션

제 14 장

커뮤니케이션

사람의 삶은 커뮤니케이션의 연속이다. 누구나 타인과 수시로 커뮤니케이션을 통해 상호작용하며 살고 있다. 즉 커뮤니케이션은 사람이 세상을 살아가는 데 있어서 필수 불가결한 요소이다.

제 1 절 효과적인 커뮤니케이션

1. 효과적인 커뮤니케이션 방법

커뮤니케이션을 잘한다는 것은 상대방의 '말'을 잘 이해하는 것이 아니라, 상대방의 '마음'을 잘 이해하는 것이다.

효과적인 커뮤니케이션의 6단계 법칙에 대하여 알아보자.

첫째, 경청하라. 경청의 의미는 상대의 말을 잘 듣고 적극적인 반응을 보이는 것이므로 리액션까지 경청에 포함된다고 할 수 있다. 경청은 의사소통의 기본적인 과정이며 우리는 누구나 자신의 이야기를 잘 들어주는 사람에게 호감을 느낀다.

둘째, 질문하라. 질문은 상대에 대한 관심과 호기심의 표현이다.

셋째, 공감하라. 공감은 상대의 감정, 의견, 상황까지도 '그럴 수 있겠구나.'라고 이해하는 마음이 일어나는 것이다. 상대방에게 공감을 보여주면, 상대는 자신의 마음을 나처럼 알아준다는 느낌을 받게 되어 신뢰감을 촉진시키는 계기가 된다.

넷째, 설명하라. 설명은 자신이 가지고 있는 정보를 상대에게 충분히 제공하고 공유하기 위한 중요한 기술이다.

다섯째, 강화하라. 강화는 타인에 대한 인정, 긍정, 칭찬, 격려, 지지를 전달하는 언어적 표현이다.

여섯째, 유머를 즐겨라. 유머는 긴장을 해소시켜 타인을 편안하게 만드는 기능을 한다.

탁구와 커뮤니케이션을 비교해 보자면, 탁구를 할 때 랠리(rally)상황이 지속되어야 서로 재미를 느낄 수가 있다. 한두 번 주고받고 공이 바닥에 떨어지면 공을 줍기에 급급해 지치게 되고 흥미도 반감된다. 그런데 이와 같은 주고받음이 끝나는 경우가 있다. 한쪽에서 상대방에게 스매시(smash)를 가할 때다. 이 경우에는 이미 작정하고 가한 것이라 상대방과 더 이상 랠리(rally)가 이어지기는 쉽지 않다. 어쩌다 한번이라면 몰라도 매번 이렇게 되면 상대방이 나와 운동을 계속 하고 싶은 것인지에 대한 의구심이 생기면서 그 사람과는 함께 운동하기가 꺼려진다. 서로의 실력 차이에서 오는 거리낌이라기보다는 상대방에 대한 배려와 존중의 차이에서 오는 거리낌이 크기 때문이다.

이러한 상황은 우리 일상에서 특히, 커뮤니케이션하는 상황을 들여다보면 전혀 다르지 않다는 것을 알 수 있다. 커뮤니케이션은 랠리, 즉 쌍방향(two-way)이 기본이다. 서로 주고받음이 없다면 진정한 커뮤니케이션이 되기 어렵다. 커뮤니케이션을 잘 하는 사람들은 무엇보다도 상대방이 하는 말을 잘 경청하는 것으로 알려져 있다. 이때 경청은 단순히 귀로 듣는 것만이 아니라 상대방이 한 말에 대해 적극적인 반응을 보이는 것까지 포함한다. 예를 들어 상대방으로부터 “나 지금 피곤해”라는 말을 들었을 때, 단순히 “좀 쉬어”라고 말하는 것이 아니라 “정말 많이 피곤해 보이네. 무슨 일 있어?”까지 말하는 것이 경청에 포함되는 것이다. 그리고 이 지점부터가 커뮤니케이션에서 상대방과 랠리가 시작되는 시점이다. 반면 같은 상황이지만 “뭐가 피곤해?” 혹은 “안 피곤한 사람이 어디 있어?” 등의 말은 상대방에게 일종의 스매시를 가하는 것이다. 이렇게 커뮤니케이션하는 사람과는 더 이상의 대화가 이어지기도 어렵고 앞으로의 발전된 관계를 기대하기도 어렵다.

커뮤니케이션을 잘하는 사람들의 또 다른 점은 경청뿐 아니라 질문도 남다르다는 것이다. 일례로 그들은 어떤 일에 대해 준비가 더딘 상황을 보면서 “아직도 안 됐어?”라고 묻기보다는 “잘되고 있지?” 또는 “언제쯤 될까?”라고 묻는다.

그들은 과거형, 부정형의 질문이 아니라 긍정형, 미래형 질문을 구사한다. 과거형, 부정형의 질문은 문제에 대한 변명을 이끌어내는 질문이고, 미래형, 긍정형의 질문은 문제를 해결하기 위한 질문이기 때문이다. 과거형, 부정형의 질문은 상대방에게 스매시를 가하는 질문이고 긍정형, 미래형의 질문은 상대방과 랠리를 이어나가는 질문이다.

상대방과 원활하고 효과적인 커뮤니케이션을 기대한다면 먼저 자신이 어떻게 커뮤니케이션을 하고 있는지 생각해 볼 필요가 있다. 그리고 필요하다면 어제와는 다른 방식으로 접근해야 한다. 최고의 소통법은 스매시가 아니라 랠리이기 때문이다.

커뮤니케이션의 스마트(S.M.A.R.T) 법칙에 대하여 알아보자.

S는 소통에 있어 신속(Speed)해질 필요가 있음을 의미한다. 상대방한테서 질문을 받거나 답변을 주어야 하는 경우 가능한 빠른 시간 내에 응답하는 것이 좋다. 커뮤니케이션은 주고받는 것이 기본인데 일방적으로 받기만 한다면 커뮤니케이션은 어려워진다.

M은 지속적으로 모니터링(Monitoring)해야 한다는 것을 의미한다. 커뮤니케이션을 위해서는 상대방에 대한 관심이 필요한데 이미 당신의 커뮤니케이션 대상자들은 수많은 SNS 공간에서 자신의 근황은 물론, 감정까지도 표현하고 있다. 상대방과의 형식적인 인사를 주고받기 싫다면 관심의 끈을 놓지 말아야 한다.

A는 말에 대한 진정성(Authenticity)을 보여주어야 한다는 것을 의미한다. 자신이 하고자 하는 말에 대한 진정성을 스스로 확인해 볼 수 있는 방법 중 하나는 자신이 상대방에게 한 말이 다음날 일간지 1면을 장식한다고 했을 때 과연 부끄럼이 없는가에 대한 자문자답만으로 가능하다.

R은 자신의 아집이나 고집을 제거(Remove)해야 한다는 것을 의미한다. 많은 경우 커뮤니케이션의 실패는 자신의 아집이나 고집에 기인한다. 커뮤니케이션은 이기고 지는 게임이 아니다. 나의 생각이 중요한 만큼 상대방의 생각도 중요하다는 것을 잊지 말아야 한다.

T는 상대방에게 신뢰(Trust)를 주어야 한다는 것을 의미한다. 타인에게 자신의 신뢰도를 높이기 위해서는 자기중심적인 언행은 줄이고 언행의 일관성을 키워야 한다. 쉽지 않은 일이지만 커뮤니케이션의 성공이 서로에 대한 신뢰에서 비롯된다는 점에서 볼 때 결코 간과할 수 없는 부분이다.

상대방 반응을 이끌어내고 보다 원활한 커뮤니케이션을 기대한다면 표현하는 방식의 변화와 함께 보다 스마트(S.M.A.R.T)하게 접근해 볼 필요가 있다.

제 2 절 비서의 커뮤니케이션

비서는 상사와 조직구성원 간의 커뮤니케이션 창구이자 상사의 눈, 귀, 입이다. 눈으로 관찰하여, 관심사를 알아내고, 귀로는 경청을 하며, 입으로는 상사의 의중을 전달하는 것이 비서의 역할이다. 비서의 커뮤니케이션 종류는 언어적 커뮤니케이션으로는 대면보고, 대화 등이며, 비언어적 커뮤니케이션은 서면보고, 태도, 표정 등이다.

효과적인 의사소통은 비서와 상사와의 원활한 인간관계 및 업무관계 형성에 지대한 영향을 미친다. 상사가 어떠한 생각을 하고 있으며, 하고자 하는 일의 방향, 결과가 어떠한 것인가에 대하여 올바로 이해함으로써 비서는 좀 더 효율적으로 상사를 보좌할 수 있다(조애숙, 최혜경, 1997). 비서는 상사의 부하직원으로서 가장 많은 대화를 나누는 직업 중 하나라고 해도 과언이 아닐 것이다. 그러기에 상사에게 자신이 수행하는 업무나 시사성 있는 공통적인 화제와 평소 상사가 관심 있어 하는 분야에 대해 설명하고 대화할 수 있는 능력을 보유할 수 있도록 평소 노력하여야 한다.

또한 가능한 많은 말을 자제하고 상사의 이야기를 잘 듣는 자세를 보여야 하며 상사에게 불필요한 말은 삼가고 상사의 질문에 간결하고 명확하게 대답하는 자세가 필요하다.

1. 비서의 대화태도

비서는 자신의 얘기는 되도록 적게 하고 상대가 말을 많이 할 수 있도록 유도하는 것이 좋다. 사람은 누구나 실수할 수 있고 이때 업무 등의 얘기를 하다 보면 자칫 보안에 관련된 이야기 혹은 상사의 의중을 드러낼 수도 있기 때문이다. 상대의 말을 최대한 유도해야 하는 이유는 정보수집 차원에서 도움이 될 수 있기 때문이다.

2. 대화에 필요한 성품

- 진실성 : 화려한 미사여구를 사용하기보다는 상대가 진실성을 느낄 수 있도록 담백하며, 진정성 있게 대화한다.
- 정중성 : 상대방을 의식하는 무게가 있어야 한다.
- 신뢰성 : 상사가 비서에게 있어 가장 중요하다고 생각하는 능력의 조사 결과 첫 번째가 신뢰성이다.
- 교양성 : 누구에게나 항상 깍듯한 말과 부드러운 어투로 대화한다.
- 책임성 : 자신의 말에 대해서는 반드시 책임을 지고 실천성 없는 말은 삼간다.
- 이해성 : 상대가 이해하기 쉬운 언어로 표현한다.
- 겸손함 : 비서는 상사를 대변하므로 정중한 어투를 사용하여 상대가 위화감을 느끼지 않도록 한다.
- 함축성 : 핵심 없는 장황한 말보다는 의도를 분명하게 전달할 수 있도록 짧고 간략하게 이야기하는 습관을 갖도록 한다.

3. 비서의 커뮤니케이션 프로세스

상사는 자신의 의중을 언어적 · 비언어적 커뮤니케이션을 통하여 비서에게 전달하며 비서는 상사의 지시사항을 사내 및 외부인사들에게 전달한다. 내/외부인사들은 상사의 지시사항에 대한 피드백을 다시 비서에게 전달하며 비서는 이러한 피드백을 취합하여 상사에게 보고한다.

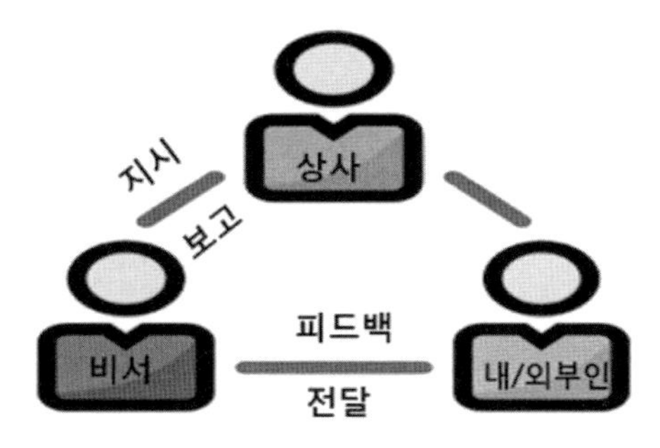

[그림 14-1] 비서의 커뮤니케이션 프로세스

4. 비서의 커뮤니케이션 5단계

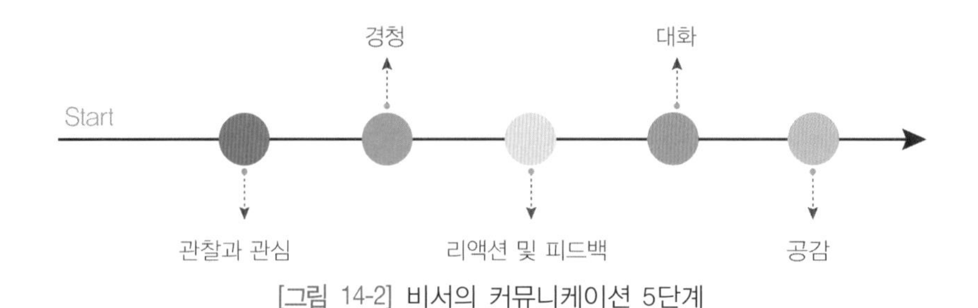

[그림 14-2] 비서의 커뮤니케이션 5단계

- 관찰과 관심 단계 : 비서는 상사가 자주 보는 뉴스, 아티클, 회의자료 등에서 상사의 관심사를 유추할 수 있다.
- 경청 단계 : 상사가 하는 이야기, 지시사항을 경청하고 메모하라.
- 리액션 및 피드백 단계 : 상사의 지시사항에 대한 중간보고를 반드시 하여 피드백을 반영하라.
- 대화 단계 : 대화는 마음과 마음을 공유하는 것이다. 평상시 상사가 하는 이야기를 이해하고 대화가 통하도록 준비하라. 즐겨 보는 뉴스, 서적, 전시 등 상사와의 공통점을 만드는 것이 필요하다.
- 공감 단계 : 상사와 비서가 서로 공감이 되게 일하라. 때로는 상사들이 비서의 작은 실수에도 민감한 반응을 보일 때가 있다. 이럴 때 신입비서는 개인적인 감정으로 받아들여 상처받는 경우가 발생한다. 하지만 상사의 상황을 이해한다면 그의 감정을 이해할 수 있다. 예를 들어 매월 둘째 주 월요일 아침 실적보고회의가 있는데 이번 분기 실적이 좋지 않다면 상사는 회의시간에 곤란함을 겪을 수밖에 없다. 그렇다면 당연히 감정이 좋은 상태가 아니기 때문에 평소에 지나갈 수 있는 일도 민감하게 받아들여 비서를 나무랄 수 있다. 그러므로 항상 상사의 일정, 회의 분위기 등을 파악하여 대응하는 것이 좋다. 또 상사는 비서에게 한 번에 여러 가지 일을 지시하고, 어느 정도 양의 일을 지시하였는지 잊어버리는 경우가 종종 있다. 그러므로 반드시 중간보고를 통하여 비서는 자신이 어느 정도의 일을 하고 있다는 것을 보고해야 한다. 그렇게 해야 비서가 혹여 실수하는 상황이 생겨도 상사도 어느 정도 이해할 수 있는 여지가 생기는 것이다.

5. 비서의 커뮤니케이션 오류 및 사례

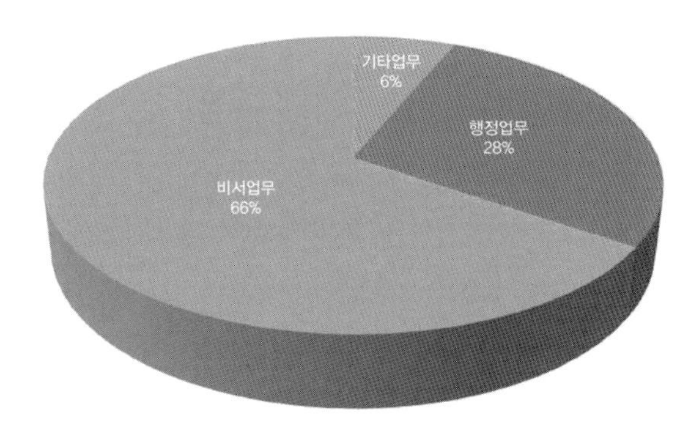

[그림 14-1] 업무영역별 오류사례 발생 분포도

커뮤니케이션 오류의 업무별 분포를 살펴보면 오류발생 빈도가 높은 상위 여섯 번째까지의 업무 중 지시받은 업무처리, 전화업무, 일정관리업무, 문서 작성, 문서처리 등 다섯 가지 업무가 비서업무영역에 속한 업무들이다. 이는 업무처리방법이 정해진 행정업무 처리 시보다 처리방법이 정해져 있지 않고 불규칙적으로 발생하는 업무들이 많이 포함되어 있는 비서업무 처리 시 커뮤니케이션 오류의 발생빈도가 높다는 것을 알 수 있다.

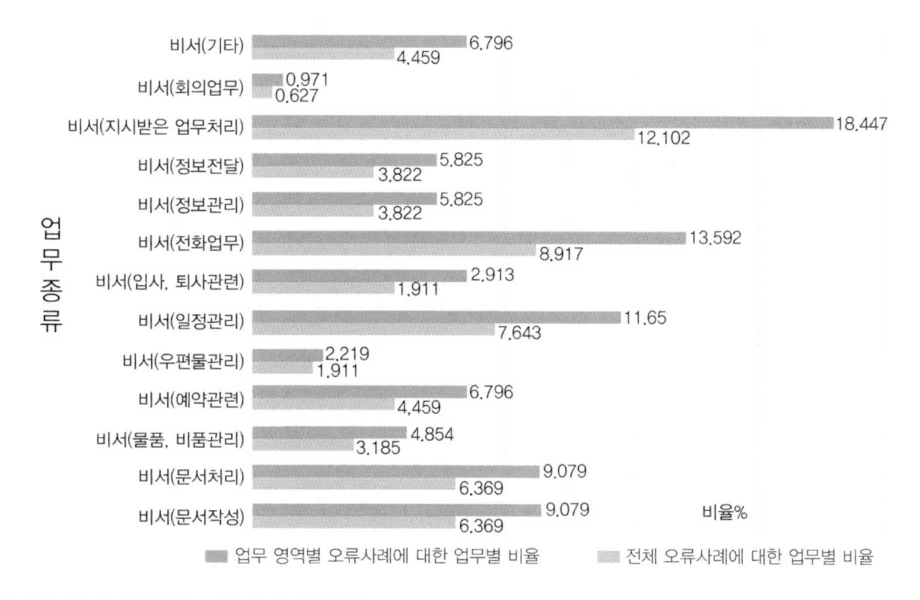

[그림 14-2] 업무별 오류사례 발생 분포도

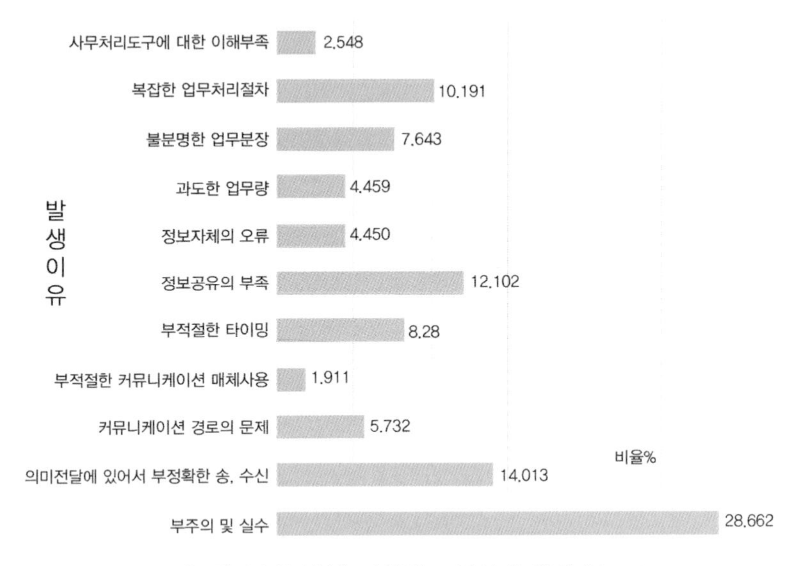

[그림 14-3] 발생 이유별 오류사례 발생 분포도

커뮤니케이션 오류의 발생이유 중 가장 높은 비율을 차지하고 있는 부주의 및 실수에 의해 발생한 오류사례를 살펴보면 업무지시를 받을 때 특이사항을 신경 쓰지 않고 지나친 경우, 지시받은 업무를 잊어버리고 처리하지 않은 경우, 사소한 점검을 하지 않아 문제가 발생한 경우, 사소한 착각으로 업무사고가 발생한 경우가 빈번한 것으로 나타났다. 커뮤니케이션 송/수신에 있어서 구두 커뮤니케이션의 사용이 많은 오류를 발생시키는 것으로 나타났는데 사례들을 살펴보면 유사발음 · 유사용어 · 유사업무의 혼돈으로 발생한 오류와 업무요청 및 보고 시 정확한 내용을 전달하지 않아 발생한 오류가 빈번한 것으로 나타났다.

부주의 및 실수로 발생하는 오류가 많은 만큼 기록을 하고 그 기록을 수시로 확인하는 것, 업무지시를 받을 때 지시내용을 상대방에게 확인하는 것, 필요에 따라 구두 커뮤니케이션과 서면 커뮤니케이션을 동시에 사용하는 것, 간단한 행정업무 매뉴얼을 작성하여 이해하는 것이 커뮤니케이션 오류를 줄이는 효과적인 방법으로 볼 수 있다. 이와 더불어 메시지 송신 시에는 말하기 전 내용을 잘 정리해 명료하면서도 순서 있게, 상대방의 입장에서 이해하기 쉽게 전달한다. 메시지 수신 시에는 중요한 사안은 메모를 하고 전체적인 맥락에서 의미를 파악하며, 이해한 메시지를 자신의 말로 바꾸어 상대방에게 확인하는 것 또한 업무수행 시 커뮤니케이션 오류를 줄일 수 있는 좋은 방법이다.

1) 커뮤니케이션 오류 사례

〈표 14-1〉 커뮤니케이션 오류 사례

관련업무	오류사례
일정관리	• 동료비서에게 담당 파트너에게 회의 일정을 전달해 달라고 부탁했는데 제때 전달되지 않았다. • 동료비서에게 담당 상사의 가능한 미팅시간 확인을 요청하였는데 제때 확인되지 않았다. • 행사스케줄 보고를 드릴 때 날짜를 잘못 체크하고 말씀드려서 상사가 행사와 다른 날짜에 가시는 바람에 헛걸음하신 적이 있다. • 상사께서 회장님과 미팅일정을 잡으라 하셨는데 당연히 서로 말씀을 나눈 상황인 줄 알고 세부내용을 구체적으로 말하지 않아 회장님 비서실과 일정을 잡다가 곤란했던 경험이 있다.
전화응대 업무	• 상사 부재 시 받은 전화메모를 다른 업무로 인해 잊어버리고 늦게 전하거나 전하지 않았다. • 상사가 연결하지 말라고 한 전화를 연결했다. • 전화메모 시 회사명, 발신자 성명, 전화번호 등 정보를 잘못 받아 상사에게 전달했다. • 발신자가 누군지 밝히지 않고 '나한테 전화 왔다고 해'라고 했는데 누군지 몰라 난처했다. • 전화메모 시 상대방이 상사가 전화번호를 알고 있다고 해서 번호를 받지 않았는데 상사가 왜 전화번호를 받지 않았냐고 해 난처했다. • 상사가 ○○○사장 휴대폰 연결을 원하셨는데 다른 번호로 전화를 걸어 수신자 확인을 제대로 하지 않은 채 연결한 경험이 있다.
예약업무	• 골프부킹을 지시받은 후 잊어버리고 늦게 연락해 원하는 시간에 부킹을 하지 못했다. • 골프 예약 건이 있어 취소 날짜에 취소여부를 여쭤보았는데 상사께서 나중에 말씀해 주신다고 하신 후 별다른 말씀이 없으셔서 다시 체크하지 않아 취소하지 못해서 혼난 적이 있다. • 상사가 미팅 날짜를 착각하여 식당 예약일을 비서에게 잘못 알려주었고 비서는 예약 후 예약일을 상대측에게 전달해 고객이 잘못된 날짜에 약속장소에서 기다렸다.
회의관련 업무	• 상사께서 회의 전에 문서 바인딩 자료 준비를 요청하셨는데 용어를 못 알아들었음에도 나름대로 도와드린다고 해드렸다가 상사께서 회의 참석에 늦으셨고 무척 언짢아하셨다. • 회의 주관부서로부터 받은 지시, 부탁, 행정업무 관련 정보를 동료비서들에게 적시에 전달(공유)하지 않았다.

정보관리 및 전달	• 파트너사 임원의 승진사실을 알지 못하고 이전 직급을 사용했는데 후에 다른 사람과의 대화를 통해 승진했음을 알게 되었다. • 행정업무 처리 시 비서가 답을 할 수 있는 경우에도 상사가 관련부서에 직접 문의해 관련부서에서 이에 대해 비서에게 불평했다.
문서처리 및 작성	• 상사가 작성한 원고의 글씨체가 정확하지 않아 타이핑 시 알아보지 못했다. • 상사가 문서의 용도에 관한 정확한 설명 없이 문서 작성을 지시해 비서의 생각대로 작성해 제출하였더니 잘못되었다며 재작성을 지시했다. • 상사가 지시한 형태로 문서 작성을 했는데 완전히 틀을 바꾸어 재작성할 것을 지시받았다.
문서처리	• 다른 부서 상사에게 전달해야 할 서류를 담당 비서에게 주었는데 제때 전달되지 않았다. • 비서가 작성하여 상사에게 USB로 전달한 파일을 상사가 잘못 수정해 파일이 복구 불가능하게 손상되었다. • 내일 팩스로 보내라고 지시받은 서류를 오늘 보냈다. • 서류 카피를 지시받았는데 커피를 타드렸다.
내방객응대 업무	• 상사 회의 도중 손님이 약속 없이 오셔서 메모만 남겨놓고 돌려보냈는데 알고 보니 중요한 손님이셨고 회의 중인 상사께 보고했던 상황이었다. • 리셉션으로부터 손님이 왔다는 연락을 받은 후 급히 다른 업무를 처리하다 잊어버리고 상사에게 메시지를 전달하지 않았다.
경조사 업무	• 상사가 부의금 봉투를 준비해 달라고 하셨는데 따로 판매하는 축의, 부의 봉투가 있는지 모르고 나름대로 출력하고 풀을 붙여서 만들어드렸는데 매우 언짢아하셨다. • 빈소가 중간에 변경된 것을 확인하지 못하여 상사가 고객사 빈소에 잘못 찾아가신 적이 있다.

자료 : 기존 연구를 중심으로 저자 재구성

제 15 장

팔로워십

제 15 장 팔로워십

제1절 팔로워십의 개념

1. 팔로워십의 정의

팔로워십이란 조직 구성원인 개인이 독립적 사고와 적극성을 가지고 판단하고 행동하는 것으로, 리더십과는 다른 독립적인 요소로 구분된 개념이다. 미국 카네기멜론대학 로버트 켈리(Robert Kelley) 교수는 "조직의 성공에 리더가 기여하는 것은 20% 정도이며 나머지 80%는 팔로워들이 기여한다. 훌륭한 리더들은 과거 2인자로도 뛰어났다."라고 말하였다. 리더의 부족한 부분을 채워 공동목표를 달성할 수 있도록 하는 것이 팔로워십의 핵심이라 할 수 있다.

2. 성공한 팔로워의 사례

1) 문재인 대통령

[그림 15-1] 비서실장 시절 문재인 대통령과 19대 대통령 취임식
[사진=사람사는세상, 노무현재단(上), 청와대(下)]

노무현 前 대통령의 비서실장을 역임했던 문재인 대통령은 2004년 노 대통령 탄핵 재판 시 변호인단을 꾸려 탄핵기각을 이끌었으며, 노무현 前 대통령의 벗이자 동료로 30년이란 인생의 길을 함께 걸으며 늘 대통령을 지켰고, 서거 이후 2012년 정치의 길로 다시 접어들어 대선에 출마하였으며, 2017년 제19대 대통령으로 당선되어, 갑작스러운 정권 이양에도 불구하고 자신만의 신념과 경험을 바탕으로 국정을 운영해 나가고 있다.

2) 팀 쿡(Timothy D. "Tim" Cook), 애플 CEO

[그림 15-2] 애플의 현 CEO 팀 쿡(左)과 스티브 잡스(右)(사진=연합뉴스)

- 스티브 잡스(Steve Jobs)의 파트너였던 팀 쿡은 실질적으로 앞에 나서서 경영을 한 스티브 잡스와는 다르게 조용히 내부에서 애플에 영향력을 행사하였다. 스티브 잡스는 "그가 원하는 것이 내가 원하는 것과 같았다."고 밝혔다.
- 스티브 잡스가 재고처리에 대해 깊은 고민과 재정적인 부담을 느끼고 있을 당시 팀 쿡은 애플에 합류하던 그해 재고량을 대폭 줄여 19개의 창고 중 10개를 없애는 수완을 발휘했으며 재고일수는 1개월에서 6일로 줄었다.
- 팀 쿡은 2011년 스티브 잡스의 사임 후 새로운 애플 CEO가 되어 그만의 스타일로 애플을 이끌고 있다.

3) **스티브 발머**(Steve Anthony Ballmer), **마이크로소프트 전** CEO

[그림 15-3] 스티브 발머(左)와 빌 게이츠(右)(사진=지디넷코리아)

- 빌 게이츠의 명참모였던 스티브 발머는 1980년 MS에 28번째 직원으로 입사해서 20년도 되기 전에 회사를 세계 최대 기업으로 성장시키는 데 결정적인 역할을 했다.
- 빌 게이츠가 MS의 나아가야 할 방향을 제시하고, 그곳에 도달하는 방법을 찾아내는 사람은 발머였으며 2000년 MS CEO로 취임하여 3년간 MS를 이끌었다.

- 현재의 팔로워는 미래의 리더다.
  어떤 리더가 되느냐는 현재 어떤 팔로워냐에 의해 결정된다. 진정한 팔로워란 소신을 갖고 공동의 목표를 향해 리더를 물심양면으로 돕는 사람을 말하며, 리더와의 협력 아래 주어진 역할을 충실히 수행하는 '공헌'과 자신의 사고를 토대로 행동하려는 '비판력'을 두루 갖춘 사람이 되어야 한다.
- 진정한 팔로워가 진정한 리더가 된다.
  앞으로 일부러 드러내려 하지 않고, 다른 사람들의 일이 잘될 수 있도록 지원해 주며, 그들이 최선의 의사결정을 내릴 수 있도록 측면에서 보좌하는 일은 조직 전체의 성과를 만들어내는 중요한 일이다.
- 팔로워는 나뭇잎과 같다.
  나뭇잎은 나무의 일부인 동시에 나무 전체를 구성한다. 이처럼 팔로워 한 사람 한 사람은 개인이지만 조직 전체의 정신, 목적, 방향을 구체화하는 중요한 존재다. 공동의 목적을 이루기 위해 다른 사람과 함께 어울려 기꺼이 협력하고, 나의 목표와 공동체의 목표를 조화롭게 이룰 수 있는 균형감각을 가진 팔로워가 되어야 한다.

제 2 절 성공한 팔로워들의 8가지 습관

- F : Fast Response(리더의 지시에 빠르게 반응하라)

  빠른 응대를 통해 문제를 해결해 나갈 수 있다.

- Originality(나를 차별화하라)

  같은 분야에서 3년 정도 일하면 자신만의 콘셉트가 있어야 하고, 어느 한 분야에서 뛰어난 모습을 보여야 한다.

- L : Limitless(한계란 없다)

  주어진 업무에 한계와 제한을 두지 말아야 한다. 리더가 업무를 지시할 때는 팔로워가 할 수 있는 일을 배분하는 경우가 대부분이다. 자신의 한계를 넘어선 순간 자신의 능력도 성장하게 된다. 'Mission Impossible'이 아니라 'Mission Possible'이 되어야 한다.

- L : Listen(어떤 상황에서도 리더가 하는 말을 잘 들어라)

  리더가 말하는 것이 무엇인지, 리더가 진정 바라는 것이 무엇인지 리더의 말 속에 다 들어 있다. 리더의 말 속에 리더의 철학이 들어 있고, 리더의 철학을 이해해야 진정한 팔로잉을 할 수 있다.

- O : Optimistic View(긍정적인 면을 보는 눈을 가져라)

  긍정적인 면을 바라보는 시각이 중요하다. 리더가 업무를 지시하면 안 되는 이유보다 될 수 있는 방향으로 생각하고, 어려운 일이라도 일단 시작하면 완료할 수 있다는 긍정적인 시각을 가져야 한다. '왜 나에게만 일을 시킬까'가 아니라 '나에게 성장할 수 있는 기회를 줘서 감사하다'는 마음을 가져야 한다.

- W : Wisdom(지식보다 지혜가 필요하다)

  회사에서 지식이 모자라서 업무가 해결되지 못하는 경우는 그리 많지 않다. 지식을 바탕으로 자신의 지혜를 덧입혀 자신만의 결과를 만들 수 있어야 한다. 지식은 한계가 있지만 지혜는 끝이 없다.

- E : Energy(조직의 분위기를 바꿀 수 있는 긍정적 에너지가 있어야 한다)
  아침에 출근하면 가장 밝은 톤의 목소리로 하루를 활기차게 시작하고 일을 하면서는 항상 에너지가 넘쳐야 한다. 회식할 때는 더욱 활기차게 분위기를 리드해야 한다.
- R : Reader(책을 읽어 좋은 리더의 경험을 간접 흡수한다)
  업무 관련 보고서 또는 관련 서적을 많이 읽는 것이 좋다. 지식을 왕성하게 흡수하여, 자신의 영역 DM으로 구축하는 것이 필요하다. 요즘 리더들은 직원들에게 인문학 관련 서적을 다양하게 읽는 것을 추천한다.

제3절 리더십과 팔로워십의 관계

조직에는 상사보다 부하직원이 더 많고, 사회에도 리더보다 팔로워들이 더 많다. 리더가 팔로워들에게 최선을 이끌어낼 책임이 있듯 팔로워들도 리더에게서 최선을 이끌어낼 책임이 있다.

1. 리더십의 99%는 팔로워십

- 리더십과 팔로워십은 별개의 개념이 아닌 동전의 양면처럼 긴밀하게 공존하면서 지속적인 상호작용을 통해 존재를 지켜나가는 것이다.
- 최고의 리더는 팔로워에게 요구를 잘하는 사람이 아니라 팔로워의 상황적 요구를 가장 잘 들을 수 있는 사람이다.

2. 21세기 리더의 덕목은 팔로워십(하버드대학 바버라 켈러먼 Barbara Kellerman 교수)

- 정보획득의 대칭성 : 리더와 팔로워 간에 정보격차가 없다.
- 커뮤니케이션 발전 : 페이스북 혁명이 이집트 무바라크 대통령을 하야시켰다. 이집트에서는 2011년 30년간의 독재정권이었던 무바라크 정권에 대한 시위를 벌인 지 18일 만에 대통령을 하야시켰다. 트위터와 문자 메시지를 통해 결집시키고 페이스북 페이지에서 행동을 요구했다.
- 행동주의의 보편화 : 다른 사람의 행동을 보고 동참한다.

3. 리더가 팔로워에게 원하는 것은 바로 주인의식

- 진취적 태도
- 협조 의향
- 혁신적 동기부여
- 성취 지향의 열정

제 4 절 리더와 팔로워의 관계

리더와 팔로워의 관계는 공동의 목표를 위한 상호 호혜와 상호 교환의 관계이다.

진정한 리더십을 위해서는 무엇보다 이를 뒷받침해 주는 사람들의 힘이 필요하며, 리더와 팔로워 모두 선제적으로 합심하여 공유비전을 달성하는 것이 중요하다.

1. 팔로워십 사례

1) 미국 웨스트포인트사관학교의 팔로워십

육군사관학교 West Point에서 모든 생도들은 리더이며 팔로워이다.

부하 개개인의 관심사를 학습하고, 리더들이 구성원들의 역량에 근거하여 리더십을 발휘할 수 있도록 학습한다.

2) 미국 항공사

승무원들은 조종사가 위험한 실수를 저지르는 것을 목격했을 때 적극적으로 비판하도록 훈련받는다. 수년 전 한 조종사가 연료가 부족하다는 승무원들의 의견을 무시하고 추락한 이후 공식 도입됐다.

3) 2011년 SK식 팔로워십(Followership)의 등장

SK 그룹의 총수 및 계열사 사장들은 검찰의 강도 높은 수사에도 계획된 일정을 소화하면서 위기로 인해 나타날 수 있는 혼란을 최소화하였고, 오너의 부재에도 불구하고 임직원들은 동요 없이 자신의 업무와 역할에 책임을 다하는 모습을 보였다. 임직원들은 경영 일선에서 발생할 수 있는 검찰 수사의 악영향을 최소화하는 것을 가장 중요하게 생각하며 업무에 임하여 확실한 SK식 팔로워십을 보여주었다.

제 5 절 조직이 원하는 팔로워

1. 보완

- 리더를 보완하는 팔로워
- 조직의 방향성과 미션을 이해하고 자신의 능력을 바탕으로 리더의 부족한 부분을 보완한다.

2. 직언

- 직언할 수 있는 팔로워
- 잘못되었다고 판단하는 사안에 대해 직언을 하는 팔로어는 리더에게 올바른 방향을 제시하고 시너지를 창출하는 긍정적 긴장관계를 만들 수 있다.
- "좋은 팔로워는 상부에 솔직한 피드백을 제공해야 한다. 상사에게 '나는 우리가 잘못하고 있다고 생각한다.'거나 '더 좋은 방법이 있을 거다.'라고 말할 수 있어야 한다."(미셸 부츠코우스키 '콘솔 에너지' 인적자원관리자)
- 상사에게 비판이나 조언을 할 때 "당신의 의견을 좀 더 이해하고 싶다."는 화법을 사용하는 것도 좋다.

3. 목표

- 조직의 목표와 함께 가는 팔로워
- 조직의 목표에 자신의 구체적인 목표를 전략적으로 연계시키고 리더 및 동료와 공유하며 조직의 발전을 위해 자발적으로 참여한다.

4. 도전

- 끊임없이 도전하는 팔로워
- 현재의 상황에 안주하지 않고 새로운 영역에 뛰어드는 것을 두려워하지 않는 지속적인 도전의식이 필요하다.

제6절 팔로워십 향상방법

1. 리더를 현실적으로 받아들이자

- 리더는 완벽할 것이라는 기대를 품으면 균형 있는 관계 정립이 어려워진다. 오히려 리더의 솔직한 모습을 현실적으로 받아들이는 것이 편하다.
- 모든 상사는 충성받을 권리가 있다. 팔로워라면 알려질 경우 타격을 받을 수 있는 상사의 정보와 비밀을 지켜주고 보완해 줄 의무가 있다. 상사의 약점을 퍼트려 신뢰를 잃기보다는 상사를 보호하라. 그럴 때 관계와 소통의 기반인 신뢰가 형성된다.

2. 상사의 유형을 파악하자

상사를 연구하는 것도 팔로워의 능력이다. 같은 언어를 사용해야 말이 통하는 상사와의 소통에서도 상사의 업무 스타일과 성향을 파악하고 그에 맞춰야 한다.

3. 상사의 지시는 메모, 복명, 확인의 3단계를 거치자

- 상사가 지시하기 위해 부르면 일단 수첩과 필기도구를 챙겨 들고 간다. 상사가 지시를 마치고 "알아들었나?" 하고 물으면 "예, 알겠습니다." 하고 습관적으로 대답하지 말고 "제가 듣기로 첫째, 이렇게 말씀하셨고, 둘째 이렇게 말씀하셨는데 제 이해가 맞는지요?" 하고 확인한다.
- 확실한 것은 상사의 지시사항을 가능하면 깨끗하게 정리해 상사에게 다시 한 번 확인을 받는 것이다.

4. 연락, 보고, 상의를 생활화하자

- 리더들에게 설문조사를 했을 때 같이 일하고 싶은 직원 베스트 1위는 '보고 잘 하는

직원'이다. 생각을 해보지도 않고 기본적인 것을 묻는 직원은 태도 불량이지만, 방향에 대해서 상사의 의향을 물어보는 직원은 상사의 시간을 Save해 준다.

- 피터 드러커는 "모든 팔로워는 좋은 소식으로든 나쁜 소식으로든 상사를 놀라게 해서는 안 된다."고 하였다. 업무 진행상황에 대해 상사에게 수시로 연락하고 보고하고 상의하라. 상사가 우리 조직의 중요한 의사결정권을 가지고 있고, 부하들이 그의 '영도력'에 의지한다는 것을 노골적으로 표현하라.

5. 리더가 시킨 것 이상을 하자

- 상사는 부하가 자신의 기대를 뛰어넘는 일을 해낼 때 전폭적인 신뢰를 보낸다. 그러기 위해선 상사의 요구 뒤의 욕구를 읽을 줄 알아야 한다. 많은 부하가 '시키는 대로 다 했는데 왜 야단이야' 하며 불평한다. 하지만 바로 그것 때문에 상사들이 불평하는 것이다. 상사들은 부하들이 시키는 것 이상으로 해내지 못하는 것이 성에 안 차는 것이다. 요구가 필요로 하는 것이라면, 욕구는 원하는 것이다. 차 한잔 마시자는 것이 데이트를 청하는 말인 것처럼 상사의 요구사항 이면에 있는 욕구를 읽을 줄 알아야 한다.
- 상사가 차마 말하지 못하는 욕구까지 읽어내 해결하고 지원해 주는 부하를 보는 상사의 마음이 어떻겠는가? 절대 시키는 일만 하지 마라. 상사가 필요로 하는 것이 무엇인지 간파하여 그것을 해결해 줄 수 있는 사람이 되어야 한다.

[팔로워십 토론]

1. 내가 가지고 있는 팔로워십을 3단어로 표현한다면?

2. 자신이 좋은 팔로워가 되기 위해서는?

3. 본인이 리더라면 어떤 팔로워를 원하는가?

4. 나는 어떤 팔로워로 기억되고 싶은가?

제 16 장

CEO PI

CEO PI

제1절 CEO 브랜드의 개념

CEO 브랜드는 퍼스널 브랜드로서 CEO인 개인을 브랜딩하는 것이다. CEO의 높은 이미지는 주가를 올리며, 기업 및 상품의 부가가치를 창출하기도 한다. 반대로 낮은 CEO 이미지는 주가를 하락시킬 뿐 아니라 기업 및 상품 가치에 부정적인 영향을 미치기도 한다. 이는 글로벌 커뮤니케이션 기업 웨버샌드윅이 2014년 전 세계 임원 1,700명을 조사한 결과 절반이 "향후 수년 내에 CEO(또는 오너)의 명성이 기업 명성보다 중요해질 것"이라고 밝힌 조사결과에서도 알 수 있다.

CEO의 부정적 이미지가 회사에 영향을 미친 사례로 P베이커리와 H그룹을 들 수 있다. P베이커리의 회장은 호텔 직원 폭행사건으로 주요 거래처이던 코레일과 납품처들의 납품 중단 요구와 불매운동으로 이어져 결국 자진폐업하게 되었고(국제신문, 2014), H그룹 회장의 차남이 조폭들에게 폭행당한 사건에 격분하여 조직폭력배를 동원하여 보복한 사건으로 H그룹의 회장은 일명 '조폭회장'이라 불리게 되었다(SBS News, 2007).

2014년 '땅콩회항'으로 공분을 샀던 K항공의 경우 브랜드 가치를 평가하는 '2015년 대한민국 100대 브랜드'에서 2014년 종합 6위였던 순위가 39위로 추락하였으며, 미국 의류업체 '아메리칸 어패럴'의 창업자 겸 CEO 도브 차니는 지난 2011년 10대 청소년 종업원을 대상으로 한 성추문으로 2억 5,000만 달러의 소송에 휘말렸다. 차니는 2014년 이사회에서 해임됐고, 사모펀드 등을 등에 업고 회사 재인수를 시도하고 있지만 아직 복귀하지 못하고 있다.

CEO의 이미지가 기업에 긍정적 영향을 미친 사례도 있다. 한 택시기사가 서울 호텔신라 회전문을 들이받아 4억 원 이상을 배상할 처지에 놓였다. 이에 호텔신라 이부진 사장은 형편이 어려운 택시기사를 선처하여 배상금도 받지 않고, 치료비도 부담해 주도로 하였다. 이 사건으로 주요 포털 검색어 1위에 오르며 네티즌들에게 긍정적 찬사를 받았다. 이 사건으로 개인 PI(President Identity)뿐만 아니라 기업 브랜딩 측면에서도 긍정적 효과를 얻었다. 이는 반(反)기업적 정서를 공유하는 한국에서 네티즌들이 자발적으로 긍정적 이미지를 갖게 하였다는 점에서 최고 경영자의 긍정적 이미지가 기업 브랜딩에 중요한 영향을 미친다는 것을 증명한다(중소기업신문, 2014).

기업 명성을 구성하는 핵심요소로 CEO 브랜드 관리를 들 수 있다. CEO 자산을 조사하고 있는 미국 기업 버슨 마스텔러에 의하면, CEO 명성(reputation)이 기업 명성에 미치는 영향은 48%를 차지하고 있다. 기업가치를 극대화시키고 기업 명성을 관리하는데 CEO 브랜드는 중요한 관리대상이라는 의미이다. 결국 CEO 브랜드가 중요하게 부각된 것은 CEO 브랜드가 기업 및 브랜드의 이미지와 직결되고, 경쟁자와 차별적 이미지를 형성하며, 기업 경쟁력의 원천이 되기 때문이다.

[그림 16-1] 칼리 피오리나, 빌 게이츠, 잭 웰치, 존 챔버스[사진=리코드, W KOREA, REUTERS, IT 동아](左上부터 시계방향)

CEO 브랜드를 구축하고 있는 기업은 기업의 차별적 이미지를 명확하게 만들 수 있으며 강력한 기업 브랜드 뒤에는 반드시 강력한 CEO 브랜드가 존재해 왔다. HP의 칼리 피오리나(Carly Fiorina), 마이크로소프트의 빌 게이츠(Bill Gates), GE의 잭 웰치(Jack Welch), 시스코의 존 챔버스(John Chambers) 등이 그 사례이다.

제 2 절 CEO 브랜드의 사례

1. 국내 사례

1) 두산인프라코어 박용만 회장

박용만 회장은 SNS의 팔로워 수 26만 명이 넘는 파워 트위터리안으로 '소통의 달인'이라 평가된다. 그는 트위터에 대중교통을 이용하거나 맛집에 대한 이야기를 다루고 휴대폰 개봉기를 올리는 등 자신의 사적인 시간을 공유하며, 새로운 것에 흥미를 느끼는 얼리어답터 같은 모습에 대중들은 '옆집 아저씨 같다.'고 평한다(Asia Economy, 2010). SNS를 통한 대중과의 소통으로 거리감 있게 느끼던 CEO의 이미지에서 친근한 이미지와 더불어 IT 얼리어답터 이미지를 형성해 중공업이나 건설, 주류 등의 사업영역으로 인해 다소 노쇠한 것으로 여겨지던 그룹 이미지를 일신하는 데 일조하였다.

[그림 16-2] 박용만 회장의 아이폰 6 개봉기(사진=박용만 회장 트위터@solarplant)

2) 현대카드 정태영 부회장

현대카드 및 현대캐피탈 브랜드 혁신과정에서 획득한 회사브랜드가 대표이사에게 역으로 확장된 사례이다. 페이스북, 트위터 등 소셜미디어에서의 활동을 통해 현대카드의 세련되고 혁신된 브랜드 경험을 확대 재생산하였으며 현대카드의 문화마케팅 등 다양한 마케팅 활동에 대한 스토리텔링 기반의 홍보 포스팅을 직접 작성하는 등 정 부회장이 경영하는 금융 계열사들엔 '젊고 세련된 차별화 이미지가 있다.'라는 이미지를 대중들에게 심어주었으며 '현대카드를 사용하면 멋있다.'라는 통일되고 세련된 브랜드 이미지를 씌우는 데 성공했다(조선일보, 2018). 실제 현대차그룹이 2003년 현대카드의 전신인 다이너스클럽코리아를 인수했을 때만 해도 시장점유율은 2%에 불과했지만 정 부회장 체제 이후 매년 개최되는 슈퍼콘서트를 비롯해 뮤직 라이브러리, 트래블 라이브러리 등 다양한 문화 이벤트 등을 통해 카드업계 2~3위로 급성장하였다. 정 부회장 체제 이후 처음 나온 현대카드의 광고도 "열심히 일한 당신, 떠나라"였다.

[그림 16-3] 현대카드 정태영 부회장(사진=현대카드, 연합뉴스)

〈표 16-1〉 2015 CEO 브랜드 가치 순위

2015년 11월	브랜드	구분	브랜드 가치
1	이건희	삼성그룹	802,829
2	신동빈	롯데그룹	667,807
3	신격호	롯데그룹	531,092
4	이재용	삼성그룹	526,205
5	정용진	신세계그룹	202,305
6	박용만	두산그룹	198,693
7	최대원	SK그룹	178,115
8	이재현	CJ그룹	126,255
9	정몽구	현대자동차그룹	122,032
10	박삼구	금호아시아나그룹	104,425
11	김승연	한화그룹	92,114
12	구본무	LG그룹	83,126
13	이명희	신세계그룹	70,579
14	조양호	한진그룹	67,471
15	조석래	효성그룹	51,035
16	현정은	현대그룹	38,280
17	허창수	GS그룹	36,257
18	서경배	아모레퍼시픽그룹	33,816
19	이인희	한솔그룹	30,810
20	박현주	미래에셋자산운용	28,262
21	박용곤	두산그룹	26,325
22	임창욱	대상그룹	18,534
23	신춘호	농심그룹	17,611
24	정지선	현대백화점그룹	15,618
25	이웅열	코오롱그룹	14,450
26	이중근	부영그룹	12,461
27	신창재	교보생명	8,342
28	이준용	대림산업	8,209
29	김준기	동부그룹	8,195
30	구자열	LS그룹	7,574
31	정몽진	KCC그룹	4,031
32	허광수	삼양인터내셔날	2,296

자료 : 뉴스타운브랜드연구소, 2015

2. 해외 사례

1) 애플(Apple) ; 스티브 잡스(Steve Jobs)

스티브 잡스는 가장 뚜렷한 브랜드 이미지를 남긴 CEO이다. 애플의 창립자인 그는 제품 기획 단계부터 출시까지 모든 제품이 그의 손을 거쳐서 나왔다. 제품만을 판매하는 기업이 아닌 제품에 스토리텔링을 더하여 소비자를 충성고객(loyal customer)으로 만들었고, 새로운 기술을 도입하여 현대 디지털 문화를 이끈 기술자이자, 사람들의 취향을 만드는 사람이라 평가된다(Walter Saacson, 2014). 그는 제품 출시일을 늦추더라도 완성되지 않은 제품은 내놓을 수 없다는 신념하에 제품을 만들었고, 완성도를 높여 소비자에게 제품에 대한 신뢰도를 높였다. 그는 강연과 신제품 프레젠테이션을 통해 사람들과 직접 소통하였고, '애플은 곧 스티브 잡스, 스티브 잡스는 곧 애플'이라는 공식을 낳았다. 그는 애플의 로고부터 즐겨 입는 검정 폴로넥(polo neck), 출시하는 제품의 색상 등에서 무채색을 주로 사용하였다.

[그림 16-4] 시그니처 패션인 블랙 터틀넥과 청바지를 입고 아이폰 프레젠테이션을 하는 스티브 잡스(사진=더기어)

2) 사우스웨스트항공사 ; 허브 켈러허(Herb D. Kelleher) 회장

사우스웨스트항공은 1973년 창업 이래 30년이 넘는 오랜 세월 동안 매해 이익을 올린 유일한 미국 항공사이다. 항공사의 CEO인 허브 켈러허(1931)는 '미국에서 가장 웃기는

경영자'로 불릴 정도로 펀(Fun) 경영을 중시했다. 회사 로고를 둘러싼 경쟁사와의 분쟁 해결과정은 그의 펀 경영을 단적으로 보여주는 대목이다. 협상 당시, 그는 경쟁사 최고경영자에게 팔씨름으로 승부를 겨루자는 엉뚱한 제의를 하여 상대방의 폭소를 자아냈다. 팔씨름에서는 졌으나, 로고 공동사용권을 얻어내는 데 성공했다. 점잖은 오찬장에 엘비스 프레슬리 복장으로 나타나기, 청바지 입고 이사회 참석하기, 토끼 분장하고 출근길 직원 놀래키기 등 그가 이러한 펀 경영으로 얻으려 한 것은 사람들의 마음이었다고 한다. 그는 내면에서부터 기쁘고 즐거운 마음으로 일할 수 있는 기업만이 초일류기업으로 성장할 수 있다고 하였고, 주변의 사람들을 통제하려는 리더보다는 그들에게 봉사함으로써 더 큰 조직의 안정과 성장을 이뤄내는 훌륭한 리더라는 평가를 받았다(조선일보, 2006).

[그림 16-5] 허브 켈러허 회장의 펀 경영(사진=EBS, ZOOM)

〈표 16-2〉 CEO 브랜드 사례

CEO 이름	브랜딩 이미지	별칭	표방하는 가치
박용만 회장	친근하고 얼리어답터 이미지	소통의 달인	대중과 좀 더 친근한 이미지로 다가감으로써 자유롭게 소통할 수 있는 CEO
정태영 회장	세련되고 혁신적인 이미지	팔색조	디지털혁신 전문가 CEO
스티브 잡스 CEO	손을 턱에 괴어 항상 고뇌하는 CEO의 모습을 나타냄	대중과 식접 소통하는 CEO	대중에게 완벽한 제품을 소개하기 위해 항상 생각하는 CEO
허브 켈러허 회장	Fun한 경영에 맞추어 CEO스럽지 않은 유쾌한 모습	웃기는 경영자	내면으로부터 기쁘고 즐거운 마음으로 일할 수 있는 기업만이 초일류기업으로 성장할 수 있다.

자료 : 기존 연구를 활용한 저자 재구성

제 17 장

비서자격증 (1, 2, 3급)

비서자격증 (1, 2, 3급)

경영진이 행정업무로부터 벗어나 많은 시간을 중대한 의사결정에 집중하기 위해서는 비서의 역할이 중요하다. '비서'는 경영진을 보좌하는 데 필요한 전반적인 실무능력을 평가하는 국가기술자격 시험이며, 비서 자격제도는 비서 1급, 비서 2급, 비서 3급 세 등급으로 나누어진다.

1. 기본정보

- 자격분류 : 국가기술자격증
- 시행기관 : 대한상공회의소
- 응시자격 : 제한 없음
- 홈페이지 : license.korcham.net

2. 응시자격

제한 없음

3. 시험과목

<table>
<tr><th>등급</th><th>시험방법</th><th>시험과목</th><th>출제형태</th><th>시헙시간</th></tr>
<tr><td rowspan="2">1급</td><td>필기시험</td><td>• 비서실누 • 경영일반
• 사무영어 • 사무정보관리</td><td>객관식
80문항</td><td>80분</td></tr>
<tr><td>실기시험</td><td>• 워드프로세서, 컴퓨터활용능력
• 한글속기, 전산회계운용사 종목 중 택일</td><td colspan="2">선택종목 기준 따름</td></tr>
<tr><td rowspan="2">2급</td><td>필기시험</td><td>• 비서실무 • 경영일반
• 사무영어 • 사무정보관리</td><td>객관식
80문항</td><td>80분</td></tr>
<tr><td>실기시험</td><td>• 워드프로세서, 컴퓨터활용능력
• 한글속기, 전산회계운용사 종목 중 택일</td><td colspan="2">선택종목 기준 따름</td></tr>
<tr><td rowspan="2">3급</td><td>필기시험</td><td>• 비서실무 • 사무정보관리
• 사무영어</td><td>객관식
60문항</td><td>60분</td></tr>
<tr><td>실기시험</td><td>• 워드프로세서, 컴퓨터활용능력
• 한글속기, 전산회계운용사 종목 중 택일</td><td colspan="2">선택종목 기준 따름</td></tr>
</table>

4. 실기과목 면제

- 비서 실기종목은 합격한 비서 필기 급수에 해당하는 비서 실기 선택(면제)종목 중 택일하여 선택한 종목을 정기검정 실기 때 접수하여, 응시, 합격하면 비서자격 취득으로 인정된다.
- 기존 자격 취득자, 즉 워드프로세서(구 1급), 컴퓨터활용능력 1급, 2급, 한글속기 1급, 2급, 전산회계운용사는 비서 실기과목 면제가 가능하다.
- 비서 선택종목의 기 자격 취득자가 비서 실기를 면제받고자 하면 비서 필기 유효기간 내에 상공회의소에 방문하여 신청해야 한다.

5. 합격결정기준

- 필기 : 매과목 100점 만점에 과목당 40점 이상이고 평균 60점 이상
- 실기 : 선택 종목(워드, 컴활, 전산회계, 속기)의 합격 결정기준에 따름

6. 검정수수료

- 필기 : 14,500원
- 실기 : 선택종목 검정수수료

7. 비서 실기시험 과목(선택종목)

- 비서 실기 종목은 합격한 비서 필기 급수에 해당하는 비서 실기 선택(면제)종목 중 택일하여 선택한 종목 정기검정 실기 때 응시하여 합격하면 비서자격 취득으로 인정한다.
- 비서 필기 합격연도에 따른 비서 실기 선택(면제)종목은 아래 표를 참고한다. 또한 기존 자격 취득자(워드프로세서, 컴퓨터활용능력, 한글속기, 전산회계운용사)는 비서 실기 면제가 가능하다.
- 비서 선택종목 기 자격 취득자가 비서 실기를 면제받고자 하면 비서 필기 유효기간 내에 홈페이지(license.korcham.net) 또는 방문 신청해야 한다.
- 국가기술자격법 개정에 따라 2012년 1월 1일 이후 비서실기 선택(면제)종목이 변경되었다.

8. 시험과목

자격종목	2012년 이후 비서실기 선택(면제)종목
비서 1급	• 워드프로세서(구 1급) • 컴퓨터활용능력 1급 · 2급 • 한글속기 1급 · 2급 • 전산회계운용사 1급 · 2급 중 택일
비서 2급	• 워드프로세서(구 1급) • 컴퓨터활용능력 1급 · 2급 • 한글속기 1급 · 2급 • 전산회계운용사 1급 · 2급 중 택일
비서 3급	• 워드프로세서(구 1급) • 컴퓨터활용능력 1급 · 2급 • 한글속기 1급 · 2급 · 3급 • 전산회계운용사 1급 · 2급 · 3급 중 택일

9. 시험 시작시간(정기)

1) 필기시험 입실시간(시험 시작시간)

- 1급 : 09:00
- 2급 : 10:50
- 3급 : 09:00

2) 필기시험시간

- 1급 : 09:15 ~ 10:35 (80분)
- 2급 : 11:05 ~ 12:25 (80분)
- 3급 : 09:15 ~ 10:15 (60분)

반드시 입실시간(시험시작시간)을 준수하여야 하며, 입실시간(시험시작시간) 이후에는 입실이 불가능하다.(단, 실기시험의 경우에는 수험표의 시험시작시간을 참고)

비서 1급(필기) 출제기준

○ 직무분야 : 사무	○ 자격종목 : 비서 1급	○ 적용기간 : 2016.1.1~2020.12.31
○ 직무내용 : 상사와 조직을 위하여 상호 신뢰를 바탕으로 기밀유지 및 비서윤리를 준수하고, 조직과 경영 전반에 관한 지식, 사무정보기술, 의사소통능력을 갖추어 경영진을 전문적으로 보좌하는 직무		
○ 필기검정방법 : 객관식(80문제)	○ 시험시간 : 80분	

확 정				
필기 과목명	출제 문제수	주요항목	세부항목	세세항목
비서 실무	20	1. 비서개요	1. 비서역할과 자질	비서직무 특성 직업윤리 비서의 자질과 태도
			2. 자기개발	네트워킹 관리 경력계획 경력개발
		2. 대인관계 업무	1. 전화응대	전화 응대/걸기 원칙 및 예절 전화선별 요령 직급별 전화연결요령 상황별 전화연결 국제전화의 종류(국가코드) 전화부가서비스 종류 및 사용방법 전화기록부 작성 관리방법 전화메모지 작성방법
			2. 내방객응대	내방객응대 기본 원칙 내방객 정보 관리 내방객응대 요령
			3. 인간관계	조직구성원과의 관계 고객 및 이해관계자와의 관계 직장예절 규범 갈등 관리
		3. 일정 및 출장관리	1. 일정	일정표의 종류 비서업무일지 작성법 상사일정표 작성법(일일/주간/월간) 일정관리 소프트웨어 사용법 일정관리절차(일정계획/정보수집/일정조율/일정보고)
			2. 예약	예약 종류별 예약필요지식 예약 종류별 예약방법 및 절차 예약 이력정보
			3. 출장	출장 일정표작성 교통·숙소 예약방법 및 용어 국내/해외 출장준비물 상사 출장 중 업무 상사 출장 후 사후처리 업무
		4. 회의 및 의전관리	1. 회의업무	회의의 종류 및 절차 의사진행절차 회의관련 용어 회의록의 구성요소 회의록 배부 절차

확 정				
필기 과목명	출제 문제수	주요항목	세부항목	세세항목
			2. 의전행사 지원 업무	행사별 복장 지식 외국인 영접 및 환송 업무 좌석배치 국제의전원칙 행사 의전원칙과 절차
			3. 국제매너	나라별 인사 예법 식사 예절(테이블 매너) 선물 예절(선물 매너) 해외방문 시 국제의전 지식(비즈니스 에티켓) 국가별 응대 금기사항(비즈니스 에티켓) 국가별 문화에 대한 이론(타 문화의 이해)
		5. 상사 지원 업무	1. 보고와 지시	지시보고 구두보고 방법 육하원칙보고 방법 지시받는 요령 및 전달 요령 화법 실용한자
			2. 상사보좌	상사신상카드 작성방법 이력서 작성법 건강관리 관련 지식 기사 작성 원칙 홍보업무 비서의 사무환경 관리방법
			3. 총무	회사 총무업무의 이해 경비처리 방법 경조사 업무
경영 일반	20	1. 경영환경 및 기업형태	1. 경영환경	경영환경의 개념 경영환경의 이해관계자 특성 경영현황 지식 기업윤리 글로벌 경영의 이해
			2. 기업형태	기업형태 중소기업과 대기업 기업의 인수·합병
		2. 경영관리	1. 경영조직관리	경영자 역할의 이해 경영관리의 기능 경영조직과 유형변화 경영통제 지식경영 조직문화의 개념
			2. 조직행동관리	동기부여 리더십 기업문화 의사결정 의사소통
		3. 경영활동	1. 마케팅 및 인적 자원관리	마케팅 일반 인적자원관리 일반 경영정보 일반

확 정				
필기 과목명	출제 문제수	주요항목	세부항목	세세항목
			2. 재무 및 회계	회계 일반 재무 일반
			3. 시사경제	실생활 중심 경제 시사 · 경제 · 금융용어
사무 영어	20	1. 비즈니스 용어 및 문법	1. 비즈니스 용어	영문 부서명과 직함명 약어 사무 비품 용어
			2. 영문법	문법 비즈니스 단어 기초문법의 정확성 영문첨삭법 영문구두법
		2. 영문서의 이해	1. 영문서 작성기본	비즈니스 레터 봉투 이메일 메모 팩스 초청장, 감사장 이력서, 커버레터 송장, 명함, 매뉴얼
			2. 독해 및 작문	어휘 · 문법의 정확성 표현의 적절성
			3. 회의	회의준비 회의진행 및 종료
			4. 출장	출장일정(Itinerary) 출장경비정산
		3. 사무영어회화	1. 내방객응대	용건파악 안내 접대 배웅 상사 부재시의 응대
			2. 전화응대	전화 응답 전화 스크린 전화 내용 전달 전화 중개 발신 국가번호와 세계 공통 알파벳 코드 상황별 전화영어 응대 요령
			3. 예약	교통수단 예약 식당 · 호텔 예약 해외호텔, 항공 예약관련 지식
			4. 일정관리	스케줄링 일정표 관리
			5. 보고와 지시	보고하기 지시받기
사무 정보 관리	20	1. 문서 작성	1. 문서 작성의 기본	문서의 형식 · 구성요소 문서의 종류 문장부호의 기능과 사용법

확 정				
필기 과목명	출제 문제수	주요항목	세부항목	세세항목
				한글 맞춤법 문서 수·발신대장 작성방법 문서 수·발신 처리방법 우편관련 업무정보
			2. 기타 문서 양식 작성	국내외 감사편지 형식과 어법에 관한 지식 감사장 작성 방법
		2. 문서관리	1. 문서관리	문서관리 원칙 목적·수신대장·처리단계에 따른 문서의 종류 및 분류 명함관리방법
			2. 전자문서관리	전자문서의 종류 및 정리방법 종이문서의 전자문서화 방법 저장매체에 대한 이해 전자문서 시스템 전자결재시스템 관리방법
		3. 정보관리	1. 정보분석 및 활용	정보수집 및 검색방법 인터넷 활용 일반 정보 선별 능력 그래프와 도표 읽기 및 작성 프레젠테이션 자료구성 컴퓨터 데이터베이스 지식 각종 매체의 특성과 활용법
			2. 보안관리	정보보안 관리의 개념 기밀문서에 대한 보안원칙 컴퓨터 바이러스 진단·방지법 컴퓨터 정보관리 지식
			3. 사무정보기기	사무정보기기 사용법 어플리케이션 사용법 컴퓨터와 스마트 모바일기기 특성과 활용법 클라우드 서비스 사내 전산회계프로그램 지식

비서 2급(필기) 출제기준

○ 직무분야 : 사무	○ 자격종목 : 비서 2급	○ 적용기간 : 2016.1.1~2020.12.31
○ 직무내용 : 상사와 조직을 위하여 상호 신뢰를 바탕으로 기밀유지 및 비서윤리를 준수하고, 조직과 경영 전반에 관한 지식, 사무정보기술, 의사소통능력을 갖추어 경영진을 전문적으로 보좌하는 직무		
○ 필기검정방법 : 객관식(80문제)	○ 시험시간 : 80분	

확 정				
필기 과목명	출제 문제수	주요항목	세부항목	세세항목
비서 실무	20	1. 비서개요	1. 비서역할과 자질	비서직무 특성 직업윤리 비서의 자질과 태도
			2. 자기개발	네트워킹 관리 경력계획 경력개발
		2. 대인관계 업무	1. 전화응대	전화 응대/걸기 원칙 및 예절 전화선별 요령 직급별 전화연결요령 상황별 전화연결 국제전화의 종류(국가코드) 전화부가서비스 종류 및 사용방법 전화기록부 작성 관리방법 전화메모지 작성방법
			2. 내방객응대	내방객응대 기본 원칙 내방객 정보 관리 내방객응대 요령
			3. 인간관계	조직구성원과의 관계 고객 및 이해관계자와의 관계 직장예절 규범 갈등 관리
		3. 일정 및 출장관리	1. 일정	일정표의 종류 비서업무일지 작성법 상사일정표 작성법(일일/주간/월간) 일정관리 소프트웨어 사용법 일정관리절차(일정계획/정보수집/일정조율/일정보고)
			2. 예약	예약 종류별 예약필요지식 예약 종류별 예약방법 및 절차 예약 이력정보
			3. 출장	출장 일정표작성 교통·숙소 예약방법 및 용어 국내/해외 출장준비물 상사 출장 중 업무 상사 출장 후 사후처리 업무
		4. 회의 및 의전관리	1. 회의업무	회의의 종류 및 절차 의사진행절차 회의관련 용어 회의록의 구성요소 회의록 배부 절차

확 정				
필기 과목명	출제 문제수	주요항목	세부항목	세세항목
			2. 의전행사 지원 업무	행사별 복장 지식 외국인 영접 및 환송 업무 좌석배치 행사 의전원칙과 절차
			3. 국제매너	나라별 인사 예법 식사 예절(테이블 매너) 선물 예절(선물 매너) 국가별 응대 금기사항(비즈니스 에티켓) 국가별 문화에 대한 이론(타 문화의 이해)
		5. 상사 지원 업무	1. 보고와 지시	지시보고 구두보고 방법 육하원칙보고 방법 지시받는 요령 및 전달 요령 화법 실용한자
			2. 상사보좌	상사신상카드 작성방법 이력서 작성법 건강관리 관련 지식 홍보업무 비서의 사무환경 관리방법
			3. 총무	회사 총무업무의 이해 경비처리 방법 경조사 업무
경영 일반	20	1. 경영환경 및 기업형태	1. 경영환경	경영환경의 개념 경영환경의 이해관계자 특성 경영현황 지식 기업윤리 글로벌 경영의 이해
			2. 기업형태	기업형태 중소기업과 대기업 기업의 인수·합병
		2. 경영관리	1. 경영조직관리	경영자 역할의 이해 경영관리의 기능 경영조직과 유형변화 경영통제 지식경영 조직문화의 개념
			2. 조직행동관리	동기부여 리더십 기업문화 의사결정 의사소통
		3. 경영활동	1. 마케팅 및 인적자원관리	마케팅 일반 인적자원관리 일반 경영정보 일반
			2. 재무 및 회계	회계 일반 재무 일반
			3. 시사경제	실생활 중심 경제 시사·경제·금융용어

확 정				
필기 과목명	출제 문제수	주요항목	세부항목	세세항목
사무 영어	20	1. 비즈니스 용어 및 문법	1. 비즈니스 용어	영문 부서명과 직함명 약어 사무 비품 용어
			2. 영문법	문법 비즈니스 단어 기초문법의 정확성 영문첨삭법 영문구두법
		2. 영문서의 이해	1. 영문서 작성 기본	비즈니스 레터 봉투 이메일 메모 팩스 초청장, 감사장 이력서, 커버레터 송장, 명함, 매뉴얼
			2. 독해 및 작문	어휘·문법의 정확성 표현의 적절성
			3. 회의	회의준비 회의진행 및 종료
			4. 출장	출장일정(Itinerary) 출장경비정산
		3. 사무영어 회화	1. 내방객응대	용건파악 안내 접대 배웅 상사 부재시의 응대
			2. 전화응대	전화 응답 전화 스크린 전화 내용 전달 전화 중개 발신 국가번호와 세계 공통 알파벳 코드 상황별 전화영어 응대 요령
			3. 예약	해외호텔, 항공 예약관련 지식
			4. 일정관리	스케줄링 일정표 관리
사무 정보 관리	20	1. 문서 작성	1. 문서 작성의 기본	문서의 이해 문서의 작성목적 문서의 형식·구성요소 문서의 종류 문장부호의 기능과 사용법 한글 맞춤법 문서 수·발신대장 작성방법 문서 수·발신 처리방법 우편관련 업무정보
			2. 기타 문서 양식작성	국내외 감사편지 형식과 어법에 관한 지식 감사장 작성 방법

확 정				
필기 과목명	출제 문제수	주요항목	세부항목	세세항목
		2. 문서관리	1. 문서관리	문서관리 원칙 목적 · 수신대장 · 처리단계에 따른 문서의 종류 및 분류 명함관리방법
			2. 전자문서관리	전자문서의 종류 및 정리방법 종이문서를 전자문서화 방법 저장매체에 대한 이해 전자문서 시스템
		3. 정보관리	1. 정보분석 및 활용	정보수집 및 검색방법 인터넷 활용 일반 정보 선별 능력 그래프와 도표 읽기 및 작성 프레젠테이션 자료구성 컴퓨터 데이터베이스 지식 각종 매체의 특성과 활용법
			2. 보안관리	정보보안 관리의 개념 기밀문서에 대한 보안원칙 컴퓨터 바이러스 진단 · 방지법 컴퓨터 정보관리 지식
			3. 사무정보기기	사무정보기기 사용법 어플리케이션 사용법 컴퓨터와 스마트 모바일기기 특성과 활용법 클라우드 서비스 사내 전산회계프로그램 지식

비서 3급(필기) 출제기준

○ 직무분야 : 사무	○ 자격종목 : 비서 3급	○ 적용기간 : 2016.1.1~2020.12.31
○ 직무내용 : 상사와 조직을 위하여 상호 신뢰를 바탕으로 기밀유지 및 비서윤리를 준수하고, 조직과 경영 전반에 관한 지식, 사무정보기술, 의사소통능력을 갖추어 경영진을 전문적으로 보좌하는 직무		
○ 필기검정방법 : 객관식(60문제)	○ 시험시간 : 60분	

확 정				
필기 과목명	출제 문제수	주요항목	세부항목	세세항목
비서 실무	20	1. 비서개요	1. 비서역할과 자질	비서직무 특성 직업윤리 비서의 자질과 태도
			2. 자기개발	네트워킹 관리
		2. 대인관계업무	1. 전화응대	전화 응대/걸기 원칙 및 예절 전화선별 요령 직급별 전화연결요령 상황별 전화연결 국제전화의 종류(국가코드) 전화부가서비스 종류 및 사용방법 전화기록부 작성 관리방법 전화메모지 작성방법
			2. 내방객응대	내방객응대 기본 원칙 내방객 정보 관리 내방객응대 요령
			3. 인간관계	조직구성원과의 관계 고객 및 이해관계자와의 관계 직장예절 규범 갈등 관리
		3. 일정 및 출장 관리	1. 일정	일정표의 종류 비서업무일지 작성법 상사일정표 작성법(일일/주간/월간) 일정관리 소프트웨어 사용법 일정관리절차(일정계획/정보수집/일정조율/일정보고)
			2. 예약	예약 종류별 예약필요지식 예약 종류별 예약방법 및 절차 예약 이력정보
			3. 출장	출장 일정표작성 교통·숙소 예약방법 및 용어 국내/해외 출장준비물 상사 출장 중 업무 상사 출장 후 사후처리 업무
		4. 회의 및 의전 관리	1. 회의업무	회의의 종류 및 절차 의사진행절차 회의관련 용어 회의록의 구성요소 회의록 배부 절차

확 정				
필기 과목명	출제 문제수	주요항목	세부항목	세세항목
		5. 상사 지원업무	1. 보고와 지시	지시보고 구두보고 방법 육하원칙보고 방법 지시받는 요령 및 전달 요령 화법 실용한자
			2. 상사보좌	상사신상카드 작성방법 이력서 작성법 건강관리 관련 지식 홍보업무 비서의 사무환경 관리방법
			3. 총무	회사 총무업무의 이해 경비처리 방법 경조사 업무
사무 영어	20	1. 비즈니스 용어 및 문법	1. 비즈니스 용어	영문 부서명과 직함명 약어 사무 비품 용어
			2. 영문법	문법 비즈니스 단어 기초문법의 정확성 영문첨삭법 영문구두법
		2. 영문서의 이해	1. 영문서 작성기본	비즈니스 레터 봉투 이메일 메모 팩스
			2. 독해 및 작문	어휘 · 문법의 정확성 표현의 적절성
		3. 사무영어회화	1. 내방객응대	용건파악 안내 접대 배웅 상사 부재시의 응대
			2. 전화응대	전화 응답 전화 스크린 전화 내용 전달 전화 중개 발신 국가번호와 세계 공통 알파벳 코드 상황별 전화영어 응대 요령
			3. 예약	해외호텔, 항공 예약관련 지식
			4. 일정관리	스케줄링 일정표 관리
사무 정보 관리	20	1. 문서 작성	1. 문서 작성의 기본	문서의 이해 문서의 작성목적 문서의 형식 · 구성요소 문서의 종류

확 정				
필기 과목명	출제 문제수	주요항목	세부항목	세세항목
				문장부호의 기능과 사용법 한글 맞춤법 문서 수·발신대장 작성방법 문서 수·발신 처리방법 우편관련 업무정보
		2. 문서관리	2. 전자문서관리	저장매체에 대한 이해
		3. 정보관리	1. 정보분석 및 활용	정보수집 및 검색방법 인터넷 활용 일반 각종 매체의 특성과 활용법
			2. 보안관리	정보보안 관리의 개념 기밀문서에 대한 보안원칙 컴퓨터 바이러스 진단·방지법 컴퓨터 정보관리 지식
			3. 사무정보기기	사무정보기기 사용법 컴퓨터와 스마트 모바일기기 특성과 활용법

대한상공회의소 비서자격증 기출문제

대한상공회의소 비서자격증 기출문제

제2회 2018년 비서 1급 필기시험

※ 다음 문제를 읽고 알맞은 것을 골라 답안카드의 답란(①, ②, ③, ④)에 표기하시오.

■ 〈제1과목〉 비서실무

01 비서직에 대한 설명으로 가장 적절하지 않은 것은?

① 비서직은 산업혁명 이후 기업이 급격히 증가함에 따라 보편적인 직업이 되었다.
② 비서직은 사회 변화와 함께 지속적으로 변화해 왔으며 최근 기업 구조조정과 기술혁명, 전자사무시스템 등의 출현으로 팀을 보좌하는 역할에 대한 요구가 확대되고 있다.
③ 비서는 업무 수행 시 상사의 지시에 한정하여 정확하고 신속하게 업무를 처리해야 한다.
④ 비서는 지속적인 자기개발을 할 수 있도록 비서 재교육이 이루어질 필요가 있다.

02 IT 기업에 근무하는 박노을 비서는 어문학을 전공한 3년차 비서 이다. 박비서는 최근 구조조정으로 회사의 분위기가 예전 같지 않은 상황이라 이직을 고민하고 있다. 다음 중 박비서의 경력개발 계획으로 가장 적절한 것은?

① 박비서는 전문비서를 희망하므로 현재 재직 중인 회사에서 경력개발을 할 수 없다면 즉시 퇴사하고 구직활동을 다시 시작한다.
② 박비서는 먼저 자신의 경력에 관한 장기적인 목표를 확실히 한 후, 이에 따라 현재 실천할 수 있는 단기적이고 구체적인 계획을 수립한다.
③ 박비서는 IT회사에 재직한 경험을 바탕으로 유망한 4차 산업 기술 관련 대학원에 진학한다.
④ 박비서는 회사가 불안정한 상황이므로 이직 준비를 위해 회사 근무시간 중에 여유시간을 이용하여 이력서와 자기소개서를 업데이트한다.

03 다음의 전화 대화 중 적절하지 않은 항목으로 묶인 것은?

비 서 : ⓐ안녕하십니까? 가나전자 사장실입니다.
고 객 : 네, 삼신물산 김동훈 부장인데 사징님 통화 가능한가요?
비 서 : ⓑ죄송합니다만 사장님은 지금 통화 중이십니다.
잠시 기다려주십시오.
고 객 : 예.
비 서 : 예, 부장님.
그럼, 통화 끝나시는 대로 연결해 드리겠습니다.
ⓒ(비서는 통화 버튼을 눌러놓는다.)
(통화가 길어진다.)
비 서 : 부장님, 죄송합니다만 사장님께서 통화가 좀 길어지 시는 것 같습니다.
계속 기다리시겠습니까? 아니면 통화 끝나는 대로 연결해 드릴까요?
고 객 : 그럼, 사장님 통화 끝나시는 대로 전화 부탁해요.
비 서 : 네, 알겠습니다.
ⓓ김 부장님, 제가 전화번호를 확인할 수 있을까요?
고 객 : 515-7745입니다.
비 서 : 네, 515-7745번이요. 사장님께서 통화 끝나시는 대로 연락드리겠습니다.
안녕히 계십시오.

① ⓐ, ⓑ ② ⓐ, ⓒ ③ ⓑ, ⓒ ④ ⓒ, ⓓ

04 다음 중 전화부가서비스 이용에 대한 설명으로 적절하지 않은 것은?

① 상사가 이번 포럼에 참가했던 100명이 넘는 참가자에게 동일 메시지를 보내야 해서 크로샷 서비스를 이용해서 문자 메시지를 발송하였다.
② 해외 출장 중인 상사 휴대폰 로밍 시에 무제한 요금제는 비용이 많이 발생하므로, 이동 중에 공유해야 할 자료와 정보는 별도로 이메일로 전송하였다.
③ 해외 지사와 연락을 할 때 시차로 업무시간 중 통화가 힘들어 전화 사서함을 이용해서 메시지를 주고받았다.
④ 비서가 상사와 함께 외부에서 개최하는 회의에 종일 참석하게 되어 착신 통화 전환을 해서 외부에서 사무실 전화 처리를 할 수 있도록 하였다.

05 김비서가 근무하는 상공물산 사옥 준공식에 산업통상자원부 차관이 참석하게 되었다. 김비서의 업무처리 중 가장 적절한 것은?

① 차관의 일정은 기밀이므로 차관이 몇 시에 행사에 도착하는지 몇 시에 행사장을 떠나야 하는지 등에 대해서는 그 누구에게도 확인해서는 안 되고 차관실에 전적으로 맡겨야 한다.
② 상공물산 주차관리실에 연락하여 차관의 차량번호를 등록해 놓는다.
③ 의전 원칙에 따라 준공식이 시작한 후 차관이 도착하도록 일정을 수립한다.
④ 바쁜 차관의 일정을 고려하여 일정 중간에 자리를 비울 수 있도록 차관의 자리는 출입문 옆쪽으로 정한다.

06 다음 중 비서의 자세로 가장 적절하지 않은 것은?

① 비서는 상사의 인간관계 관리자로서 상사의 인간관계에 차질이 생기지 않도록 최근에 만남이 소원했던 사람들이 누구인지 말씀드린다.
② 마감일이 임박해서야 일을 서두르는 상사에게 미리미리 업무를 처리하는 것이 업무의 효율성을 높일 수 있음을 말씀드린다.
③ 비서는 상사의 장점은 대외적으로 높이고 약점은 비서가 보완할 수 있는 방안을 찾도록 노력한다.
④ 상사의 지시사항 수행 중 발생된 문제는 업무 중간에 보고하고 상사의 의견을 듣는다.

07 최근 벤처회사 대표 비서로 이직한 A비서는 급증한 업무량으로 매일 야근을 하면서 스트레스를 받고 있다. 다음 중 A비서의 업무 문제 해결 방법으로 가장 적절한 것은?

① 상사에게 솔직하게 어려움을 이야기한 후 비서 업무 분장을 조정해 줄 것을 상사에게 요청한다.
② 상사에게 업무의 우선순위를 검토해 줄 것을 요청한 후 우선순위가 높은 비서 업무에만 집중하는 것이 업무의 효율성을 높이는데 도움이 됨을 상사에게 말씀드린다.
③ 가급적이면 쉬운 일을 먼저 끝내 어려운 업무를 할 수 있는 시간을 확보한다.
④ A비서의 업무 중 사무관리 시스템으로 처리가 가능한 업무를 선별하여 사무관리 시스템으로 처리될 수 있는 방안을 담당 부서와 논의해 본다.

08 다음 중 비서의 일정관리 업무 수행 방식으로 가장 적절하지 않은 것은?

① 상사가 참석하는 행사에서 상사의 역할을 확인한 후 관련 자료를 준비하는 등의 보좌 업무를 수행한다.
② 상사의 사정으로 일정을 변경해야 하는 경우 신속히 관련자에게 연락을 하여 새로운 일정을 수립한다. 새 일정 수립 시상대방의 일정을 우선 고려한다.
③ 회의나 면담 직전에 자주 일정을 변경하는 상사의 스타일을 고려해 일정 변경이나 취소 시 즉각적으로 연락을 취할 수 있는 방안을 마련해 상사의 대내외 신뢰도를 유지할 수 있도록 한다.
④ 상사의 일정은 상사를 비롯하여 관련 부서나 담당자들, 수행 비서나 운전기사에게 전달하여 공유해야 하는데, 일정을 공유할 때 최대한 구체적 내용을 공유해 상사의 일정이 원활하게 진행되도록 한다.

09 상사가 처음 만나는 중요한 손님과 오찬 일정이 잡혔다. 이 경우 비서의 업무 자세로 가장 적절하지 않은 것은?

① 손님의 약력과 소속 회사와 관련된 뉴스 등을 검색하여 정리한 후 상사에게 보고한다.
② 식사 장소까지 이동하는데 걸리는 시간을 door to door 시간으로 예측하여 일정을 수립하였다.
③ 처음 만나는 손님과 편안한 대화를 시작할 수 있도록 상대 방의 주요 관심사가 무엇인지 알아본 후 상사에게 보고한다.
④ 항상 최근의 트렌드를 중요시하는 상사의 취향을 고려하여 최근 방송에 나온 인기 있는 음식점을 식사 장소로 예약했다.

10 다음 중 항공권에 표기된 제한사항에 대한 설명으로 잘못된 것은?

① NON-REF : 환불 불가
② NO MILE UPGRADE : 마일리지 없이 업그레이드 가능
③ NON-ENDS : 다른 항공사로 티켓 변경 불가
④ NON-RER : 다른 여정으로 변경 불가

11 상사 외부 행사 참석 시 비서의 의전업무 순서로 가장 알맞은 것은?

① 상사의 좌석배치를 확인한다.
② 상사의 동선을 파악한다.
③ 행사에서 상사의 역할을 확인한다.
④ 행사장 배치도를 확인한다.
⑤ 운전기사와 행사 정보를 공유한다.

① ① − ② − ③ − ④ − ⑤
② ③ − ④ − ① − ② − ⑤
③ ③ − ④ − ② − ① − ⑤
④ ④ − ③ − ② − ① − ⑤

12 다음 달에 해외 출장을 계획하고 있는 상사를 보좌하는 비서의 업무 수행 방법으로 적절하지 않은 것은?

① 항공권 예약 시 경비 절감을 위해 항공료가 저렴한 항공일정 변경이나 취소 시 위약금이 발생하는 항공권을 예약하였다.
② 항공권 예약 시 발권 마감일 전에 결재할 수 있도록 발권 마감일을 일정표에 기록해 두었다.
③ 항상 시간에 쫓기는 상사를 위해 공항에서 빠르게 수속을 마칠 수 있는 프리미엄 체크인 시스템을 확인해 두었다.
④ 출장지의 정치 경제적 상황에 관한 뉴스를 검색한 후 보고 하였다.

13 회사 창립기념식 행사 시 최상위자인 회장과 회장 배우자가 참석한다. 이때 회장 배우자의 좌석 위치는?

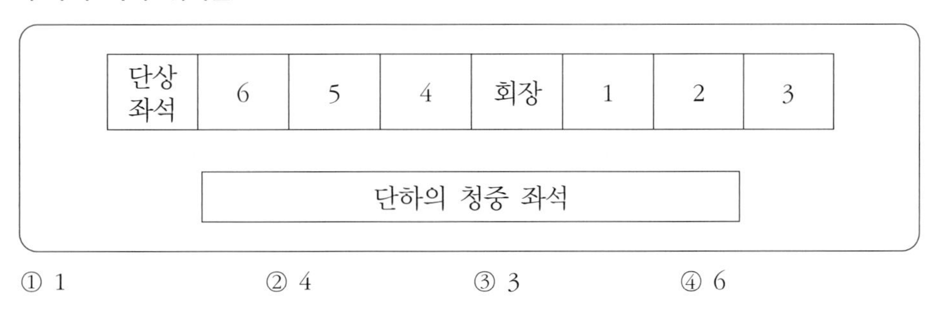

단상 좌석	6	5	4	회장	1	2	3

단하의 청중 좌석

① 1 ② 4 ③ 3 ④ 6

14 다음 중 매너에 맞는 행동은?

① 초청장에는 'smart casual'이라 되어 있어서 최신 유행에 맞게 캐주얼한 자유복장으로 청바지와 티셔츠로 갈아입고 참석하였다.
② 오늘 만찬 주최자인 ABC 회장이 연회장을 돌아다니면서 와인을 따라 주기에 잠시 자리를 비운 옆의 손님의 와인까지 회장에게 요청하여 받아두었다.
③ 식사 도중에 급한 전화가 걸려 와서 냅킨을 접어 테이블 위에 올려놓고 나가서 전화를 받았다.
④ 디저트 과일로 씨없는 포도가 나와서 손으로 먹었다.

15 다음은 상사의 친부상을 치루고 난 후 발송할 감사 인사장 내용의 일부들이다. 한자가 바르지 않은 것은?

① 보내주신 따뜻한 위로와 厚意에 감사드립니다.
② 후일 댁내에 愛敬史가 있을 때 언제든지 연락 주시기 바랍니다.
③ 일일이 찾아뵙지 못하고 인사 말씀 전하게 됨을 넓은 마음으로 惠諒하여 주십시요.
④ 김영철 拜上

16 다음 중 비서의 보고 자세로 가장 적절한 것은?

① 상사의 집무실에 들어가 보고할 때 비서의 보고 위치는 상사의 앞이다.
② 대면보고 시에는 결론부터 논리적으로 구두로 설명하는 것이 바람직하므로 문서보고까지 병행하여 상사의 시간을 빼앗아서는 안 된다.
③ 보고 전에 상사가 가장 관심 있는 내용을 확인한 후 육하 원칙을 기본으로 결론부터 보고한다.
④ 보고는 상사가 물어보기 전에 하고 보고할 때는 비서의 의견을 먼저 말씀드려 상사가 바른 의사결정을 할 수있도록 해야 한다.

17 상사를 보좌하는 비서의 업무처리 방식에 대한 설명으로 가장 적절하지 않은 것은?

① 비서는 업무를 하는 동안 상사에 관한 다양한 정보를 취득하게 되는데 취득된 정보는 잘 기록해 필요 시 업무에 활용한다.
② 상사의 이력을 대내·외적인 필요에 의해 공개하거나 제출해야 할 경우 비서는 상사의 이력서 내용 전문을 제공하도록 한다.

③ 인물 데이터베이스를 제공하는 포털 사이트나 언론사 사이트에서 상사의 경력 사항이 잘못되거나 누락되었을 경우 정보 수정을 요청한다.
④ 상사 개인 신상에 관한 정보는 예전 기록이나 관련 서류 등을 통해 파악할 수 있다.

18 다음 중 업무처리가 가장 적절하지 않은 것은?

① A비서는 상사 주재 컨퍼런스에서 외부강연 특강료가 통장에 늦지 않게 입금되도록 강연자에게 주민등록증과 통장 사본을 미리 제출해 달라고 부탁하였다.
② 비서실 예산 계획서는 경비 항목별로 예산액과 전년도 예산액을 비교하여 전년도 대비 증감액을 표시하였다. 경우에 따라서 증감액 상세 이유와 내역을 주석으로 작성하였다.
③ C비서는 회의 저녁 식대로 일인당 50,000원짜리 정식을 명수만큼 예약한 후, 법인카드로 지출 후 세부내역이 나온 간이 영수증을 첨부하였다.
④ D비서는 비서실에서 사용하는 소액현금(petty cash)을 필요시 사용하고, 소액현금 보고서는 매달 영수증을 첨부하여 경리과에 제출하였다.

19 거래처 사장의 빙부 부고 소식을 전화로 듣고 비서가 상사에게 보고 전에 반드시 확인해야 할 사항이 아닌 것은?

① 장지 ② 빈소 ③ 발인일 ④ 호상 이름

20 다음 중 비서의 내방객 응대 방식으로 가장 적절한 것은?

① 삼호물산 김희영 본부장이 처음 우리 회사를 방문하였다.
비서가 “사장님! 삼호물산 김희영 본부장님이십니다. 그리고 이 분은 저희 회사 김영철 사장님이십니다”라고 소개를 한후 자리로 안내하였다.
② 상사가 급하게 외출하게 되어 선약된 손님과 약속을 못지키게 되었다. 상사로부터 아무지시도 못 받은 비서는 할 수 없이 관련 업무 담당자를 섭외하여 방문한 손님과 만나도록 주선하였다.
③ 상사로부터 지시받지 못한 부분에 대해 내방객이 질문을 하여 비서는 추후 확인한 후 말씀드리겠다고 하였다.
④ 대기실에서 여러 명의 내방객이 기다리게 되어 비서는 내방 객들을 서로 소개시킨 후 차를 대접하였다.

■ 〈제2과목〉 경영일반

21 다음은 기업의 윤리적 기준을 기술하는 윤리적 행동에 대한 여러 가지 접근법에 대한 설명이다. 다음 중 가장 옳지 않은 것은?

① 이기주의 접근법은 이윤극대화, 능률성, 경쟁 등 조직이익 우선의 개념을 정당화한다.
② 공리주의 접근법은 비용-효익 분석이라고도 하며 행위의 동기가 아닌 객관적 결과에 의해 판단하려는 것이다.
③ 도덕적 권리 접근법의 일환으로 나온 법안으로 공정거래법, 공해방지법 등이 있다.
④ 사회적 정의 접근법에서는 정당성, 공정성, 공평성을 중시한다.

22 기업의 입장에서 볼 때 그 대상을 파악할 수 있기 때문에 영향력 행사가 가능하며, 관리가능한 환경은 다음 중 무엇인가?

① 일반환경
② 문화환경
③ 과업환경
④ 경쟁환경

23 다음 중 기업의 경영환경에 대한 설명으로 가장 적절하지 않은 것은?

① 거시환경과 미시환경은 기업에 대해 서로 상호 연관된 형태로 영향을 미친다.
② 기업의 조직문화, 조직목표 등도 조직 경영에 영향을 미칠 수 있으므로 기업내부환경으로 본다.
③ 기업환경은 기업의 활동에 위협이 되기도 하므로 기업에 게는 외부환경 변화에 대한 신축적 대응이 필요하다.
④ 오늘날 기업환경 변화의 특성은 오랫동안 계속되는 지속성을 가지고 있으므로 변화의 원인을 쉽게 예측할 수 있다.

24 다음은 대기업과 비교하여 상대적인 중소기업의 유리한 점에 대해 기술한 것이다. 보기 중 가장 거리가 먼 것은?

① 대기업에 비해 신제품 출시와 개발 속도가 빠르고 자금과 인력이 적게 든다.
② 개인별 맞춤서비스를 원하는 특수 분야 시장에는 중소기업이 유리하다.
③ 소수의 몇 사람이 출자하여 직접 경영에 참여하며 기업의 생명이 소유주 개인에 달려있다.
④ 대기업이 쉽게 진출하지 않는 수요량이 적은 틈새시장 공략에 유리하다.

25 다음 중 공기업의 특징에 대한 설명으로 가장 적절하지 않은 것은?

① 국가예산의 범위에 한정된 자금으로 운영되므로 자본조달의 어려움이 따르는 경우가 많다.
② 법령이나 예산에 구속되어 경영상의 자유재량이 결여되기 쉽다.
③ 조세감면의 특혜를 받아 세금이나 공과금이 면제되거나 낮은 경우가 많다.
④ 공기업은 이익추구와 함께 공익추구도 함께 고려하여야 하며, 투자의사결정은 공기업의 공공성을 달성할 수 있도록 수행되는 경우가 많다.

26 다음 중 벤처캐피털의 특징에 대한 설명으로 가장 옳지 않은 것은?

① 벤처캐피털은 위험은 크지만 고수익을 지향하는 모험자금이다.
② 벤처캐피털은 투자기업을 성장시킨 후 보유주식을 매각하여 자본이익을 얻고자 투자한다.
③ 벤처캐피털은 투자기업의 경영권 획득이 목적이 아니라 사업에 참여방식으로 투자하는 형식을 취한다.
④ 벤처캐피털은 투자심사에 있어서 기업의 안정성, 재무상태, 담보능력을 가장 중요시한다.

27 다음 중 여러 가지 조직구조에 대한 설명으로 가장 적절하지 않은 것은?

① 수평적 분화는 부문화와 직무의 전문화 등으로 나타난다.
② 조직의 공식화 수준이 높을수록 조직 구성원 개인의 직무 수행에 대한 재량권이 증가한다.
③ 집권화가 큰 조직은 의사결정권한을 상위층의 경영자가 보유하게 된다.
④ 분권적 관리조직은 신속한 의사결정이 가능하지만 공동비용의 발생으로 비용증가의 가능성이 있다.

28 아래 내용의 ⓐ, ⓑ에 해당되는 용어를 짝지어 놓은 것으로 가장 적절한 것은?

> ⓐ는 동일지역 또는 인접지역에 있고 서로 관련성이 있는 여러 업종의 기업이 유기적으로 결합된 2개 이상의 기업결합체를 말한다.
> ⓑ는 몇 개의 기업이 법률적 독립성을 유지하면서 금융적, 자본적으로 결합된 기업결합형태를 말한다.

① ⓐ 콤비나트(kombinat) – ⓑ 콘체른(concern)
② ⓐ 컨글로메리트(congolmerate) – ⓑ 트러스트(trust)
③ ⓐ 컨글로메리트(congolmerate) – ⓑ 콘체른(concern)
④ ⓐ 콤비나트(kombinat) – ⓑ 트러스트(trust)

29 다음 중 조직문화의 기능에 대한 설명으로 가장 옳지 않은 것은?

① 조직 구성원간의 정서적 유대감을 높여준다.
② 조직 구성원간의 커뮤니케이션 효율성을 높인다.
③ 강한 조직문화를 가진 기업의 경우, 전념도가 높아져 조직의 결속이 높아진다.
④ 조직문화는 항상 조직의 의사결정 효율성을 저해하는 요인으로 작용한다.

30 다음 중 민츠버그(Minzberg)가 주장한 조직의 경영자에 대한 설명으로 가장 옳은 것은?

① 경영자는 대인적, 정보적, 의사결정적 역할을 수행한다고 주장하였다.
② 종업원을 채용, 훈련, 동기유발시키는 등의 리더로서의 역할은 경영자의 의사결정적 역할을 보여주는 것이다.
③ 기업 내외의 여러 이해집단과 접촉하는 것은 경영자의 정보적 역할을 보여주는 것이다.
④ 분쟁 해결자, 협상가로서의 역할을 수행하는 것은 경영자의 대인적 역할을 보여주는 것이다.

31 다음 중 리더십 이론에 대한 설명으로 가장 적절하지 않은 것은?

① 피들러(Fiedler)의 상황이론에 따르면, 집단상황이 리더에게 매우 호의적인 상황에서 관계지향적 리더가 가장 효과적인 것으로 나타났다.

② 허시(Hersey)와 블랜차드(Blanchard)의 상황이론에 의하면, 부하의 성숙도가 매우 높은 경우에는 위임형 리더십 스타일이 적합하다.
③ 블레이크(Blake)와 머튼(Mouton)의 관리격자모형은 생산에 대한 관심과 인간에 대한 관심으로 리더의 행동을 유형화 하였다.
④ 하우스(House)의 경로-목표이론에 의하면, 리더는 개인이나 집단 구성원이 추구하는 목표에 길잡이가 될 수 있을 때효과적인 리더라고 할 수 있다.

32 다음의 임금피크제에 대한 설명으로 가장 옳은 것은?

① 근속연수에 따라 호봉과 임금이 한없이 증가하는 것이다.
② 고령의 사원을 낮은 임금에 고용 보장을 해주기 위해 마련한 제도이다.
③ 임금하한제로서 기업의 임금부담을 줄일 수 있는 방안이다.
④ 저임금 노동자를 보호하기 위해 마련된 제도이다.

33 다음은 각 동기부여 이론에서 주장하고 있는 특성을 설명한 것이다. 가장 옳지 않은 것은?

① 욕구단계이론 : 하위계층의 욕구로부터 단계적으로 나타난다.
② ERG이론 : 사람은 존재, 관계, 성장에 관한 세 단계의 욕구를 갖는다.
③ 동기 – 위생이론 : 동기요인은 만족요인, 위생요인은 불만족 요인으로 설명하고 있다.
④ 강화이론 : 사람은 행동과정에서 동기력 값이 가장 큰 대안을 선택하여 강화한다.

34 다음 중 경영정보시스템(MIS)에 대한 설명으로 가장 옳지 않은 것은?

① 경영정보시스템은 인사관리, 판매관리, 재고관리, 회계관리 등의 분야에 걸쳐 다양하게 적용된다.
② 기업의 외부자원과 내부자원을 통합하여 고객의 요구에 맞게 서비스함으로써 업무생산성을 향상시키고, 고객 외부사업 파트너, 내부 종업원을 통일된 인터페이스를 통해 하나로 묶을 수 있는 e-Business를 의미한다.
③ 경영정보시스템의 역할은 운영적 역할, 관리적 역할 뿐 아니라 기업전체의 전략적 우위확보를 지원하는 전략적 역할을 포함하고 있다.
④ 경영정보시스템의 기능구조로는 거래처리시스템, 정보처리 시스템, 프로그램화 의사결정시스템, 의사결정지원시스템, 의사소통 시스템 등이 있다.

35 다음의 제품수명주기(PLC)에 따른 특징과 마케팅 전략에 대한 설명으로 가장 옳지 않은 것은?

① 도입기 : 제품 홍보를 알리는 공격적 광고 홍보 전략
② 성장기 : 매출이 증가하는 단계로 기존고객 유지 전략
③ 성숙기 : 경쟁이 가속화되는 관계로 시장점유 방어 전략
④ 쇠퇴기 : 판매부진과 이익감소로 원가관리 강화 전략

36 다음은 경영분석에서 사용되는 주요 분석방법들 중 하나를 설명한 내용이다. 아래의 분석기법은 무엇을 설명한 것인가?

- 기준 연도의 재무제표 각 항목 수치를 100%로 하고 비교 연도의 각 항목 수치를 이에 대한 백분율로 표시한다.
- 매출액 증가율, 순이익 증가율 등 성장성을 파악하는 데 활용한다.

① 구성비율분석　② 관계비율분석
③ 추세비율분석　④ 유동비율분석

37 다음 중 손익계산서에서 나타내는 산식으로 가장 옳은 것은?

① 매출총이익 = 매출액 – 판매비
② 영업이익 = 매출총이익 – 판매비와 일반관리비
③ 법인세차감전 순이익 = 영업이익 + 영업 외 수익
④ 당기순이익 = 매출총이익 – 영업이익

38 설계 · 개발, 제조 및 유통 · 물류 등 생산과정에 디지털 자동화 솔루션이 결합된 정보통신기술(ICT)을 적용하여 생산성, 품질, 고객만족도를 향상시키는 지능형 생산공장을 일컫는 용어는 다음 중 무엇인가?

① 인더스트리 4.0　② 스마트 공장
③ 사물인터넷　④ 공장자동화

39 다음의 물가지수(price index)에 대한 설명으로 가장 옳지 않은 것은?

① 종합적인 물가수준을 일정한 기준에 따라 지수로 나타낸 것이다.
② 어느 해의 물가지수가 105라면 기준연도에 비해 평균 물가수준이 5% 감소하였다는 것을 나타낸다.
③ 물가지수는 상품별로 중요한 정도에 따라 가중치를 다르게 적용한다.
④ 물가지수라 하면 보통 생산자물가지수와 소비자물가지수를 말한다.

40 다음 중 아래의 내용과 관련된 용어로 가장 적절한 것은?

> 투자자들 사이에 어떤 회사의 주식가치, 더 나아가 전체주식 시장의 가치가 고평가되었는지 가늠할 수 있는 잣대로서 현재시장에서 매매되는 특정회사의 주식가격을 주당순이익 으로 나눈 값을 말한다. 이것이 낮은 주식은 앞으로 주식가격이 상승할 가능성이 크다.

① ROI ② PER ③ KPI ④ CVR

■ 〈제3과목〉 사무영어

41 Choose one that does not correctly explain each other.

① Folder : a thin, flat folded piece of paper
② Coat rack : a piece of furniture where you can hang your coat, hat, etc.
③ Encyclopedia : a book of facts about many different subjects
④ Shredder : a machine that you are able to buy things like candy, soda etc.

42 Read the following conversation and choose one which is not true.

> The Honorable Tony Knowles, Governor, the State of Alaska & Mrs. Susan Knowles request the pleasure of your company at a reception to honor the growing ties between the Republic of Korea and State of Alaska on Monday, the 23 rd day of September, 2018, from 6 until 8 P.M.
>
> R.S.V.P. 02)739-8058~9 (Ms. Susan Park)
> The favor of a reply is requested by September 13.
> The Grand Ballroom Shilla Hotel(Seoul)

① The governor of Alaska and his wife are the hosts of the upcoming party.
② Recipient has to contact Ms. Park after September 13.
③ Both sides agreed to cooperate with each other closely.
④ The reception will be held in Seoul.

43 Which English sentence is grammatically LEAST correct?

① 10년 내에, 저는 이 회사 최고의 비서가 되고 싶어요.
Within 10 years, I would like to become the very best secretary in this company.
② 문서를 팩스로 보내 주실 수 있나요? Could you fax the document to us, please?
③ 요청하신 자료입니다. This is the information you requested.
④ 첨부 파일을 보세요. Please look for the attaching file.

44 According to the below, which of the followings is not true?

Secretary Wanted

Royal Insurance has an opening for a motivated, independent, self-starter. Must be a team player with good organizational and communication skills.

Knowledge of Word Perfect 9.0 for Windows, Excel, Powerpoint experience required. Responsible for clerical duties including expense reports and schedules. A minimum of 60 wpm typing. We offer an excellent benefits package.

For immediate consideration, mail/fax resume to: Human Resource Manager, Royal Insurance, 2 Jericho Plaza, Jericho, NY 11733, Fax # 516-937.

– Royal Insurance

① Royal Insurance는 조직력과 의사소통 기술을 갖춘 비서를 채용하고자 한다.
② Royal Insurance 비서직에 관심이 있는 사람은 이력서를 인사부장에게 우편이나 팩스를 통해 보내기 바란다.
③ 컴퓨터 활용 능력뿐 아니라 비서 경력을 갖춘 사람이어야 한다.
④ 최소 1분에 60단어 이상의 타이핑 능력을 갖추어야 한다.

45 Read the following conversation and choose one that is the most appropriate expression for the blank.

A : I still say we have to diversify our product line within this year.
B : Can we delay this issue and move on to another topic?
A : Yes, but it's something that ____________________.
B : I know but we are really getting bogged down at the moment.
A : Let's take a short break and come back after ten minutes.
B : OK. Would you like a cup of coffee?

① we should address as soon as possible.
② we've just covered all the topics.
③ we do not need to deal with this issue.
④ we highlight the gist of our discussion.

46 Which of the following is MOST appropriate?

> May 5, 2018.①
>
> Supplies Limited 316 Wilson boulevard Arlington, VA 22207 USA
>
> Dear sir or madam,②
>
> This morning I received a carton of computer printout paper(stock number CP4-9). This paper is useless. The carton was damaged and wet, I'm returning it under separate cover.
>
> We'd like a replacement as soon as possible.
>
> Please call me if there are any questions?③
> Thank you for your cooperation.
>
> Cordially yours,④
>
> Sophie Yang

① ① May 5, 2018.

② ② Dear sir or madam,

③ ③ Please call me if there are any questions?

④ ④ Cordially yours,

47 Choose one that is the most appropriate subject for the blank.

Subject: ______________________
From: kje@han.com
To: stevep@free.com

Dear Mr. Park,

We were given your name by Shcmidt Ltd. in Germany.
My name is Jeongeun Kim, and I am in charge of my company's PR Department. I'm emailing you regarding a future relationship between my company and yours. We wish to provide you with some information on our latest equipment. Should you wish to receive further information regarding this matter, please do not hesitate to contact me at the e-mail address.

I look forward to hearing from you.

Sincerely yours,

Jeongeun Kim
PR Manager

① New Terms and Conditions
② Asking for Additional Information
③ A Future Relationship
④ Introducing a New Employer

48 Refer to the following envelope and choose one which is not true.

Asia Technology Co., Ltd.
43, Sambong-ro, Jongno-gu
Seoul, Korea 11042

STAMP

VIA AIRMAIL
Mr. John M. Baker
12/Floor, St. John's Building
33 Garden Road
Central, Hong Kong

PERSONAL

① Sender works in Asia Technology Company in Seoul.
② The lower right hand side deals with the recipient's information.
③ This letter will be sent by airplane.
④ Mr. Baker's executive assistant can open the letter without permission.

49 What is INCORRECT about the following?

1. From July 21, Monday, Accounting class will be held in the library. There will be two sessions : intermediate level (11 a.m.) and advanced level (2 p.m.). Please encourage your staff to attend one of the sessions.
2. Please send me the names of all interested staff by July 12. They will be given a test so that we can decide which of the classes is best for them.

① The type of this writing is Memorandum.
② There are two different levels in Accounting class.
③ The receiver of this is another company which has business with the company of the writer.
④ All the people who want to take the class should take a test.

50 What is the purpose of the following passage?

> As the project schedule is overdue, I need to stay more in Seoul.
>
> My room at InterContinental is up to this coming Monday, 20 th January. I tried to extend my booking but the hotel told me there is no available room. Please select a hotel near the project place. I need a room to 2 nd of February.

① to extend a hotel reservation
② to reserve a hotel room
③ to reschedule the project
④ to select a project room

51 Ms. Kim, a secretary, should prepare a workshop based on the letter. Which is INCORRECT about the letter?

> Thank you for your kind invitation to be the guest speaker at your organization's May meeting. I am happy to do so.
> Per your request, I will give a lecture and slide show in the morning and present a workshop in the afternoon. The workshop is limited to twenty participants. We'll need long table (6 ft X 2ft) for the workshop, one per participant plus two additional ones for my use.
> I am enclosing a contract for your convenience. Please note that 25% of the lecture and workshop fees are payable upon signing. The remainder, including transportation costs, can be paid at the conclusion of the workshop. As soon as the contract is returned, I will have my travel agent book the trip to take advantage of the lowest possible airfare.

① This is the reply to the invitation as a guest speaker.
② At the conclusion of the workshop, the writer can get 75% of the whole fees.
③ The writer asks the receiver of the letter to reserve the trip ticket.
④ The writer wants to use two long tables for the workshop for himself.

52 Belows are sets of phone conversation. Choose one that does not match correctly each other.

① A : Isn't that Seattle then?
B : No, you must have the wrong area code.
② A : Ms. Pearce asked me to call this morning.
B : May I speak to Ms. Pearce?
③ A : We can let you know what sizes are available.
B : Thanks. I can order what we need then.
④ A : When can I reach you?
B : I'll be in all evening.

53 Read the following conversation and choose one which is not true?

A : I'd like to reserve a round-trip ticket to Tokyo.
B : Business class or economy?
A : I want to travel executive class.
B : When do you want to travel?
A : On April 8th. And I'd like to get an open-ended return ticket, please.
B : Certainly. Shall I reserve it?
A : Yes, thanks.
B : I'll contact you when the ticket arrives.

① The airline needs to get in touch with customer regarding the ticket.
② The customer would like to book a business class.
③ The airline knows the customer's return date.
④ The customer is scheduled to leave for Tokyo on April 8th.

54 Which of the following is the most appropriate expression for the blank?

A : Could you tell us about your company?
B : Sure. It was founded in 1971, and we have approximately a quarter of a million employees.
A : What about your gross profit?
B : We have a gross profit of over $150 million per annum.
A : ______________________.
Where is the head office?
B : It's based in Incheon, which is on the outskirts of Seoul.
A : That's interesting. I would have thought the head office would be in Seoul.
B : It is located in that city for many reasons.

① I have one more question to ask you.
② You can ask me questions any time.
③ People here are working in three shifts.
④ Our company has a good reputation.

55 According to the following conversation, which one is true?

A : Good morning. May I help you?
B : Yes, please. I'm looking for the Marketing Department.
I was told that it's on this floor.
A : I'm sorry, but the Marketing Department has moved to the 21st floor.
B : I see. Is there any stairs nearby?
A : Yes, just around the corner, sir.
But you had better take the elevator on your left.
You are on the fifth floor.
B : You're right. Thank you.
A : Marketing Department is on the right side of the elevator.

① Take the elevator to go to the Marketing Department.
② Marketing Department is on the fifth floor.
③ Marketing Department is by the stairs.
④ The stairs are down the end of the hall.

56 According to the following phone messages, which one is not true?

This is Juliet Kim. I'm sorry I'm not able to answer the phone at the moment as I'm on a business trip until next Tuesday. If you like to leave a message, please do after the beep. In ask of any urgency, please contact Mrs. J. S. Lee, extension 242. Thank you.

Hi, Juliet, this is James Park of CityCorp. It's 10:50 am Thursday, November 2nd. I was calling to let you know that we don't need your project report until next Friday. You don't need to return my call. Bye.

① Juliet Kim is not able to answer the phone until next Tuesday.
② James Park of CityCorp left the message on Juliet's answering machine.
③ James Park left a message on Juliet's answering machine to call him back.
④ Juliet asked Mrs. J. S. Lee to handle any urgency in her absence.

57 Read the following conversation and choose one which is not true?

Mr. Louis : I'm here for the convention, as a visitor.
Ms. Jenkins : Okay. Can I have your ID, please?
Every visitor has to be registered.
Mr. Louis : Certainly. Here you are.
Ms. Jenkins : Okay... Here's your ID back.
We have our welcoming pack in this bag.
In the welcoming pack, there should be a map of the hall so you can find your way.
There is also a list of the participanting companies and information about them.
Mr. Louis : Thank you. Would it be possible to get some extra brochures? I want to share them with my colleagues.
Ms. Jenkins : Sure, here you are, sir.
If you need any help, please let me know.

① All visitors have to present their identification.
② Mr. Louis wants to give brochures to his colleagues.
③ Ms. Jenkins didn't prepare anything for the participants.
④ Mr. Louis can get information about participating companies.

58 Which is NOT the work that David has to do as a junior clerk?

Manager	: As a junior clerk, you will have to do a lot of different jobs.
David	: I understand that and I am prepared.
Manager	: Well, that sounds very promising. Now, you will have to sort out the mail every morning and take it round to put on the office desks.
David	: Yes, sir.
Manager	: Next, you have to check all the newspapers to see if our advertisements have been printed correctly. That's very important. Are you careful at checking details?
David	: I think so. I used to help my father check the books for his business. I am sometimes a bit slow, I am afraid.

① He has to arrange the mail everyday.
② He has to check the company's advertisements in the newspapers.
③ He has to check the books for business.
④ He has to check whether the advertisements are printed correctly or not.

59 Which is INCORRECT about the schedule?

Mr. Chun	: Tell me how you've planned my next trip to New York.
Secretary	: You're leaving Seoul at 9:25 on Tuesday morning on KE840 and arriving in New York at 10 o'clock on the same day. Mr. John Smith will meet you at the John F. Kennedy airport and take you to the headquarters.
Mr. Chun	: Good.
Secretary	: You'll be staying at the New York Millennium Hilton.
Mr. Chun	: And on the way back?
Secretary	: The return flight leaves at 4 o'clock on Saturday afternoon and arrives in Seoul at 9:00 p.m. on Sunday. Mr. Kim will meet you at the baggage claim.

① At 6 p.m. on Saturday, Mr. Chun is in the plane coming to Seoul.
② Mr. Chun arrives in New York on Tuesday.
③ Mr. Chun will stay at Hilton for 5 nights.
④ The first schedule in New York starts in the headquarters.

60 Which of the following is the most appropriate expression for the blank?

A : Ms. Kidman, how are you this morning?
B : Couldn't be better, thank you. And you?
A : Fine, thanks.
Did you read over the brochure about plants?
B : Yes, I'm looking forward to visiting the plants.
A : There's nothing like seeing for oneself.
B : ______________________.
A : You'll have a rewarding visit even though you have a tight schedule.
B : I'm quite used to having a tight schedule.

① I don't agree with your opinion.
② The schedule is subject to change.
③ I'll take you to the plant.
④ You can say that again.

■ 〈제4과목〉 사무정보관리

61 다음 중 외래어 표기법에 따라 올바르게 표기된 것으로 묶인 것은?

① 팜플렛, 리더십, 까페
② 리더쉽, 악세서리, 타블렛
③ 악세사리, 리플렛, 팸플릿
④ 카페, 리더십, 리플릿

62 공기업 홍보팀에서 팀비서를 하고 있는 홍지영 비서가 다음과 같은 직무위임표에 의거해서 결재관련 업무를 진행한 것중에서 가장 올바르지 않게 진행된 것은?

업무내용	사장	전결권자		
		부사장	본부장	팀장
홍보기본 계획 수립	○			
홍보성 행사 주관			○	
공고 및 홍보물 제작				○
광고비 결재(3억원 이상)		○		
광고비 결재(3억원 미만)			○	
공보업무 – 보도자료 관리 등				○

① 홍보팀장 책임하에 작성한 2019년도 홍보기본 계획을 본부장, 부사장 검토를 거쳐서 사장님에게 최종 결재를 받았다.
② 홍보팀원으로서 홍보행사 기획안을 작성하여 본부장에게 결재를 받으러 했으나 휴가중이여서 부사장에게 대결을 받았다.
③ 3억원의 광고비 결재를 위해서 부사장의 전결을 받았다.
④ 신제품 출시에 관한 보도자료를 작성하여 홍보팀장의 전결을 받아서 언론기관에 배부하였다.

63 공문서를 올바르게 작성하기 위해서는 올바른 문장부호 및 띄어 쓰기, 순화어 등을 사용하여야 한다. 이 원칙에 따라 공문서에 작성된 사항 중 올바른 것을 모두 고르시오.

가. 2018. 9. 18(화)
나. 원장 : 김진수
다. 4. 23.~5. 23.
라. 296억 달러
마. 총 300여 명의

① 모두
② 없음
③ 가, 다, 라, 마
④ 다, 라, 마

64 행정기관에서 일하고 있는 김비서는 2017년 11월 1일자로 변경된 공문서 작성방법에 따라서 기안문을 작성하고 있다. 다음 중 가장 적절하지 않은 것은?

① 공문서를 작성할 때 숫자를 아라비아 숫자로 표기하였다.
② 음성정보나 영상정보와 연계된 바코드를 표기하였다.
③ 상위 항목부터 하위 항목은 1., 가., 1), 가), (1), (가) 순으로 하였다.
④ 본문의 첫째 항목(1., 2., 3.)은 왼쪽에서 6타를 띄어서 제목 밑에서 시작하도록 하였다.

65 무역회사에 다니는 정비서는 영문 명함을 정리하고 있다. 아래 명함을 알파벳순으로 정리하시오.

가. Allyson Berberich
나. Eric Burgess, Jr.
다. Dr. Veronica Cochran
라. Kim, Creig
마. Burgess, Lynn
바. Amy-Lynn Gochnauer, CMP

① 가 – 바 – 다 – 나 – 라 – 마
② 가 – 나 – 다 – 라 – 바 – 마
③ 가 – 나 – 마 – 다 – 바 – 라
④ 가 – 나 – 마 – 다 – 라 – 바

66 아래와 같은 이메일 머리글의 일부분을 보고 알 수 있는 사항 으로 가장 적절하지 않은 것은?

From	: Ashley Taylor 〈ashley@abc.com〉
To	: Yuna Lee 〈yuna2016@bcd.com〉
CC	: 〈tiffany@bcd.com〉; 〈irene@abc.com〉; 〈sjones@bcd.com〉
Bcc	: 〈secretaryjean@abc.com〉
Date	: Fri 10 Aug 2018 08 : 27 : 18 AM
Subject	: Monthly Report (July 2018)

① 이 이메일을 받아서 다른 사람에게 포워드 할 수 있는 사람은 모두 5명이다.
② Yuna Lee가 이메일을 받은 일시는 2018년 8월 10일 오전 8시 27분 18초이다.
③ secretaryjean@abc.com이 받은 메일에는 자신의 메일주소가 기재되어 있지 않다.
④ tiffany@bcd.com은 secretaryjean@abc.com이 해당 메일을 받았다는 사실을 모른다.

67 다음에서 열거된 전자문서에 관한 설명으로 가장 적절하지 않은 것은?

① 전자문서는 특별히 규정되지 않는 한 종이 문서와 동일하게 효력을 갖는다.
② 전자문서는 종이문서에 비해 작성, 유통, 보관, 검색이 용이하지만, 종이문서에 비해 유실과 같은 사고에는 취약하다.
③ 전자문서 사용은 문서 보관에 필요한 공간이나 공간 유지 비용을 절감시켜 준다.
④ 전자문서 작성자가 수신확인을 조건으로 전자문서를 송신한 경우 작성자가 수신확인통지를 받기 전까지는 그 전자문서는 송신되지 않은 것으로 간주된다.

68 건설회사에 근무하는 고비서는 정보 보안에 신경 쓰라는 상사의 지시에 따라 대외비 전자 문서에 보안을 설정하고 있다. 다음 중 전자 문서에 보안 및 암호 설정에 관한 내용이 가장 적절하지 않은 것은?

① 한글 2010 파일은 [보안]탭에서 [암호설정]을 선택 후 설정한다.
② PDF 파일은 Acrobat Pro 소프트웨어를 이용해서 암호를 설정한다.
③ 엑셀 2010 파일은 암호를 1자 이상으로 설정 가능하다.
④ 한글 2010 파일은 인쇄를 제한하는 배포용 문서로 저장하는 것은 불가능하다.

69 다음과 같이 어플리케이션을 이용하여 업무처리를 하고 있다. 이중 가장 적합하지 않은 경우는?

① 상사가 스마트폰에서도 팩스를 수신하실 수 있도록 모바일 팩스 앱을 설치해 드렸다.
② 상사가 스마트폰으로 항공기 탑승 체크인을 하기를 원해서 항공권을 구입한 여행사 앱을 설치해 드렸다.
③ 상사가 스마트폰을 이용하여 발표자료 편집을 원하셔서 Keynotes 앱을 설치해 드렸다.
④ 종이 문서를 스마트폰으로 간단히 스캔하기 위해서 Office Lens 앱을 사용하였다.

70 다음 중 신문기사에 대한 내용으로 가장 연관이 적은 것은?

> 우정사업본부는 9월 3일 우체국 펀드 판매 사업을 개시한다고 밝혔다.
> 우체국은 펀드판매 사업 논의 10년 만인 지난 6월27일 금융 위원회로부터 인가를 받고, 그동안 내부 직원 대상 시범기간을 운영하는 등의 준비를 거쳐 전국 222개 총괄우체국에서전 국민을 대상으로 펀드 판매를 시작한다. 판매 상품은 공모펀드 중 원금손실 위험도가 낮은 머니마켓펀드, 채권형 펀드와 주식 비중이 30% 이하인 채권혼합형펀드 상품 중 안정적이고 보수가 낮은 13개 상품이다. 우정사업본부는 백령도 등 도서 지역 뿐만 아니라 해남 땅끝 마을까지 전국 농어촌 등 금융 소외 지역까지 넓은 투자 접점을 제공한다. 또 누구나 편리하게 펀드 거래를 하게 해서민자산형성을 지원한다는 방침이다. 이와 함께 펀드 수수료 인하 등 펀드 판매 시장의 혁신을 선도하는 메기 역할을 수행하겠다고 다짐했다. 또 윤리 의식과 가입자 중심의 금융 사업 영위를 위해 6단계 표준판매 절차를 적용하고, 불완전판매 자가점검, 해피콜, 자체 미스터리 쇼핑 검사 등을 실시한다. 이와 함께 펀드 투자 광고도 준법감시인 사전 승인과 금융투자협회 심사를 거칠 예정이다. 전국 총괄우체국과 지방우정청에 내부통제담당자를 지정하는 등 내부통제 체계를 확립하고, 펀드 준법지원시스템 신설과 사고예방 시스템을 개선해 금융사고도 예방할 계획이다.
> 우정사업본부는 펀드 판매 개시에 맞춰 신규 가입자 대상 추첨을 통해 우체국 쇼핑 상품 등 경품 지급 행사도 진행한다.
> 강○○ 본부장은 "우체국이 국영금융으로서 서민 금융 실현과 착한 금융의 역할을 지속적으로 확대해 나갈 것"이라며 "모든 국민이 편리하게 우체국에서 펀드에 가입하고, 민간 수준 이상의 이용자 보호 의무를 보장받을 수 있도록 내부통제 확립과 불완전판매를 원천 차단하겠다."고 밝혔다.

① 9월 3일부터는 모든 우체국에서 우체국 펀드에 가입할 수 있다.
② 펀드에 투자할 경우 원금손실 가능성이 있다.
③ 비교적 원금손실 위험도가 낮은 상품을 판매할 계획이고, 불완전판매 차단을 위해 노력할 계획이다.
④ 다양한 방법을 통해 펀드 이용자를 보호할 계획을 세우고 있다.

71 **의료기관에서 근무하는 최비서는 지원금 신청을 위해 고용보험 홈페이지에 접속하였다. 고용보험 홈페이지는 업무 처리를 위해 공인인증서가 필요하여 인증서를 발급받으려고 한다. 공인인증 서와 관련된 내용이 가장 적절하지 않은 것은?**

① 공인인증서는 유효기간이 있으므로 발급 기관으로부터 갱신 해서 사용해야 한다.
② 공인인증서 안에는 발행기관 식별정보, 가입자의 성명 및식별정보, 전자서명 검증키, 인증서 일련번호, 유효기간 등이 포함되어 있다.
③ 공인인증서의 종류는 범용 공인인증서와 용도제한용 공인인증서로 나뉜다.
④ 공인인증서 발급 비용은 종류에 관계없이 모두 무료이다.

72 **데이터베이스를 사용할 때 데이터베이스에 접근하여 데이터의 속성을 정의하고 데이터를 검색, 삽입, 갱신, 삭제하는 데 사용되는 데이터베이스의 하부언어는?**

① HTML ② VBA ③ SQL ④ C언어

73 **다음은 K은행에서 고시한 오늘 자 외환시세표이다. 이에 관한 사항 중에서 가장 적절하지 않은 내용은?**

통화명	현찰		송금		매매 기준율	미화 환산율
	사실때	파실때	보내실때	받으실때		
미국USD	1,142.80	1,103.50	1,134.12	1,112.17	1,123.15	1.0000
일본JPY100	1,025.87	990.59	1,078.11	998.36	1,008.23	0.8977
유로EUR	1,322.84	1,271.22	1,310.00	1,284.06	1,297.03	1.1548
중국CNY	171.13	155.03	164.82	161.56	162.78	0.1455

① 일본 10,000엔을 현금으로 살 때 필요한 돈은 102,587원이다.
② 200유로를 팔아서 받은 현금으로 20,000엔을 살 수 있다.
③ 일본엔화와 중국위안화는 미화보다 가치가 높고, 유로화는 미화보다 가치가 낮다.
④ 4개국 통화모두 동일금액의 외화를 현금으로 사는 것보다 송금을 보낼 때 돈이 덜 든다.

74 다음 그래프에 관한 설명 중 가장 적절하지 않은 것은?

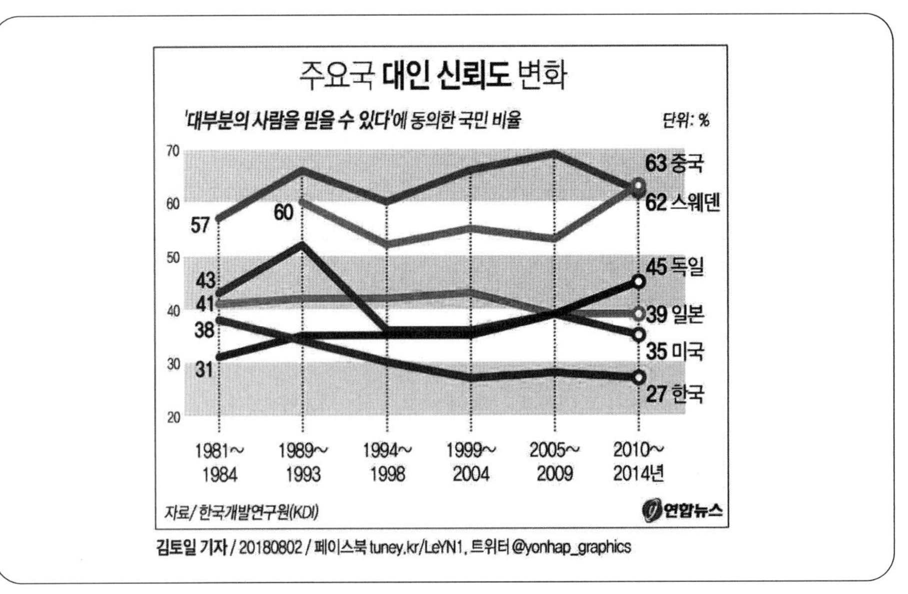

① 1990년 이후 우리나라 국민은 위 5개국 국민들보다 다른 사람을 못 믿는 편이다.
② 2005~2009년의 대인신뢰도는 독일, 일본, 미국이 거의 비슷하다.
③ 중국은 1981~1984년의 대인신뢰도 조사결과 자료가 없다.
④ 이 그래프는 누적 꺾은선 그래프로서 시간흐름에 따른 변화를 보기에 편하다.

75 상공상사(주) 김미소 비서는 상사 집무실의 프린터를 스마트폰 에서 바로 인쇄를 할 수 있는 기종으로 바꾸기 위하여 적당한 프린터를 3개 정도 조사하여 상사에게 보고하려고 한다. 이때 프린터에 필요한 기능끼리 묶인 것은?

① 와이브로 기능, 와이파이 기능
② 블루투스 기능, 와이파이 기능
③ 와이파이 기능, MHL 기능
④ 블루투스 기능, MHL 기능

76 **다음의 신문기사 내용에 해당하며 ★에 들어가야 할 컴퓨터범죄는?**

> '중요한 보안 경고'란 제목으로 포털사에서 전송한 것처럼 위장한 ★메일이 발견됐다. 안전하게 계정을 보호하고 싶은 이용자의 심리를 이용한 사회공학적 기법의 공격으로 이용자 들의 세심한 주의가 필요하다. 지난 21일 전송된 ★메일은 포털사이트 D사에서 보낸 것처럼 위장하고 있다. '중요한 보안 경고' 제목과 함께 "다른 IP 위치에서 귀하의 메일 계정에 불법적인 시도를 발견했다"며 "안전을 위해 계정을 계속 사용하려면 '지금 여기를 누르십시오' 버튼을 클릭할 것"을 권고하고 있다. 특히, 보낸사람은 D사로 되어 있지만, 이메일 주소를 살펴보면 발전기 관련 업체 메일이 기재돼 있다. 이는 공격자가 특정 기업을 해킹해 해당 기업이 악용된 것으로 추정할 수 있는 대목이다. 〈후략〉
>
> 〈보안뉴스, 2018.8.23. 발췌〉 www.boannews.com

① 파밍
② 피싱
③ 스미싱
④ 디도스

77 **비서가 상사의 개인정보 및 인맥관리를 위한 주소록 관리를 담당하고 있다. 다음 중 개인정보 처리와 관련한 업무처리가 가장 올바른 것은?**

① 상사의 주민등록번호 및 각종 아이디 및 패스워드가 기재된 개인정보 파일은 매우 빈번하게 사용하므로, 업무 중에는 암호화를 풀고, 퇴근 시에 암호를 걸어 보관하였다.
② 상사의 여권번호를 포함한 개인정보파일 및 외부인 연락처 파일이 저장된 컴퓨터 전체를 비밀번호로 로그인하도록 암호화하였으므로 개별파일은 암호화하지 않았다.
③ 상사에게 비서가 개인정보를 제공하고 활용하는데 동의한다고 하는 개인정보제공 및 활용동의서를 미리 받아두었다.
④ 상사의 개인정보 신상카드에 비어 있는 난이 있는 경우, 상사에게 여쭈어서 모든 난을 채워 놓는다.

78 다음 중 감사장을 적절하게 작성하지 않은 비서를 묶인 것은?

가. 김비서는 상사가 출장 후 도움을 준 거래처 대표를 위한 감사장을 작성하면서 도움을 준 내용을 상세하게 언급하면서 감사장을 작성하였다.
나. 이비서는 창립기념행사에 참석해서 강연해준 박교수에게 감사편지를 작성하면서 강연 주제를 구체적으로 언급하면서 감사의 내용을 기재하였다.
다. 최비서는 상사 대표이사 취임축하에 대한 감사장을 작성하면서 포부와 결의를 언급하면서 보내준 선물품목을 상세히 언급하면서 감사의 글을 작성하였다.
라. 나비서는 상사의 부친상의 문상에 대한 답례장을 작성하면서 메일머지를 이용하여 부의금액을 정확하게 기재 하면서 감사의 내용을 기재하였다.
마. 서비서는 문상 답례장을 작성하면서 계절인사를 간략하게 언급하고 담백하게 문상에 대한 감사의 내용을 기재하였다.

① 김비서, 이비서
② 김비서, 서비서
③ 최비서, 이비서
④ 최비서, 나비서

79 다음의 컴퓨터 용어 중 설명이 틀린 것은?

① 게이트웨이(Gateway) : 서로 다른 프로토콜 사이를 변환하는 하드웨어 또는 소프트웨어, 또는 다른 시스템에 대한 액세스를 제공하는 모든 매카니즘을 말한다.
② 도메인 이름 서버(DNS Server) : 도메인 이름을 IP 주소로 변환하기 위해 DNS를 사용하는 서버이다.
③ 디버깅(Debugging) : 컴퓨터 프로그램이나 하드웨어 장치에서 잘못된 부분(버그)을 찾아서 수정하는 것
④ 라우터(Router): PC나 노트북, 휴대폰 등 각종 저장매체 등에 남아 있는 디지털 정보를 분석하는 기술 또는 작업

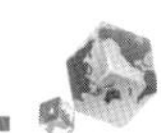

80 다음과 같이 문서 및 우편물을 발송하는 업무를 진행하고 있다. 이때 가장 적절하지 않은 업무처리끼리 묶인 것은?

가. 문서를 발송하기 전에 상사의 서명 날인을 받은 후 스캔본을 보관해두었다.
나. 월임대료를 석 달째 미납하고 있는 임차업체에 최고장을 작성하여 내용증명으로 발송하였다.
다. 창립기념식 초청장 발송용 우편물 레이블을 파워포인트를 이용하여 메일머지해서 작성하였다.
라. 고객사은품으로 상품권을 현금등기로 발송하였다.
마. 주주총회 안내문을 우편으로 발송하면서 요금후납제도를 이용하였다.

① 가, 나, 다, 라, 마
② 나, 다, 라, 마
③ 다, 라, 마
④ 다, 라

2018년 2회 비서 1급 확정답안							
비서실무		경영일반		사무영어		사무정보관리	
문항 번호	정답	문항 번호	정답	문항 번호	정답	문항 번호	정답
1	③	21	①	41	④	61	④
2	②	22	③	42	②	62	②
3	③	23	④	43	④	63	④
4	②	24	③	44	③	64	④
5	②	25	①	45	①	65	③
6	②	26	④	46	④	66	②
7	④	27	②	47	③	67	②
8	④	28	①	48	④	68	④
9	④	29	④	49	③	69	②
10	②	30	①	50	②	70	①
11	③	31	①	51	③	71	④
12	①	32	②	52	②	72	③
13	①	33	④	53	③	73	③
14	④	34	②	54	①	74	④
15	②	35	②	55	①	75	②
16	③	36	③	56	③	76	②
17	②	37	②	57	③	77	③
18	③	38	②	58	③	78	④
19	④	39	②	59	③	79	④
20	③	40	②	60	④	80	④

대한상공회의소 비서자격증 기출문제

제2회 2018년 비서 2급 필기시험

※ 다음 문제를 읽고 알맞은 것을 골라 답안카드의 답란(①, ②, ③, ④)에 표기하시오.

■ 〈제1과목〉 비서실무

01 비서가 수행하는 일정관리 업무 중 가장 적절하지 않은 것은?

① 거래처 방문이 많은 상사인 경우에는 방문 일정표를 별도로 만들어 상사가 지참할 수 있도록 한다.
② 스마트폰에 상사의 일정을 연동시켜 일정 확인 및 추가하며 관리한다.
③ 상사의 일정이 확정되면 바로 비서 일정표에 기재하고, 사내 인트라넷에 임원들이 공유할 수 있도록 올려 둔다.
④ Outlook, 구글, 네이버 등의 일정관리 프로그램, 휴대전화 와의 연동, 그리고 종이로 된 다이어리 등 일정관리 도구를 활용하여 일정이 누락되는 실수를 방지한다.

02 비서가 업무에 임하는 자세로 가장 부적절한 것은?

① 직무경험을 통한 의도적인 학습은 자기개발을 위한 매우 효과적인 방법이다.
② 직무 수행 과정에서의 학습은 지식, 기술, 경험의 증대로 현재의 직무 수행 능력을 향상시키며, 미래에 더 많은 능력을 맡을 수 있는 능력을 키우는 것이다.
③ 문서 작성 시에 문서의 내용을 이해하면서 업무를 수행하는 것은 비효율적이므로 문서작성에만 집중함으로써 업무효율 성을 높일 수 있다.
④ 일상적으로 주위에서 일어나는 일에 대한 이해 외에도 회사의 상품과 업종에 대한 지식을 조사하고 배움으로써 자기개발을 할 수 있다.

03 공장장이 제품불량 건을 보고하기 위하여 사장님과 통화를 요청 하였다. 김비서는 외출 중인 상사에게 아래와 같이 휴대전화 문자 보고 중이다. 다음 설명 중 가장 적절한 것은?

> ① 사장님, 오늘 눈이 많이 왔는데 교통상황은 어떤가요?
> ② 다름이 아니오라
> ③ 공장장님이 제품불량 때문에 전화하셨습니다.
> ④ 급히 통화 원하십니다.
> ⑤ 오늘도 즐거운 하루 되십시오.
> ⑥ 비서 김대영 드림

① 전반적으로 ①번에서 ⑥번까지 잘 작성되었다.
② ①번의 인사는 형식적인 것으로 항상 포함시키는 것이 예절 바른 비서이다.
③ ③번 또는 ④번을 맨 처음에 기술하여 용건을 먼저 보고한다.
④ 휴대전화 문자보고보다는 운전기사에게 연락하여 상사와 통화를 요청한다.

04 상사가 통화 중일 때 낯선 사람이 상사와 급하게 전화 연결을 해달라고 요청한다. 비서의 응대 방법 중 가장 적절한 것은?

① 상사가 현재 통화 중이므로 기다려 달라고 한 후 상사 통화 종료 후 연결한다.
② 상사가 외부에서 들어오시는 중이므로 상사 귀사 후 상황을 상사에게 보고하겠다고 말씀드린다.
③ 상대방에게 신분과 용건을 확인한 후 상사와 통화 가능한 시간을 알려준다.
④ 잠시 기다려달라 하고 상대방의 이름과 용건을 통화 중인 상사에게 메모로 전달한 후 연결여부를 결정한다.

05 상사가 주재하는 회의 참석을 위해 파트너 기업 임원진의 사내첫 방문이 예정되어 있다. 다음 비서의 업무 중 가장 적절하지 않은 것은?

① 방문단 소속 회사 홈페이지 및 최근 뉴스 자료를 수집하였다.
② 회의에 참석할 사내 임원들이 회의 시작 10분 전 회의 장소 에서 대기할 수 있도록 사전에 공지하였다.
③ 방문단 수행 차량을 미리 확인하여 주차장 확보를 위해 해당 부서에 협조를 요청했다.

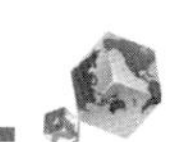

④ 비서가 회의 장소에서 회의 준비를 하는 동안 방문단이 도착하게 되면 회의 장소로 안내해 달라고 안내데스크에 미리 전달 해 놓았다.

06 다음의 내방객 응대 업무 수행 중 가장 부적절한 것은?

비　서 : ⓐ실례지만 어느 분을 찾아오셨습니까?
내방객 : 장성수 사장님을 잠깐 뵐까 합니다.
비　서 : ⓑ어디서 오셨는지요?
내방객 : (명함을 주며) 제 명함입니다.
비　서 : 대한물산 김우식 부장님이시군요.
내방객 : 네, 그렇습니다.
비　서 : ⓒ무슨 용건인지 여쭈어 봐도 될까요?
내방객 : 사장님과 사업상 의논을 드릴 일이 있어 이렇게 찾아왔습니다.
비　서 : ⓓ김 부장님, 저희 사장님이 지금은 막 회의가 끝나서 가능하실 것 같긴 한데 사장님께 여쭈어 보겠습니다.
이쪽에 앉아서 잠시만 기다려 주세요.
내방객 : 네, 고맙습니다.
(비서 상사 방을 다녀와서)
비　서 : 김 부장님, 사장님께서 만나시겠다고 하시네요.
제가 안내해 드리겠습니다. 이쪽으로 오십시오.
내방객 : 고맙습니다.

① ⓐ　② ⓑ　③ ⓒ　④ ⓓ

07 다음 중 비서가 조직구성원들과의 관계를 맺는 태도나 행동으로 가장 적절하지 않은 것은?

① 비서는 일반 사원과의 교류가 적은 편이라 사내 모임에 적극적으로 참여하고 많은 이야기를 듣는 것이 좋다.
② 사내 모임 참여하며 상사의 개인적 취향이나 일상사를 공유 하여 사내 구성원들이 상사에 대한 친밀도를 높일 수 있도록 한다.
③ 모임 때 들었던 사내 직원들의 업무상 고충이나 애로사항 등을 상사에게 전달한다.
④ 다른 비서와 상사 보좌에 대한 노하우를 서로 공유하여 업무 향상을 도모한다.

08 상사의 해외 출장 업무를 지원하는 비서의 업무 태도로 가장 바람직하지 않은 것은?

① 항공사 사전 좌석 지정 서비스를 이용하여 상사의 선호 좌석을 미리 지정해 놓는다.
② 상사가 해외 출장 중 부득이하게 환승이 필요할 경우 공항내 라운지, 샤워룸 등의 편의시설이 있는지를 확인하고 상사가 공항 부대서비스를 활용할 수 있도록 보고한다.
③ 상사가 다양한 항공 서비스를 경험할 수 있도록 예약 시지난 출장과 다른 항공사를 예약한다.
④ 상사가 탑승수속을 원활히 할 수 있도록 사전 웹체크인을 한다.

09 다음 중 비서의 일정관리 업무처리가 올바르지 않은 것을 모두 고르시오.

(가) 상사의 출장 전후로 그동안 처리하지 못한 업무와 면담 일정을 신속히 잡도록 한다.
(나) 일정관리를 할 때는 분실을 대비해서 여러 곳에 나누어 하는 것이 좋다.
(다) 다이어리로 일정을 관리할 때 일정이 변경 시, 혼동을 피하기 위하여 이전 내용을 모두 삭제하고 적는다.
(라) 중요한 스케줄이나 기념일, 프로젝트 등은 알람기능 설정을 활용하면 잊지 않고 미리 확인할 수 있다.

① (가), (나), (다)
② (가), (나), (라)
③ (나), (다), (라)
④ (가), (나), (다), (라)

10 비서의 예약업무처리 방식으로 가장 적절하지 않은 것은?

① 예약 담당자의 이름을 기억하고, 친절하게 인사를 건네며 사소한 도움에도 감사를 전하는 비서의 태도가 예약 업무를 수행하는 데 도움이 될 수 있다.
② 예약을 진행하는 과정 가운데 변경 사항이 있거나 예약 확약이 지체되는 경우 비서가 신속하게 대응 처리한 후, 최종결정사항만 상사에게 보고하는 것이 효율적이다.
③ 예약 이력 정보 목록을 수시로 업데이트하고, 예약이 완료되면 예약 내용을 구체적이고 상세하게 기록하여 문서 보고 시활용한다.

④ 상사가 외부 이동 중일 경우, 예약 상황을 문자 보고하여 상사가 추후 참고할 수 있도록 한다.

11 다음 중 비서의 회의 지원업무로 가장 적절한 것은?

① 강사료는 깨끗한 지폐의 현금으로 지급하고, 수령인으로부터 수령증을 받아 경리과에 제출한다.
② 외부에서 많은 손님이 참석하는 대규모의 회의는 경비 절감을 위해 이메일로만 회의 일정을 통지한다.
③ 참석 여부에 대한 회신율이 저조하여 비서가 연락하여 참석 여부를 확인한다.
④ 의제나 회의 순서를 작성할 때 집중도를 고려해서 복잡한 내용을 먼저 진행하도록 배열한다.

12 비서가 국제회의 의전을 지원할 때 다음 중 올바른 것은?

① 축하만찬에서 주요 임원들이 앉을 헤드테이블 위에 착석자의 예약좌석카드(Reserved Table Card)를 연회장 담당자에게 요청하였다.
② 국제회의에 3개국의 초청 인사가 주제발표를 하게 되어 있어 공용어인 영어로 동시통역을 할 수 있도록 장비를 마련하 도록 했다.
③ 터키와 이란 등 여러 국가에서 온 초청 인사들이 참석하는 만찬 시에는 특정 국가의 문화와 종교적인 부분은 가급적 배제하고 중립적으로 행사를 준비한다.
④ 여러 나라 국기를 한꺼번에 게양할 때는 국기의 크기나 깃대의 높이를 똑같이 한다.

13 다음 중 일반적인 비즈니스 매너 원칙에서 가장 어긋나는 것은?

① 택시 승차 시 남성이 뒷문을 열어 남성이 안쪽에 먼저 탄다.
② 우리나라에서 MOU 협정식을 할 경우 양측의 국기 교차 시에는 청중이 앞에서 바라보았을 때, 왼쪽에 태극기가 오도록 하고 그 깃대는 외국기의 깃대 앞쪽에 위치하도록 한다.
③ 행사 시 참석 인사에 대한 예우 기준은 선례에 따른 관행이 공식적인 서열 기준보다 우선한다.
④ 만찬 시 식탁에서, 기침할 때에는 냅킨을 사용하지 않는다.

14 다음 중 비서의 보고 방법 중 가장 적절한 것은?

① 보고 시에는 결론을 먼저 말하기 전 배경상황을 충분히 설명하여 상사의 이해를 돕는다.
② 전화로 보고를 할 경우 미리 내용을 요약해서 간단명료하게 보고하되, 중요한 부분은 반복한다.
③ 문서 보고 시에는 이해가 잘되도록 가능한 자세하고 논리 정연하게 문장을 기술한다.
④ 보고의 기본은 구두보고이므로 항상 구두보고를 먼저 한 후불충분할 경우 문서보고를 한다.

15 다음 중 지시업무 보고에 대한 가장 올바른 태도는?

① 지시한 사람이 직속 상사가 아닌 경우, 상사에게 꼭 보고할 필요는 없으나 지시한 상사에게는 반드시 보고해야 한다.
② 상사에게 구두 보고 시 상사에게 명확하게 전달되었는지를 위해 중간에 내용 확인을 한다.
③ 상사의 지시를 받고 나오면 지시 내용의 중요도와 시간적 긴급성을 비서가 스스로 판단하여 업무 시작 여부를 결정한다.
④ 상사에게 지시받은 업무가 끝나면 보고 기한이 남았다 하더 라도 바로 보고한다.

16 다음 회사의 경조사제도 관련 공지문에서 한자가 잘못 표기된 번호는?

사원제위:
사원들의 복지 차원에서 경조사제도의 변경 내용을 알려 드립니다.

1. 직계가족 사망시: 弔意金 300,000원
2. 자녀 결혼시: 祝儀金 300,000원
3. 정년 퇴직금: 退職金 1,000,000원
4. 승진 축하금: 榮轉 祝賀金 300,000원

〈중략〉

① 1　　② 2　　③ 3　　④ 4

17 상사의 신용카드 관리에 대한 비서의 업무처리로 가장 적절하지 못한 것은?

① 신용카드 사용한 후 받은 매출 전표는 매월 카드 명세서가 올 때까지 보관해 두었다.
② 신용카드 분실을 대비해 상사 파일에 신용카드 종류 및 유효기간, 번호 등을 기재해 두었다.
③ 상사가 법인카드를 소지하지 않아 일단 현금으로 지급 후상사 개인 이름으로 등록된 현금영수증을 발급받아 첨부하여 경리과에 제출하였다.
④ 회사 규정상의 접대비 월 사용액의 상한선을 초과하지 않았는지 매출 전표를 확인한다.

18 비서가 상사를 대신하여 조문을 가게 되었을 경우 비서의 태도로 가장 적절한 것은?

① 조객록에 상사의 소속과 이름을 적은 후, 옆에 비서의 직함과 이름을 기재하여 대신 왔음을 알린다.
② 상주의 종교의식에 맞추어 분향 또는 헌화, 절 또는 묵념을 한다.
③ 상주에게 위로의 말과 함께 간단한 질문을 하여 돌아가서 상사에게 전한다.
④ 상주가 입관식으로 자리를 비웠다면 기다렸다가 상주에게 직접 조의를 전달한다.

19 비서직에 대한 설명으로 적절하지 않은 것은?

① 비서는 사무기술을 보유하고 직접적인 감독하에 책임을 맡는 능력을 발휘하며, 창의력과 판단력으로 조직의 의사결정을 내리는 보좌인이다.
② 비서직은 정치, 종교, 기업, 금융, 법률, 의료, 교육 등 다양한 사업 조직으로의 취업이 가능하다는 장점이 있다.
③ 비서는 긍정적 사고를 하며 조직 중심적 행동으로 조직에 기여할 수 있어야 한다.
④ 비서는 회사에 대한 지식을 넓히며 회사 내 많은 부서 사람들과 원만한 업무관계를 유지하며 경영자적 의식과 사고를 지녀야 한다.

20 이비서가 마케팅팀 이팀장과 나눈 대화 중 비서의 표현이 가장 적절한 것은?

> 안녕하세요, 팀장님, 사장실 이비서입니다.
> 다름이 아니라 ㉠사장님께서 다음 주 수요일 회의에 이 팀장님이 꼭 참석하시라고 합니다. 그날 참석이 가능하신지요?
> 장소는 중식당 "중원"입니다. ㉡지난 8월 20일자 홍보회의 보고서를 검토하고 오라고 하십니다. ㉢아~네. 검토내용을 파워포인트로 준비해야 하는지 사장님께 물어보고 다시 전화 드리겠습니다. ㉣더 궁금한 점이 계시면 전화 주세요.

① ㉠ ② ㉡
③ ㉢ ④ ㉣

■ 〈제2과목〉 경영일반

21 다음 중 기업 및 경영자의 사회적 책임에 대한 설명으로 가장 적절하지 않은 것은?

① 경영자는 효율적인 기업경영활동을 통하여 기업이 유지 · 존속될 수 있도록 해야 한다.
② 기업은 사회적책임을 무시하고 이익을 추구하기만 해도 된다.
③ 경영자는 다양한 이해집단과 관계를 맺고 있으며 이해집단 간의 상충되는 이해를 원만히 조정해야 하는 책임이 있다.
④ 기업이 사회적 책임을 이행하면 좋은 평판을 얻게 되어 매출에 긍정적 작용을 가져 올 수 있다.

22 적대적 M&A의 위협을 받고 있는 기업의 경영권을 지켜주기 위해 나서는 우호적인 제3의 세력을 나타내는 용어로 다음 중가장 옳은 것은?

① 흑기사
② 백기사
③ 황금낙하산
④ 황금주

23 다음의 설명을 읽고 괄호에 들어갈 말로 가장 적합한 것은?

> ( )은 2개 국가 이상에서 현지법인을 운영하는 기업으로, 주로 ( )에 의해 형성되는데, 이는 다른 나라에 ( ) 또는 ( )를 담당하는 자회사를 설립하는 것을 의미한다.

① 다국적기업, 해외간접투자, 투자, 소비
② 다국적기업, 해외직접투자, 생산, 판매
③ 글로벌산업, 해외직접투자, 투자, 소비
④ 글로벌산업, 해외간접투자, 생산, 판매

24 프랜차이즈에 대한 설명으로 다음 중 가장 적합하지 못한 것은?

① 프랜차이즈계약은 본사가 가맹업체에게 일정지역에서 상호를 사용할 수 있는 권한과 제품을 판매하거나 서비스를 제공할수 있는 권한을 판매하는 계약이다.
② 프랜차이즈는 개인기업, 파트너십, 회사의 형식이 가능하다.
③ 맥도날드, 세븐일레븐, 홀리데이인 등이 대표적인 프랜차이즈 업체이다.
④ 프랜차이즈의 장점은 비교적 낮은 창업비용이다.

25 다음의 대화내용에 나타난 기업형태와 가장 관련이 있는 것은?

> A : 주식을 사고 싶은데, 걱정이에요.
> B : 무슨 걱정이죠?
> A : 회사가 망하면 어쩌지요?
> B : 음 그러면 투자한 돈은 손해를 보지요. 하지만 회사의 나머지 채무에 대해서는 상환할 의무가 없어요.
> 주주는 유한책임사원이니까.
> A : 주식은 언제든 사고 팔 수 있다면서요?
> B : 당연해요. 주식은 주당 금액이 똑같은 액면 균일가로 되어 있기에 투자액도 맘대로 정할 수 있어요.

① 합명회사　　② 합자회사
③ 유한회사　　④ 주식회사

26 다음 중 중소기업에 대한 설명으로 가장 적절하지 않은 것은?

① 중소기업은 경기변동에 대한 탄력성이 있어서 대기업보다 경기의 영향을 적게 받으며 수요변화에 적절히 대처할 수 있다.
② 중소기업의 기술수준은 대기업보다 낮은 편이지만 기술개발의 잠재력은 높게 나타난다.
③ 중소기업은 동종 업종 간의 경쟁이 대기업보다 적기 때문에 단기간에 높은 수익을 달성하기 쉽다.
④ 중소기업은 대기업보다 조직구조가 단순하기 때문에 환경 변화에 유연성 있게 대응할 수 있다.

27 다음 중 조직의 성과관리 시스템인 균형성과지표(BSC : Balanced Score Card)의 4가지 관점으로 가장 적합하지 않은 것은?

① 공급자관점
② 재무적관점
③ 고객관점
④ 내부프로세스관점

28 다음은 지식경영 및 지식에 관한 설명이다. 다음 중 가장 설명이 바르게 연결된 것은?

① 지식은 암묵지와 형식지로 이루어져 있으며, 암묵지는 문서나 매뉴얼처럼 외부로 표출된 지식을 의미한다.
② 조직에서 지식의 순환 중 사회화과정은 암묵지에서 암묵지로의 전환과정을 의미하며, OJT(on-the job training)를 한 예로 들 수 있다.
③ 지식경영은 외부의 지식을 조직의 지식으로 창조하는 것을 의미하며 지식경영의 목표는 외부지식의 획득에 있다.
④ 조직의 지식은 1회적인 순환과정으로 고도화하고 새로운 가치를 창조한다.

29 다음은 여러 학자들의 동기부여 이론을 설명한 것이다. 이 중 가장 적합하지 않은 것은?

① 매슬로우는 인간의 욕구를 생리적, 안전, 소속, 존경, 자아실현의 5가지로 나누었으며, 초창기 이론은 저차원의 욕구가 만족되어야 고차원의 욕구를 추구한다고 한다.
② 맥그리거는 X, Y이론을 설명하였는데, X이론에 의하면 관리자는 종업원을 스스로 목표달성을 할 수 있는 존재라고 보았다.
③ 허쯔버그는 위생-동기이론을 발표하였는데 위생요인은 방치하면 사기가 저하되기에 이를 예방요인이라고도 한다.
④ 맥클랜드는 현대인은 주로 3가지 욕구 즉 권력, 친교, 성취 욕구에 관심이 있다고 한다.

30 마케팅활동에서 시장을 세분화할 때 다양한 기준으로 소비자 집단을 구분할 수 있다. 다음 중 시장 세분화의 요건으로 가장 적절하지 않은 것은?

① 각 세분시장은 외부적 동질성과 내부적 동질성을 가지고 있어야 한다.
② 각 세분시장은 세분시장별로 그 규모와 구매력을 측정할 수 있어야 한다.
③ 각 세분시장은 경제성이 보장될 수 있도록 충분한 시장규모를 가져야 한다.
④ 세분시장에 있는 소비자들에게 기업의 마케팅활동이 접근 가능해야 한다.

31 다음 중 보상관리에 대한 설명으로 가장 적절하지 않은 것은?

① 임금수준을 결정할 때 기업의 지불능력은 임금 상한선의 기대치가 된다.
② 임금관리의 공정성 확보를 위해 동일업종의 경쟁사의 임금수준을 고려한다.
③ 직능급은 종업원의 직무수행능력을 기준으로 임금수준을 결정한다.
④ 직무급은 연공급을 기초로 임금수준을 결정하며 직무의 난이도에 따라 별도의 수당을 지급한다.

32 요즘 주택대출규제 등에 자주 등장하는 용어로 “총부채상환비율을 뜻하는 용어이며, 주택담보대출의 연간 원리금 상환액과 기타 부채의 연간이자 상환액의 합을 연소득으로 나눈 비율”을 의미하는 용어는 다음 중 무엇인가?

① DIY ② DTY ③ DTA ④ DTI

33 아래의 표는 (주)한국물산의 2017년 재무상태표(계정식)를 나타낸 자료이다. 다음 중 가장 올바르게 작성된 부분은?

재무상태표

① 2017년 1월 1일부터 2017년 12월 31일까지

(주)한국물산 (단위 : 백만원)

과목	금액	과목	금액
② 매출채권	300,000	③ 장기대여금	300,000
④ 이익잉여금	200,000	장기차입금	200,000

① 2017년 1월 1일부터 2017년 12월 31일까지
② 매출채권
③ 장기대여금
④ 이익잉여금

34 다음의 설명에 해당되는 용어는 보기 중 무엇인가?

전체 원인의 20%가 전체 결과의 80%를 지배하는 현상을 의미하는 용어로 20:80 법칙이라고도 하는 용어로 특히, 상위 20%사람들이 전체 부의 80%를 차지하기도 하고, 20%의 핵심인재가 80%의 성과를 올린다.

① 페레스트로이카 법칙　② 파레토 법칙
③ 페이퍼컴퍼니 법칙　④ 윔블던 법칙

35 다음의 내용을 의미하는 광고를 표현하는 용어로 가장 옳은 것은?

놀려대는 사람, 짓궂게 괴롭히는 사람이라는 뜻으로 광고 캠페인 때에 처음에는 회사명과 상품명을 밝히지 않고 구매 의욕을 유발시키면서 서서히 밝히거나 일정 시점에 가서 베일을 벗기는 방법이 취해진다.

① 푸티지 광고　② 티저광고
③ 인앱광고　④ 리워드광고

36 다음 중 인터넷 쇼핑몰에서 옷을 구매하는 것과 같이 인터넷을 이용하여 기업이 일반 소비자를 대상으로 재화나 서비스를 판매하는 전자상거래 모델을 나타내는 것은 다음 중 무엇인가?

① B2C ② B2B ③ C2C ④ G2B

37 다음 중 테일러(Taylor)의 과업관리(과학적 관리법)에 대한 설명으로 가장 적합하지 않은 것은?

① 동작과 피로의 연구를 통해 작업단순화를 강조하였다.
② 최소의 노동과 비용으로 최대의 생산효과를 확보하는 최선의 방법과 최선의 용구를 발견하기 위해 생산공정을 최소 단위로 분배하여 이를 능률적 계획적으로 배치하는 방법을 연구하였다.
③ 인간노동을 기계화하여 노동생산성을 높이는 데만 치중하여 기업의 인간적 측면을 무시하였다는 비판을 받았다.
④ 작업과정에 능률을 높이기 위해 임금을 작업량에 따라 지급하는 등 여러 가지 합리적인 방법을 연구하였다.

38 다음 중 타인을 위한 봉사에 초점을 두며 종업원, 고객 등을 우선으로 헌신하는 리더십은 무엇인가?

① 변혁적 리더십
② 카리스마적 리더십
③ 서번트 리더십
④ 슈퍼 리더십

39 다음 중 연봉제과 연공제의 특성에 대한 설명으로 가장 옳은 것은?

① 연공제는 직무성과와 능력을 기준으로 본다.
② 연공제는 일을 기준으로 임금배분을 하는 임금제도이다.
③ 연봉제는 근로의 질과 양에 대한 보상이다.
④ 연봉제는 나이, 근속연수를 기준으로 하는 임금제도이다.

40 제품을 생산할 수 있는 권리를 일정한 대가를 받고 외국기업에게 일정기간 동안 부여하는 방식의 해외시장진출방법은 무엇인가?

① 라이센싱(licensing)
② 아웃소싱(outsourcing)
③ 합작투자(joint venture)
④ 턴키프로젝트(turn-key project)

■ 〈제3과목〉 사무영어

41 Choose the thing that Michael should do after he receives the second email.

Dear Michael,

I am interested in the following model:

Model: MC-100
Quantity: 3,200 pieces
Terms: CIF New York

Can you please quote a price? If a volume discount is available, please indicate that. I would appreciate if you also let us know the delivery time and payment terms.

I look forward to hearing from you soon.

Young Kim

Dear Michael,

Thanks for your email, but I can't find the attached file.
Could you paste the document onto e-mail and re-send it, please?

Young Kim

① Michael should send the attachment again via email.
② Michael should send the products which Kim orders.
③ Michael should resend the attachment via express mail.
④ Michael did his best so he doesn't have to do anything more.

42 Choose one which is the most appropriate department name for the blank.

> Our ________________ is an exciting place to work.
> Our employees search for products in many different countries.

① Sales Department
② Advertising Department
③ Purchasing Department
④ Public Relations Department

43 Which English sentence is grammatically LEAST correct?

① 이 문제에 대해서 후속 조치를 해 주시겠습니까?
Would you follow up on this matter?
② 될 수 있는 한 빨리 답장해 주시면 감사하겠습니다.
We would appreciate a reply at your earliest convenience.
③ 답장은 아래의 주소로 보내 주세요.
Please reply to the following address.
④ 협조해 주시면 감사하겠습니다.
Your cooperation would appreciate.

44 Which of the followings are most appropriate for the blanks?

> We received the ⓐ__________ shipment, which we failed to meet the requirements of your company.
> Please accept our deep ⓑ________ for your dissatisfaction with our product. We have today
> ⓒ________ money to your ⓓ________ for US$20,000 the amount you have paid us for the shipment

① ⓐ returned ⓑ apologize ⓒ remitted ⓓ bank
② ⓐ returned ⓑ apology ⓒ remitted ⓓ account
③ ⓐ refunded ⓑ apology ⓒ returned ⓓ bank
④ ⓐ refunded ⓑ apologize ⓒ returned ⓓ account

45 What kind of letter is this?

> Dear Mr. Kevin Lui:
>
> I'm writing to apply for the position of secretary as advertised in the May edition of Business Monthly.
>
> I am a fully-trained secretary with a diploma in Secretarial Administration and I have 6 month Internship experience. I currently study at Hankook University in Seoul, Korea.
>
> I feel I am qualified for the job. I have an experience working at a law firm as a secretary. I have excellent computer skills and good communication.
>
> I look forward to hearing from you soon.
>
> Sincerely yours,
>
> Jisoo Park

① Announcement Letter
② Cover Letter
③ Public Relations Letter
④ Requirement Letter

46 What is the main purpose of this letter?

HANLEY INTEROFFICE MEMORANDUM

To: Lottie G. Wolfe, Vice President
From: Hugh C. Garfunkle
Date: April 16, 2017

This note will confirm that the Public Affairs Meeting will be held on Monday, April 30, at 9 a.m. in the Purchasing Conference Room. Agenda is as follows:

(1) New-Product Publicity
(2) Chamber of Commerce Awards Ceremony
(3) Corporate Challenge Marathon

Please notify Ms. Maggie Young if you cannot attend.

① In order to understand the number of attendees
② In order to let all the members know the meeting agenda
③ In order to invite guests to the meeting
④ In order to inform the vice president of the public affairs meeting

47 Fill in the blank with the BEST word.

On behalf of the management and staff of St. Joseph's Relief Services, we want to express our deepest __________ for your hard work during our recent fund-raising activities. Your untiring energy and labor made this fund-raising drive the most successful one since our foundation began six years ago. Thank you very much!

① apology
② appreciation
③ invitation
④ congratulations

48 What is the main purpose of the email?

We are happy to enclose our trial order No. Sid-8825, for 325 Burda Ladies' Car Coats, size medium, navy blue color; at USD98.76 per coat, subject to six percent quantity discount. Please sign the duplicate of the enclosed order form and return it to us as your acknowledgement.

① to place an order
② to take an order
③ to calculate the sum of payment
④ to sell the products

49 Below is the address of the receiver in the envelope. Put them in a CORRECT order.

① Mr. Jay Brown President ICU Corporation 53 Independence Street Denver, SU 33487
② Denver, SU 33487 53 Independence Street ICU Corporation President Mr. Jay Brown
③ ICU Corporation President Mr. Jay Brown Denver, SU 33487 53 Independence Street
④ President Mr. Jay Brown Denver, SU 33487 53 Independence Street ICU Corporation

50 Which is LEAST correct?

> Dear John Smith, Thank you for your letter of April 7 requesting information about Ms. Anne Klein's employment with our organization. We prefer not to comment on the employment of Ms. Klein with our company during the period (September 2017 until January 2018) she worked here as a typist in the secretarial pool.
> Sincerely, Jake Baxter

① John asked the information on Ms. Anne Klein.
② Ms. Klein worked as a typist in Jake's company.
③ Jake refuses to give any comment about Ms. Klein.
④ Jake is a credit manager.

51 Which of the followings is correct in order?

> ① Unfortunately, we have not yet received the filing cabinets which were a part of this order. We would be grateful if you could deliver these as soon as possible or refund our money.
>
> ② Thank you for your letter of April 24.
>
> ③ I am writing in connection with your letter concerning the above order for some office furniture.
>
> ④ We look forward to hearing from you.

① ① – ② – ③ – ④
② ② – ③ – ① – ④
③ ③ – ① – ④ – ②
④ ① – ③ – ④ – ②

52 Which of the following is the least appropriate expression for the blank?

A : Let's start the weekly report meeting. We were expecting 8 participants today, but I see only 7.
B : Mr. Park couldn't be with us today because he had a personal emergency to take care of.
A : I see. Let's start the meeting then.
B : ________________________________.
A : Yes, go ahead.

① Can I suggest something, please?
② May I add something?
③ Can I say something?
④ Do you have anything to add?

53 Choose the MOST appropriate expression.

A : (a)회의 때 인터넷이 사용 가능한가요?
B : (b)예, 준비해 드리겠습니다.

① (a) Is Internet available at the meeting?
(b) Yes, I'll have it ready.
② (a) Is Internet useful at the meeting?
(b) Yes, I'll make it to ready.
③ (a) Will Internet use at the meeting?
(b) Yes, I'll get it being ready.
④ (a) Is Internet used for the meeting?
(b) Yes, I'll have it to ready.

54 What is the main topic of the following conversation?

A : Excuse me. Where do I have to transfer to get to the Chicago Museum of Arts?
B : You have to get off at Central Station and transfer to Line Number 3.
A : Thank you for your help.
B : You're welcome.

① Renting a car
② Invitation to a museum
③ Taking public transport
④ Check in

55 Which of the following is the most appropriate expression for the blank?

A : Excuse me. I'm here to see Mr. Scott, the marketing director of this company.
B : Please, wait a minute.
Are you Mr. Kyle from Korenal Company?
A : Yes, I am.
B : Nice to meet you, Mr. Kyle.
We've been expecting you. ______________.
Would you come this way, please?
A : Thank you.

① Could you help me?
② I'll show you the way.
③ Would you like something to drink?
④ I'll get it for you.

56 Choose one pair of dialogue which does not match correctly each other.

① A : Thank you for coming all the way from New York.
B : You're welcome. We're looking forward to working with you.
② A : I'm sorry to keep you waiting. The traffic was terrible.
B : That's okay. I just got here.
③ A : It is right on the main street, so it was easy to find.
B : I'm glad to hear that.
④ A : Why don't we have a drink after the meeting?
B : I really enjoyed talking with you.

57 What are the BEST expressions for (a) and (b)?

> Secretary : Mr. Kim, Mr. Robinson is here.
> Mr. Kim : (a)<u>안으로 모시세요.</u>
> Secretary : Certainly, Mr. Kim (to Mr. Robinson)
> Secretary : (b)<u>들어가세요.</u> Mr. Robinson.

① (a) Take him out. (b) Please go ahead.
② (a) Bring him out. (b) Please go on.
③ (a) Send him in. (b) Please go right in.
④ (a) Force him in. (b) Please go by.

58 According to the following conversation, which is most appropriate for the blank?

> A : Good morning. General Manager's office.
> May I help you?
> B : May I speak to Mr. Taylor?
> A : May I ask who is calling, please?
> B : This is Jimmy Kim of Samsung Electronics.
> A : Mr. Kim, would you please hold on while I see if he's available?
> Mr. Taylor, Mr. Kim of Samsung Electronics is ＿＿＿＿＿＿.
> Will you take his call?
> C : Yes, I will.

① on the phone
② on another line
③ out there
④ taking a call

59 Fill in the blanks with the best word(s).

Secretary : I'd like to reserve a plane ticket to Milan on Feb. 3.
A : On Feb.3, there's a flight _______ at 4 p.m.
Secretary : Isn't there any earlier flight?
A : _____________, sir.
Secretary : Then I'll take it.

① starting – I'm not afraid
② leaving – I'm afraid not
③ arriving – I'm afraid not
④ going – I'm not afraid

60 According to the following flight details of Mr. M. Y. Lee, which is true?

Flight	Departure	Arrival	Seat	Status
KE082	Seoul(ICN) 12Jan 10 : 00	Lew York(EWR) 19 : 30	Prestige	OK
DL1529	New York(EWR) 18Jan 10 : 00	Las Vegas(LAS) 18Jan 16 : 00	Prestige	OK
KE062	Las Vegas(LAS) 20Jan 19 : 40	Seoul(ICN) 20 : 20 + 1	Prestige	OK

① Mr. Lee leaves Seoul for New York on KE062 on January 12.
② Mr. Lee Arrives in Seoul on January 20.
③ Mr. Lee flies to New York on business class.
④ Mr. Lee arrives at the John F. Kennedy Airport on January 13.

■ 〈제4과목〉 사무정보관리

61 결재의 역기능에 대한 설명으로 가장 옳지 않은 것은?

① 여러 단계의 검토 과정을 거쳐 결재에 이르기 때문에 의사결정이 지연되기 쉽다.
② 상위자의 결정에 의존하기 때문에 하위자가 자기책임하에 창의성을 발휘하기 어렵다.
③ 결재과정을 통해 직원의 직무수행에 대한 통제가 가능하다.
④ 상위자에게 결재안건이 몰리는 경우, 상세한 내용 검토 없이 문구 수정 정도에 그칠 수 있다.

62 다음과 같이 문서의 수발신 및 전달 업무를 진행하고 있다. 가장 적절하지 않은 업무처리를 한 비서는?

① 권비서는 임원 모두가 공통적으로 알아야 할 문서라서, 모든 임원에게 원본으로 문서를 전달하였다.
② 배비서는 수신문서를 상사에게 전달할 때, 회신을 쓰는데 도움이 될 자료도 함께 전달하였다.
③ 안비서는 상사에게 초청장을 전달할 때 주요 부분에 형광펜 으로 밑줄을 그어서 상사가 내용 파악이 쉽게 했다.
④ 장비서는 상사의 이메일 확인을 위임받아서 시간을 정해 두고 확인해서 오늘 중 처리할 것이 누락되지 않도록 하였다.

63 아래 문서의 하단부분에서 알 수 있는 내용으로 가장 적절하지 않은 것은?

> ★대리 김미소 팀장 이성연 전무이사 박유식 부사장 전결 박서준
> 협조자 인사팀장 박민영
> 시행 경영지원-826 (2018.9.4.) 접수

① 이 문서는 경영지원팀에서 기안해서 결재받은 시행문이다.
② 이 문서는 부사장 전결을 받은 후 인사팀에 협조를 받은 문서이다.
③ 이 문서의 기안자는 경영지원팀의 김미소 대리이다.
④ 이 문서는 직무전결 규정에 의해서 부사장 전결로 처리되었다.

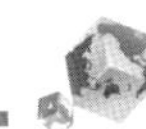

64 다음 민원우편에 관한 설명으로 가장 옳지 않은 것은?

① 정부 각 기관에서 발급하는 민원서류를 우체국을 통해 신청 한다.
② 사립학교 졸업증명서를 민원우편으로 발급받을 수 있다.
③ 민원서류는 내용증명으로 취급되어 송달된다.
④ 이용대상 민원서류는 2018년 8월 현재 기준으로 267종류이다.

65 다음 중 띄어쓰기가 바르지 않은 것은?

① 10여 년, 100여 미터, 100여 점
② 10주가량, 30세가량, 300년가량
③ 한 그루, 두 마리, 세 대
④ 3개월이내, 20세이상, 50명정도

66 다음과 같은 경우 작성해야 할 문서의 종류에 해당하지 않은 것은?

> 한국상사에 근무하는 박미래 비서는 상사의 지시에 따라 사옥 이전을 알리는 문서를 작성하여 상사와 자주 연락을 취하는 업무상, 개인적 지인들에게 보내려고 한다. 사옥 이전 일은 2019년 1월 21일 월요일이며, 사옥 이전으로 인해 주소는 변경되었으나 전화번호나 팩스 번호는 변경되지 않았다.

① 대외문서
② 의례문서
③ 안내장
④ 거래문서

67 한국주식회사는 2018년 3월 1일자로 새로 대표이사가 취임하면서, 취임축하인사 및 축하 화분을 많이 받았다. 대표이사 비서는 축하에 대한 감사장을 작성하고 있다. 다음 보기 중 이감사장에 사용할 수 있는 가장 적절한 표현은?

① 결실의 계절을 맞이하여 귀사의 무궁한 발전을 기원합니다.
② 보내주신 10만원 상당의 동양란을 소중하게 잘 받았습니다.
③ 이는 모두 저의 부덕의 소치로 인한 것입니다.
④ 직접 찾아뵙고 인사드려야 하오나 서면으로 대신함을 양해해 주시기 바랍니다.

68 다음 명함을 회사명 순으로 정리하고 있다. 이때 올바른 순서대로 정리한 것은?

가	김찬호	(주)한국자동차
나	강지애	(주)한국전산
다	권새롬	한국자동차서비스
라	김주미	(주)한국자동차
마	김치수	한국자동차서비스
바	권신옥	(주)한국전산

① 나 – 다 – 바 – 라 – 가 – 마
② 라 – 가 – 나 – 바 – 다 – 마
③ 라 – 가 – 다 – 마 – 나 – 바
④ 라 – 가 – 마 – 다 – 바 – 나

69 다음 중 문서 정리 순서가 올바른 것은?

① 주제결정 – 검사 – 주제표시 – 분류 및 정리
② 검사 – 주제결정 – 주제표시 – 분류 및 정리
③ 주제결정 – 주제표시 – 검사 – 분류 및 정리
④ 검사 – 주제표시 – 주제결정 – 분류 및 정리

70 각 비서들이 다음과 같이 전자 문서의 특징에 대해 설명하고 있다. 이 중 가장 적절하지 않게 설명한 것은?

① 박비서 : 전자 문서의 수신 시기는 수신자가 관리하는 정보처리 시스템에 입력될 때입니다.
② 김비서 : 일반 스캐너로 생성된 이미지 문서(스캐닝 문서)도 종이 문서와 동일한 법적 효력을 보장받을 수 있습니다.
③ 최비서 : 전자 문서 국제 표준은 'PDF' 문서입니다.
④ 이비서 : 전자 문서라고 문서로서의 효력이 부인되지 않습니다.

71 다음 중 전자 문서에 속하는 파일의 확장자를 모두 고른 것은?

가. pdf	나. doc
다. avi	라. xls

① 가, 나, 라
② 가, 나
③ 가, 나, 다, 라
④ 가

72 다음 글을 읽고 빈 칸에 적당한 단어로 짝지어진 것을 고르시오.

> 문서 관리 시스템 기반에서 전자 문서 관리는 기본적으로 전자 문서를 시스템에 등록하는 과정에서 DRM(Digital Rights Management)와 연계하여 (ㄱ)하여 저장되거나 문서의 활용 단계에서 (ㄴ)에 따라 (ㄱ)를 처리한다.
> 기업에서 (ㄷ)는 기업의 중요한 업무 사항이 정보 자산이 기록된 문서를 관리 차원에서 분류하는 것으로 주로 영업상의 중요 문서, 기술 및 특허 자료, 도면 등이 해당한다. 이러한 (ㄷ)는 내외부의 유통이나 열람 등이 매우 엄격히 제한되며, 직급이나 직무에 따라 열람, 편집, 출력, 전송에 대한 (ㄴ)이 차별적으로 부여된다.

① ㄱ – 암호화, ㄴ – 등급
② ㄱ – 암호화, ㄷ – 특별 문서
③ ㄴ – 권한, ㄷ – 보안 문서
④ ㄴ – 등급, ㄷ – 특별 문서

73 랜섬웨어 감염 예방이나 대비책으로서 가장 적절하지 않은 것은?

① 모든 소프트웨어는 최신버전으로 정기적으로 업데이트한다.
② 백신을 설치하고 최신버전으로 업데이트를 정기적으로 한다.
③ 중요한 파일은 클라우드나 외장하드에 정기적으로 백업해둔다.
④ 랜섬웨어는 모바일을 통해서는 유포되지 않으므로 주로 스마트폰을 이용한다.

74 다음 중 상사가 사용하는 스마트 디바이스 관리가 가장 적절 하지 못한 비서는?

① 김비서는 상사가 사용하는 스마트 디바이스의 제품별 특징과 운영 체제를 파악하고 있다.
② 최비서는 상사의 스마트 디바이스에서 사용 중인 중요한 자료를 드롭박스에 별도로 보관하고 있다.
③ 이비서는 상사의 스마트 디바이스 안의 애플리케이션은 자료 유출의 위험으로 업데이트하지 않는다.
④ 박비서는 스마트 디바이스의 휴대용 배터리 충전기를 준비 하여 상사 외출 시 제공한다.

75 다음은 주 52시간 근무제와 관련된 기사이다. 이 기사를 통해서 유추할 수 있는 내용으로 가장 적절한 것은?

〈전략〉
근로기준법 63조와 시행령 34조에 따르면 관리 · 감독 업무 또는 기밀을 취급하는 업무 종사자는 근로기준법상 근로시간 규정을 적용받지 않는다. 이에 따라 주 52시간 근무제도 적용받지 않게 된다. 하지만 법이나 시행령에 '관리 · 감독 업무에 종사하는 자'에 대한 구체적인 정의가 없어 관리 · 감독 업무 종사자의 범위를 어디까지 인정하느냐를 놓고 마찰이 일어날 수 있다. 행정해석과 판례에 따르면 단순히 부하 직원을 관리 · 감독한다고 해서 근로시간 규정 적용대상에서 제외되는 것은 아니다.
근로기준법상 관리 · 감독 업무 종사자는 '근로조건의 결정 등 노무관리에 있어서 경영자와 일체적 지위에 있는 자'를 말하는 것으로 ▲사업장의 노무관리 방침 결정에 참여하거나 노무 관리상 지휘 · 감독 권한을 지니고 있는지 ▲출 · 퇴근 등에 있어서 엄격한 제한을 받는지 ▲그 지위에 따른 특별수당을 받고 있는지 등을 종합적으로 검토해 판단해야 한다는 것이 행정해석이다. 〈중략〉 고용노동부 관계자는 "관리 · 감독 업무 종사자인지 아닌지를 직급 명칭에 따라 일률적으로 구분할 수는 없다"며 "관리 · 감독 업무 종사자 판단 기준에 따라 사례별로 구체적인 업무 내용이나 근무실태를 종합적으로 고려해 판단해야 할 것"이라고 설명했다.
경영진의 비서도 근무실태에 따라 주 52시간 근무제 적용대상에서 제외될 수 있다. 근로기준법 시행령상 근로시간 규정 제외 대상인 '기밀의 사무를 취급하

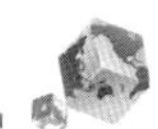

는 자'는 '비서 기타 직무가 경영자 또는 관리직 지위에 있는 자의 활동과 일체 불가분으로 출·퇴근 등에 있어서 엄격한 제한을 받지 않는 자를 의미한다'는 것이 행정해석이기 때문이다. 근로기준법에는 이외에도 ▲토지의 경작·개간, 식물의 재식·재배·채취 사업, 그 밖의 농림 사업 종사자 ▲동물의 사육, 수산 동식물의 채포·양식 사업, 그 밖의 축산, 양잠, 수산 사업 종사자 ▲ 감시 또는 단속적(斷續的)으로 근로에 종사하는 자로서 사용자가 고용노동부 장관의 승인을 받은 자 등이 근로시간 규정을 적용받지 않는 이들로 명시돼 있다. 감시 또는 단속적으로 근로에 종사하는 자에는 경비원, 운전기사 등이 해당될 수 있다. 이사 등 임원의 경우 사용자의 지휘·감독 아래 일정한 근로를 제공하고 소정의 임금을 받는 근로기준법상 근로자로 볼 수 없다는 판례가 있어 주 52시간 근무제를 적용받지 않는 것으로 해석된다. 법인등기부에 등재되지 않은 비등기 이사도 사업 주로부터 사업경영의 전부 또는 일부에 대해 포괄적인 위임을 받아 위임받은 업무의 집행권을 행사했다면 근로기준법상 근로자가 아니며 근로시간 기준을 적용받지 않는다는 것이 행정해석이다. 〈후략〉

〈세계일보, 2018.6.22일자〉

① 부하직원을 관리 감독하는 사람은 직급이나 직위와 무관 하게 주 52시간 근무 적용대상에서 제외된다.

② 경영진의 비서는 모두 기밀의 사무를 취급하므로 주 52시간 근무 적용대상에서 제외된다.

③ 주 52시간 근무 적용대상 제외는 출퇴근 시간을 엄격하게 제한받지 않은 경우라면 거의 적용된다.

④ 법인 등기부에 등재된 임원의 경우 근로기준법상 근로자로 볼 수 없으므로 근로시간 기준을 적용받지 않는다.

76 다음 그래프를 통해서 알 수 있는 내용으로 가장 적절하지 않은 것은?

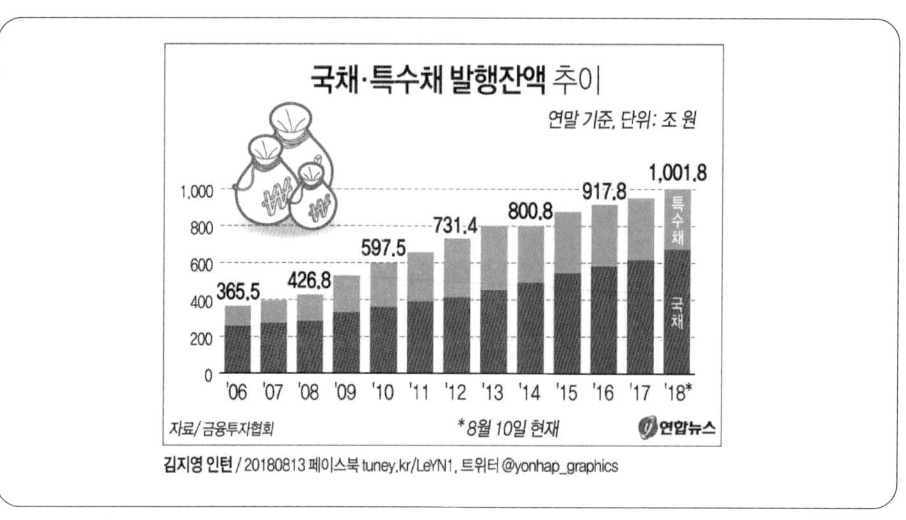

① 국채 발행잔액은 매년 꾸준히 증가해 왔다.
② 국채 발행잔액은 항상 특수채 발행잔액보다 많았다.
③ 2017년 말 기준으로 10년 전보다 국채·특수채 발행잔액이 2배 이상 증가했다.
④ 이 그래프는 100% 누적 막대 그래프로서 합계의 시간적 추이와 각 항목의 변화를 동시에 볼 수 있게 해준다.

77 다음 중 신문 스크랩 방법이 적절하지 않은 것을 모두 고르시오.

가) 신문의 헤드라인과 정치, 경제, 금융 등의 부분을 읽으면서 스크랩할 기사를 선택한다.
나) 선택한 기사 맨 위쪽에 출처와 날짜를 표시한다.
다) 신문은 상사가 읽기 전에 미리 스크랩을 해서 선별된 기사만을 상사에게 제공한다.
라) 선택한 기사의 내용을 요약하면서 모르는 용어를 함께 정리한다.
마) 기사에 편견을 가질 수 있는 스크랩한 사람의 의견이나 생각은 적어 두지 않는다.

① 가, 나, 다, 라, 마
② 나, 다, 라,
③ 가, 라, 마
④ 다, 마

78 다음 설명에 해당하는 적절한 용어는?

- 데이터를 체인 형태로 연결, 수많은 컴퓨터에 동시에 이를 복제해 저장하는 분산형 데이터 저장 기술이다. 공공 거래 장부라고도 부른다. 중앙 집중형 서버에 거래 기록을 보관하지 않고 거래에 참여하는 모든 사용자에게 거래 내역을 보내 주며, 거래 때마다 모든 거래 참여자들이 정보를 공유하고 이를 대조해 데이터 위조나 변조를 할 수 없도록 돼 있다.
- 가상 통화 사용 시 거래내용의 위조를 막는데 사용된다.

① 클라우드
② 블록체인
③ 엠피코인
④ 비트코인

79 일반적으로 무선랜 이용을 위해서 설치되는 무선공유기에서 제공하는 보안기술이 아닌 것은?

① WEP　② WAP　③ WPA　④ WPA2

80 다음 인터넷 주소를 통해 유추할 수 있는 기관의 특징으로 올바르지 않은 것은?

① www.XXX.edu : 교육기관
② www.XXX.net : 네트워크 관련 기관
③ www.XXX.org : 비영리기관
④ www.XXX.gov : 군사기관

2018년 2회 비서 2급 확정답안							
비서실무		경영일반		사무영어		사무정보관리	
문항 번호	정답	문항 번호	정답	문항 번호	정답	문항 번호	정답
1	③	21	②	41	①	61	③
2	③	22	②	42	③	62	①
3	③	23	②	43	④	63	②
4	②	24	④	44	②	64	③
5	④	25	④	45	②	65	④
6	④	26	③	46	④	66	④
7	②	27	①	47	②	67	④
8	③	28	②	48	①	68	③
9	①	29	②	49	①	69	②
10	②	30	①	50	④	70	②
11	③	31	④	51	②	71	③
12	④	32	④	52	④	72	③
13	③	33	②	53	①	73	④
14	②	34	②	54	③	74	③
15	④	35	②	55	②	75	④
16	①	36	①	56	④	76	④
17	③	37	①	57	③	77	④
18	④	38	③	58	①	78	②
19	①	39	③	59	②	79	②
20	②	40	①	60	③	80	④

대한상공회의소 비서자격증 기출문제

제2회 2018년 비서 3급 필기시험

※ 다음 문제를 읽고 알맞은 것을 골라 답안카드의 답란(①, ②, ③, ④)에 표기하시오.

■ 〈제1과목〉 비서실무

01 김비서는 오늘 첫 출근을 하였다. 업무에 임하는 태도로 가장 바람직하지 않은 것은?

① 회사 조직도를 살펴보고 상사의 조직 내에서의 위치를 파악하고자 했다.
② 상사의 전화번호부를 숙지하고 그간의 업무일지를 살펴보고 자주 전화하는 사람들의 이름과 전화번호를 숙지하고자 했다.
③ 회사에 오래 계신 분을 인사차 방문하여, 회사 내 비공식적인 정보를 파악하고자 하였다.
④ 비서실의 서류철을 보면서 결재 체계에 대해 숙지하고자 하였다.

02 김비서는 대표이사 비서로 2층에 있는 일반 직원들의 사무실과 떨어져서 회사 3층에서 근무하고 있다. 상사가 외출한 시간을 이용하여 은행 업무와 우체국 업무를 처리해야 해서 외출하게 되었다.

외출 전에 김비서가 취할 업무 내용 중 가장 적절하지 않은 것은?
① 대표이사 및 비서의 사무실 전화를 김비서의 휴대전화로 착신 전환되도록 설정하고 외출하였다.
② 문 앞에 '외출 중'과 돌아올 예정 시간을 명시한 팻말을 붙인 후 비서실 문을 잠그고 나갔다.
③ 아래층의 부서 직원에게 잠시 외출한다는 것을 알리고 나갔다.
④ 상사에게 외출한다고 들어오시게 되면 알려 달라는 문자를 남기고 나갔다.

03 **다음 전화응대 중 비서의 전화응대로 가장 적절한 것은?**

① 상사 출근 전에 사장을 찾는 전화가 와서 "사장님은 아직 출근하지 않으셨습니다. 출근하시는 대로 전화를 드릴 테니 성함과 전화번호를 알려주세요."라고 응대하였다.
② 상사와 직위가 같은 분에게 전화를 연결하게 되어 상대방의 비서에게 "같이 연결하죠."라고 제안을 했다.
③ 상사가 전화 통화를 원하는 사람과 전화를 중개해야 하는 경우는 상대방이 상사보다 먼저 수화기를 들도록 한다.
④ 비서는 상사와 자주 전화 통화를 하는 사람이라도 반드시 용건을 확인한 후 연결한다.

04 **윤비서는 공공기관의 임원비서이다. 평소 자주 내방하는 산하기관 임원이 상사와의 미팅으로 회사를 방문하였다. 연말연시를 맞이 하여 윤비서에게 고마움을 표시하며 상품권을 선물로 주셨다. 이상황에서 윤비서의 가장 적절한 태도는?**

① 윤비서는 '부정청탁 및 금품등 수수의 금지에 관한 법'에 저촉되므로 받을 수 없다고 단호히 사양한다.
② 윤비서는 평소 친분이 있는 분이므로 선물을 받는 것이 예의에 맞다고 생각하여 감사함을 표시하고 받는다.
③ 윤비서는 마음은 감사하지만, 외부 고객으로부터는 선물을 받지 않는 것이 원칙이라고 말씀드리고 사양한다.
④ 윤비서는 일단 선물을 받은 후 상사에게 어떻게 해야 할지 상의 드린다.

05 **김영숙씨는 대학 졸업 후 입사 2일차의 신입 비서이다. 다음 전화 응대에 대한 설명이 가장 적절한 것은?**

김영숙 : (1) 안녕하십니까? ABC 물산 사장실입니다.
상대방 : 네. 사장님 계십니까?
김영숙 : (2) 지금 회의 가셔서 안 계십니다.
상대방 : 그럼 언제 돌아오시죠?
김영숙 : (3) 죄송합니다만 잘 모르겠습니다.
상대방 : 메모 좀 남겨 주시겠어요? 저는 김영철이라는 사람이고요.
제 번호는 010898xxxx입니다.
김영숙 : (4) 네. 잘 전달해 드리겠습니다.

① (1) : 전화 받을 때는 소속과 비서의 이름을 이야기해야 했다.
② (2) : 상대방이 판단할 수 있도록 어떤 회의인지를 구체적으로 말해야 했다.
③ (3) : 언제 들어오시는지 상세하게 응대했어야 했다.
④ (4) : 이름과 번호를 재확인해야 했다.

06 비서의 내방객 응대업무에 대한 설명으로 적절하지 않은 것은?

① 상사의 내방객 업무와 관련하여 상사가 선호하는 내방객 응대 방식을 파악해야 한다.
② 상사와 면담을 요청하는 내방객에게 상사가 가능한 일정을 2~3개 먼저 제시하도록 한다.
③ 내방객의 이름, 직책, 소속, 연락처, 용건, 면담 일시, 면담 시간, 면담 장소 등의 기본적인 정보는 면담 약속을 정할 때 확인한다.
④ 면담 약속의 취소 시에는 신속하게 연락하고 취소할 수밖에 없는 사유에 대해 솔직하고 자세한 설명과 변명을 하도록 한다.

07 비서의 인간관계 전략으로 가장 적절하지 않은 것은?

① 상대방의 관심사, 취미 등에 관해 대화를 시작하면서 업무 문제로 대화를 이어간다면 좀 더 부드럽게 업무를 해결할 수 있다.
② 고객과 상담하거나 고객 업무처리 중에는 긴급한 다른 업무가 아니면 고객에게 집중하도록 한다.
③ 정보, 인적 네트워크 등 자신이 나눌 수 있는 것을 함께 공유하고 경조사도 챙겨준다면 인간관계는 더욱 돈독해질 것이다.
④ 대화 시 내가 상대방에게 전해야 하는 내용 위주로 대화를 주도한다면 훨씬 더 우호적이고 신뢰가 가는 인간관계를 구축할 수 있다.

08 비서로 입사한 지 3개월이 지난 A비서는 회사의 인원감축으로 인해 업무량이 점점 많아 스트레스를 심하게 느끼고 있다. 다음 중가장 바람직한 대처 방법은?

① A비서가 먼저 업무 수행 능력과 업무 효율성에 대해 상사에게 평가를 요청한다.
② 상사에게 먼저 현재 상황을 말씀드려 상사가 비서실의 현황을 알 수 있도록 한다.
③ 현재 A비서가 수행하는 업무의 양이 A비서 혼자 감당하기에는 너무 많음을 인사과에 알리고 추가 비서 배치를 요청한다.
④ 비서의 업무는 위임이 불가능하므로 야근이나 주말 근무 등을 통해 스스로 해결한다.

09 상사의 갑작스런 해외 출장으로 일정을 변경해야 하는 상황이다. 이 경우, 가장 바람직한 일정조정 방법은?

① 상사와 면담이 잡혀 있는 상대방과의 일정을 재조정하기 위해 상대방의 다음 주 주간일정표를 요청했다.
② 상대방에게 상사의 다음 일주일 일정을 알려주어 상대방이 가능한 시간을 선택할 수 있도록 하였다.
③ 상대방에게 일정 변경 사유를 정중하게 설명하고 상대방이 먼저 일정을 잡도록 한 후 상사 일정을 상대방 일정에 맞추었다.
④ 일정의 재조정을 위해 상사나 상대방의 가능한 일정 대안을 몇 개 받아서 조정했다.

10 비서의 일정관리 업무 수행 자세로 가장 적절한 것은?

① 비서는 상사의 일정을 자주 확인해야 한다.
② 불가피하게 일정이 겹치는 경우, 비서가 업무의 중요도로 판단하여 조정한다.
③ 일정관리 재량권이 있는 비서의 경우 일정을 확정한 후추후 상사의 승인을 받는다.
④ 상사가 업무에 집중할 수 있는 시간을 갖도록 비슷한 회의는 오전과 오후로 분산시킨다.

11 다음 중 비서의 업무 수행이 가장 잘 된 것은?

① 상사가 선호하는 종이 기차 탑승권을 인쇄하여 상사에게 전달하였다.
② 호텔 숙박비 정산은 입실날짜부터 퇴실 날짜까지 포함해 지급한다.
③ 호텔 예약 시 상사가 편안하게 숙박할 수 있는 특급호텔로 선정한다.
④ 렌트카를 예약할 경우, 안전을 대비하여 조금 비싸더라도 좋은 차종으로 한다.

12 상사는 A항공사의 마일리지를 적립하고 있다. 상사는 다른 항공사의 비행기를 이용하더라도 마일리지는 A항공사에 적립하기를 원한다. 이때 이용할 수 있는 항공사의 서비스는 무엇인가?

① 오픈티켓(Open Ticket)
② 환승(Transfer)
③ 경유(Transit)
④ 항공 동맹(Code-Share)

13 다음 중 비서의 회의 보좌 업무 수행방식으로 가장 적절하지 않은 것은?

① 회의 통지서는 적어도 회의 10일 전에 상대방이 받아 볼 수 있도록 하며, 긴급히 개최하는 회의인 경우라도 최소 회의 2~3일 전에는 받아 볼 수 있도록 해야 한다.
② 회의 참석 여부를 사전에 알아야 하는 경우에는 참석 여부를 회신해 줄 것을 통지서에 기입하는 데, RSVP는 참석 여부를 알려 달라는 불어 약어이다.
③ 발표회나 설명회와 같이 정보 전달을 목적으로 하는 회의나 주주총회 등 참석자가 많을 때는 둥근 탁자나 사각 탁자에 둘러앉는 원탁형이나 네모형으로 좌석을 배치하는 것이 적당하다.
④ 회의 통지서는 초안 작성 후 상사의 검토와 승인을 받아 발송하는데, 외부 회의인 경우는 회의 개최측의 담당자와 연락처, 교통편 등을 기입한다.

14 다음 중 한자가 잘못 표기된 것은?

① 결혼식 – 축 화혼 : 祝 花婚
② 승진시 – 축 승진 : 祝 昇進
③ 회갑시 – 축 회갑 : 祝 回甲
④ 취임시 – 축 취임 : 祝 就任

15 다음은 비서가 상사에게 보고하는 대화 내용이다. 이 중 가장 올바른 대화법은?

① "사장님, 오후 2시에 회장님 비서실에서 사장님 돌아오면 바로 오셔달라는 연락을 받았습니다."
② "사장님, 김 부장께 서류를 직접 주고 이제 막 사무실에 도착했습니다."
③ "사장님, 제가 기획실장님께 전략 회의 발표 건을 물어보고 알려 드리겠습니다."
④ "사장님, 회장실에 서류를 두고 오셔서 제가 찾아왔습니다."

16 다음 중 비서가 상사의 지시를 받는 태도로 가장 적절한 것은?

① 업무지시를 하는 상사의 말을 집중하여 잘 듣고 나와 바로 메모해 둔다.
② 지시를 받는 도중 잘 이해가 안 가면 복창을 하면서 재확인한다.
③ 지시를 받는 도중 상사의 지시 내용을 상세하게 메모한다.
④ 지시를 받으면 바로 일을 시작한다.

17 상사의 대 · 내외 활동을 지원하는 비서의 업무 수행 방식으로 가장 적절하지 않은 것은?

① 비서는 업무상 공 · 사를 구분하여 상사와 공적으로만 관련된 인사 정보를 수집하여 데이터베이스화 해 둔다.
② 비서는 상사와 관련이 있는 주요 인사에 대해서는 되도록 많은 정보를 축적해 둔다.
③ 비서는 상담 차 방문한 고객들의 용건이나 방문 일시 등을 카드 형태로 정리해 둔다.
④ 비서는 상사가 좋아하는 음식의 종류별로 맛집 리스트를 정리해 둔다.

18 신입사원인 고혜란 비서는 비서 업무 효율성을 높이기 위해서는 인맥 형성이 중요하다는 조언을 선배들로부터 받았다. 다음 중 고비서가 인적 네트워크를 형성하기 위해 노력하는 방법으로 가장 적절한 것은?

① 회사내 모임에 가입하여 적극적으로 활동하여 타부서 직원들과의 관계를 돈독히 한다.
② 비서 동호회에 가입하여 다른 조직의 비서들과도 교류하여 모임에 꾸준히 참석할 뿐만 아니라, 우리 회사에 입사지원 예정인 동호회 회원인 지원자에게 채용기준과 배점 정보를 제공한다.
③ SNS를 이용하여 업무에 도움이 될 수 있는 정보를 습득하고 교류할 뿐만 아니라, 개인 계정을 통해 회사 신제품을 적극적으로 홍보한다.
④ 회사 노조에 가입하여 노조원들의 의견을 상사에게 전달하여 원만한 노사관계가 될 수 있도록 노력한다.

19 다음 중 경조사 업무를 수행하는 비서의 자세로 가장 적절하지 않은 것은?

① 신문의 인물 동정란이나 인물 관련 기사를 매일 빠짐없이 확인하고, 사내 게시판 등에 올라오는 경조사도 확인해야 한다.
② 상사와 관련된 경조사가 발생하면 먼저 회사의 경조사 규정을 확인하여 화환이나 부조금을 준비하는 데 참고한다.
③ 상사의 친지나 친구, 자사나 거래처 사람, 그리고 상사의 모임이나 단체 관계자의 사망 소식을 들으면, 즉시 사망 일시, 조문 장소, 발인 시각과 장지, 장례 형식, 상주 성명, 주소, 전화번호 등을 확인하여 상사에게 보고하고 적절한 조치를 하도록 한다.
④ 조문 시 상제에게 위로의 말을 전하면서 사망 경위 등을 자세히 듣는 것이 좋다.

20 상사가 타부서에서 자료를 받아 내일 9시 회의에 사용할 수 있도록 정리하라고 지시하였다. 타부서에서 자료를 늦게 받아 최종본이 밤늦게 완성되었다. 김비서는 내일 9시에 사내교육에 참석하여야 한다. 다음 중 김비서의 업무 수행 자세로 가장 적절한 것은?

① 늦었더라도 지시사항이므로 완성되었다고 상사에게 전화로 보고한다.
② 완성된 자료를 회의장에 미리 갖다 두어 출근하는 즉시 볼 수 있도록 한다.
③ 예약문자 기능을 활용하여 내일 아침 일찍 상사가 업무 진행 내용을 확인할 수 있도록 한다.
④ 옆자리의 직원에게 보고사항을 부탁한다.

〈제2과목〉 사무영어

21 아래 문서에 대한 설명으로 가장 적합한 것은?

Memorandum

To: All employees of Seoul Holdings
From: John R. Taylor, Head of General Affairs Department
Date: November 14, 2016
Subject: Security System

Please be informed that the security system for this building is going to be replaced as of January 1 next year. According to our new policy, all employees must carry their photo ID cards. Starting January 1 of the next year, anyone without proper identification will not be allowed into the premises.

Thank you for your cooperation.

① 이 문서는 사내 문서이다.
② 새로운 건강관리 시스템에 대한 안내문이다.
③ 발송인은 안전관리 부서의 부서장이다.
④ 위의 메모를 받아보는 사람은 총 10명이다.

22 다음 중 영어 약어와 내용 연결이 잘못된 것은?

① ASAP – as soon as possible

② CEO – Chief Executive Officer

③ FYI – For Your Information

④ MA – Master of Availability

23 다음 중 문법적으로 가장 올바르지 않은 것을 고르세요.

① Haven't we meet somewhere before?

② Please call me Miss Lee.

③ I would like to introduce Mr. Smith.

④ Long time no see.

24 아래 팩스에 대한 설명으로 바르지 않은 것은?

FAX

Diners Plus 57 Stevenson Road San Francisco. CA 97604
Phone. (415)665-0792 / Fax. (415)665-0716

To:	Mr. Peter Ranger New Tech Publications	Fax:	215-652-8181
From:	John Blake	Telephone:	215-652-8800
cc:		Date:	August 11, 2018
Subject:	Re: Your request	No. of pages:	This only

Messages:

Dear Peter,

I am sorry that I was not in the office when you rang, but here is the information that you wanted. The address of our branch in Singapore is 54 Liu Fang Road, Jurong Town, Singapore 2262.
The manager is Mr. S. Rushford.

John Blake

① 수신인은 Peter Ranger이며 총1장의 팩스를 받는다.
② 이 팩스에는 동봉물이 있다.
③ John Blake는 Diners Plus에 근무한다.
④ 수신인의 팩스 번호는 지역번호 215 팩스번호 652-8181이다.

25 다음 중 이메일 작성 시 맺음말로 올바르지 않은 것은?

① Please give my best regards to Mr. Park.
② We are writing to double-check your payment.
③ We look forward to your prompt reply.
④ We hope to hear from you soon.

26 영문서신 봉투에 적을 수 있는 내용으로 가장 적절치 않은 것은?

① Sincerely yours,
② Confidential
③ Special delivery
④ 발신인 주소

27 Ms. Shin의 새로운 e-mail 주소는 언제부터 유효한가?

To: All Recipients
From: Hanna Shin
Date: July 6, 2018 16 : 05 : 30
Subject: Auto Reply

Dear all,

I will be out of the office and will be back at July 12.
If you need assistance, please contact Ms. SE Choi at sechoi@naver.com.

Please also note my e-mail address change to (hanna_shin@gmail.com) as of July 15.

Regards,

① July 6 ② July 12 ③ July 14 ④ July 15

28 다음 우리말을 영어로 옮길 때 괄호 안에 가장 적합한 것을 고르시오.

> 귀사가 구입한 라디오는 1년 간 보증을 받으므로, 우리는 귀사가 수리 센터에 연락하시기를 제안합니다. We suggest that you (　　　　　) the repair center because the radio you purchased have a 1 year warrant.

① contact　　② contacted
③ would contact　　④ would have contacted

29 아래 ________에 들어갈 표현으로 가장 바르지 않은 것은?

> V : Good afternoon. Is this Mr. Kim's office?
> S : Yes, it is. Are you Mr. James Taylor from Seoul Bank?
> V : Yes, I am.
> S : We've been ①________ you. I'm Miss Choi,
> Mr. Kim's secretary.
> V : Nice to meet you, Miss Choi.
> S : Pleased to meet you, Mr. Taylor.
> Mr. Kim is ②______ a meeting now.
> He should be back ③______ about 10 minutes.
> Please have a ④________.
> V : Thank you.

① waiting　　② in　　③ in　　④ seat

30 다음 보기 중 빈칸에 들어갈 내용으로 가장 적절한 것은?

> A : May I speak to Mr. White?
> B : ______________________________
> A : This is Taehee Kim from ABC Company.

① Who's calling, please?　　② Would you like to wait?
③ May I help you?　　④ When will you be back?

31 다음 대화의 빈칸에 들어갈 내용으로 가장 적절하지 않은 것은?

S : Would you like to have a seat over there while you're waiting?
V : Thank you.
S : ________________ Just a moment, please.
Can I get you something to drink?
V : Yes, I would like a cup of coffee, please.

① Mr. Brown will be here shortly.
② Mr. Brown will be with you in a minute.
③ Is Mr. Brown speaking?
④ Mr. Brown will see you soon.

32 다음 내방객 응대의 대화에서 한글 뜻에 가장 적절한 영어 표현을 고르세요.

Secretary : 성을 어떻게 발음하시지요?
Visitor : It's Robinson.
Secretary : Thank you, Mr. Robinson.

① What do you pronounce your last name?
② How do you pronounce your last name?
③ How do you pronounce your first name?
④ What do you pronounce your first name?

33 다음 전화대화에서 밑줄 친 부분의 영어표현으로 가장 알맞은 것은?

Secretary : Good morning, Mr. Smith's office.
May I help you?
Kim : This is Eugene Kim of Morris Securities.
May I speak to Mr. Smith?
Secretary : 통화 중 이십니다.

① I'm afraid he hangs up.
② I'm afraid he's on another line.
③ I guess he changes his call.
④ I guess his line is very terrible.

34 다음 ________에 들어갈 표현으로 적절한 것은?

A : I'd like to book a flight to Seoul on the 23rd of January.
B : There are no vacant seats.
A : Then can you find me a seat on the 22nd or 24th instead?
B : I'm sorry. Every flight is fully booked.
A : ________________________________
B : May I have your name please?

① Let me check if there are any seats available.
② We have two flights available on that day.
③ Can you place my name on the waiting list, then?
④ Can I have your passport and a credit card?

35 아래의 전화 메모에 해당되지 않는 내용은?

TELEPHONE MEMO

Date *Jun 10* Time AM :
PM : *2 : 00*

To *Mr. C. Lewis*

While you were out

Mr. Nick Jordan
Of *CSC Business Software*
Tel No. *554-9088* Ext ______

☐ Telephoned ☐ Will Call Again
☐ Returned your call ☐ Came to see you
☑ Please call ☐ Wants to see you

Message *He wants your return call as soon as possible*

Taken by *M. S. Kim*

① 전화를 걸은 사람은 Mr. Nick Jordan이다.
② Mr. Jordan은 Mr. Lewis가 가능하면 빨리 연락해줄 것을 요청한다.
③ Mr. Lewis는 CSC Business Software에 근무하고 있다.
④ 전화를 받은 사람은 M. S. Kim이다.

36 아래 ________에 들어갈 표현으로 적합하지 않은 것은?

S : Good morning, Unilever Korea. May I help you?
C : Good morning. This is William Johnson of the Citibank.
Can I speak to Mr. Cha of R&D Department, please?
S : ______________ Mr. Johnson. I'll connect you.
C : Thank you

① Hold on, please
② Just a moment
③ Hang up the line, please
④ One moment, please

37 다음 한글 뜻에 맞는 영어 문장으로 가장 적절한 것은?

Receptionist : Good evening, Continental. May I help you?
Secretary : Good evening.
11월 2일 오후 6시 예약을 취소하고 싶습니다.

① I'd like to postpone my reservation in November 2nd at 6 o'clock.
② I'd like to put off my reservation on November 2nd on 6 o'clock.
③ I'd like delete my reservation in 2nd November on 6 o'clock.
④ I'd like to cancel my reservation on November 2nd at 6 o'clock.

38 다음 보기의 대화 내용이 가장 적절하지 않은 것은?

① A : How long will it take to Paris? B : About 2 hours.
② A : What's the purpose of your visit? B : Sightseeing.
③ A : May I see your passport, please? B : Sure, here it is.
④ A : Are there any message for me? B : Go ahead.

39 아래 대화에서 회의는 언제 시작하기로 예정되어 있었는가?

A : John, where are you now? It's 2:30.
The meeting starts in 10 minutes as scheduled.
B : I'm in my car. There is a traffic accident on my way.
I'm sorry I'll be a little late. I'll be there as soon as I can.
A : It can happen to anyone.
We'll start the meeting without you.

① 2시 20분
② 2시 25분
③ 2시 30분
④ 2시 40분

40 다음 일정표의 내용과 일치하지 않는 것은?

Mr. C. Brown

	Mon 12	Tues 13	Wed 14	Thurs 15	Fri 16
09 : 00	staff meeting	write report	free	business trip	business trip
11 : 00	meet customer	free	training class	↓	↓
13 : 00	free	budget meeting	visit IBC	↓	free
15 : 00	visit plant	free	↓	↓	meet customer
17 : 00	↓	↓	↓	↓	

① Mr. Brown은 월요일에 공장방문이 있다.
② Mr. Brown은 화요일 오후 1시에 품질관리 회의가 있다.
③ Mr. Brown은 목요일과 금요일에 출장일정이 있다.
④ Mr. Brown은 화요일 오전에 보고서를 작성할 예정이다.

■ 〈제3과목〉 사무정보관리

41 다음 중 밑줄 친 부분의 맞춤법이 올바른 것은?

① 이 자리를 빌어 감사인사를 드립니다.
② 그럼 다음 주에 뵈요.
③ 이것보다 저것이 낳다.
④ 사고난 지 도대체 며칠 째야?

42 다음 중 시행 문서 발송을 위한 직인 날인 또는 직인생략 표시 처리가 가장 적절한 것은?

①

대 한 상 공 회 의 소 회 장 [대한상공회의소회장의직인]

②

대 한 상 공 회 의 소 회 장 [대한상공회의소회장의직인]

③

대 한 상 공 회 의 소 회 장 [직인생략]

④

[직인생략] 대 한 상 공 회 의 소 회 장

43 직무 전결 규정에 의거하여 기안문 결재를 진행하고 있다.
부사장이 전결해야 하는 안건이며, 부사장은 현재 해외 출장 으로 부재중이며 부사장의 직무대리자는 전무이사이다. 이때 문서의 결재 처리가 가장 올바른 것은?

① 대리 김희성 팀장 구동매 전무이사 전결 최유진
② 대리 김희성 팀장 구동매 전무이사 대결 최유진 부사장 전결 고애신
③ 대리 김희성 팀장 구동매 전무이사 대결 최유진 부사장 전결
④ 대리 김희성 팀장 구동매 전무이사 전결 최유진 부사장 대결

44 다음 설명에 해당하는 문서의 종류로 가장 적절한 것은?

- 결재가 완료된 후 결재 문서의 내용을 내부 또는 외부에 표시하기 위한 문서이다.
- 문서의 효력을 발생하게 하는 절차이다.
- 결재가 완료된 후 외부에 발송되는 문서를 의미한다.

① 기안문　② 시행문　③ 의례문　④ 사문서

45 편지 내용문과 주소록 파일을 디스켓이나 USB 등에 담아 우체국 또는 인터넷 우체국을 통해서 접수하면 내용문 출력부터 봉투에 넣어 배달하는 전 과정을 우체국에서 대신해주는 서비스에 해당 하는 우편 서비스의 명칭은?

① 편지 병합　② 우편 대행 서비스
③ e-그린우편　④ 인터넷우편대행 서비스

46 다음 중 문서가 필요한 이유에 해당하지 않는 것은?

① 사무처리결과의 전자화　② 사무처리결과의 증빙
③ 사무처리를 위한 의사소통　④ 복잡한 내용의 체계적인 정리

47 다음 안내문에 대한 설명이 가장 적절하지 않은 것은?

신록의 계절을 맞이하여 귀하의 평화와 발전을 기원합니다.
다음과 같이 신사옥으로 이전하게 되어 안내드립니다.

– 다 음 –

1. 신사옥 주소 : 서울시 양천구 오목로 298
2. 신사옥 이전일 : 20XX년 X월 15일 X요일
3. 약도 : 붙임

① 의례문서의 일종이다.
② 문서에 적힌 수신자의 소속, 직위, 이름이 봉투와 일치하는지 확인한다.
③ 안내문은 가을에 작성되었다.
④ 약도는 별도의 문서로 작성되어 첨부되었다.

48 다음 중 공문서에 어울리도록 순화하여 가장 올바르게 작성한 문장은?

① 이 문서는 김미소 비서에 의해 작성되었다.
② 김미소 비서가 이 문서를 작성하였다.
③ 우리 회사의 목표는 높은 성과를 받는 데 있다.
④ 이번 중간고사에 있어서 부정행위를 엄단합니다.

49 다음 광디스크의 용량이 작은 것에서 큰 순서대로 된 것은?

① CD-bluray-DVD
② DVD-CD-bluray
③ bluray-DVD-CD
④ CD-DVD-bluray

50 비서가 업무상 소셜 미디어를 활용하는 태도로 가장 적절하지 않은 것은?

① 회사의 SNS를 수시로 모니터링하여 소비자들의 반응을 살피고 이슈가 되는 내용을 파악한다.
② 비서는 자신의 회사뿐만 아니라 경쟁사들의 SNS에도 관심을 갖고 모니터링을 한다.
③ 회사가 사용하는 SNS뿐만 아니라 새로 만들어지고 운영 되는 SNS의 기능과 특징을 파악하여 상사에게 보고한다.
④ 사내 직원들이 회사 SNS를 활용하고 홍보할 수 있도록 권장 하는 일은 사내 홍보 관련 부서의 업무이므로 관여하지 않는다.

51 다음 설명이 의미하는 것으로 가장 적절한 것은?

> www.korcham.net 등과 같은 도메인 주소를 컴퓨터가 인식할 수 있도록 123.233.135.2와 같은 인터넷 프로토콜 주소로 변환해주는 서버를 뜻한다.

① DNS 서버
② 게이트웨이
③ 서브넷 마스크
④ IP 주소

52 다음 중 저장 용량이 가장 작은 단위는?

① GB ② KB
③ MB ④ TB

53 신문사나 방송사가 정보를 선택하여 독자나 시청자에게 전달하는 방식과는 달리, 독자의 요구에 따라 가공, 편집한 정보를 전달하는 방식을 의미하는 용어는?

① NOD ② VOD
③ NIE ④ UCC

54 다음 중 컴퓨터 범죄에 해당하지 않는 것은?

① 피싱 ② 파밍
③ 스미싱 ④ 패싱

55 다음 중 컴퓨터가 바이러스에 감염되었을 때 사용할 수 있는 소프트웨어가 아닌 것은?

① V3 ② 비트디펜더(Bitdefender)
③ 노턴안티바이러스 ④ 파이어폭스

56 비서 업무 중 보안 관리의 태도로 가장 부적절한 것은?

① 업무와 관련된 회사 내부 직원들의 요청이 있을 시 상사의 자세한 일정을 공유하여 업무 효율성을 높인다.
② 상사가 건넨 명함의 분실에 대비하여 사본을 복사하여 관리 하도록 한다.
③ 상사를 대신하여 이메일을 발송할 경우 바로 전송하지 말고 그 초안을 상사에게 보고하고 확인받는다.
④ 상사가 받은 명함의 정보를 타인에게 알려 주거나 외부에 유출되지 않도록 주의를 기울인다.

57 김비서는 고용지원장려금을 신청하기 위해 신규직원 고용계약서를 스캔하여 JPG파일로 저장한 후 고용보험 홈페이지에 업로드하려고 하였다. 그런데 파일의 크기가 업로드 기준에 비해 너무 커서 업로드 되지 않았다. 이때 파일의 크기를 편집할 소프트웨어로 가장 적절한 것은?

① 윈도우 미디어 플레이어
② 한글
③ 스프레드시트 프로그램
④ 그림판

58 상사의 스마트폰을 관리하는 비서로서 인지하고 있어야 할 스마트폰 사용 보안수칙으로 가장 적절하지 않은 것은?

① 블루투스, Wi-Fi 기능은 평소 꺼두는 것이 좋다.
② 은행보안카드 등 중요한 개인정보는 가급적 스마트폰에 저장하지 않아야 한다.
③ 잠금화면은 신속한 응대를 위하여 보안설정(패턴, 지문인식 등)을 적용하지 않는다.
④ 백신앱은 반드시 설치하여 사용한다.

59 다음 중 정보전송기기가 아닌 것은?

① 전화기
② 팩스
③ 화상회의시스템
④ 문서세단기

60 다음 중 클라우드 서비스에 관련한 사항으로 가장 거리가 먼 것은?

① 공간적 제약 없이 파일의 보관 및 관리가 용이하다.
② 사용자 데이터 및 자료를 온라인 서버에 저장해 두고 필요시 다운로드 해서 사용한다.
③ 대용량 파일이나 문서를 공유하기 용이하다.
④ 블로그와 트위터가 대표적인 서비스이다.

2018년 2회 비서 3급 확정답안					
비서실무		사무영어		사무정보관리	
문항 번호	정답	문항 번호	정답	문항 번호	정답
1	③	21	①	41	④
2	④	22	④	42	①
3	②	23	①	43	③
4	③	24	②	44	②
5	④	25	②	45	③
6	④	26	①	46	①
7	④	27	④	47	③
8	②	28	①	48	②
9	④	29	①	49	④
10	①	30	①	50	④
11	①	31	③	51	①
12	④	32	②	52	②
13	③	33	②	53	①
14	①	34	③	54	④
15	④	35	③	55	④
16	④	36	③	56	①
17	①	37	④	57	④
18	①	38	④	58	③
19	④	39	④	59	④
20	③	40	②	60	④

참고문헌

국회사무처 (2004). 국회의전편람, 국제국 의전과

기업지배구조센터 (2008). 이사회 운영 가이드라인

김기태 (2018). 골프 상식사전, 길벗

김미라 (2012). 델파이 기법을 통한 기업체 최고경영자 비서의 역할과 역량에 관한 연구

박지윤 (2002). 수행비서의 업무수행방법에 관한 고찰

성경배 (2001). 컨벤션의 효율적인 운영방안에 관한 연구

이지은 (2018). 서비스리더십, 백산출판사

이지은, 이준의 (2017). 글로벌의전매너, 백산출판사

이채연 (2016). 효과적 기업비서 인력양성을 위한 NCS기반 비서직무 능력의 중요도 분석

조정용 (2006). 올댓와인, 해냄

조원득 (2018). 필드에서 바로 통하는 골프 가이드, 베이직북스

조현정 (2011). 수행비서의 직무 및 역할에 관한 기초 연구

조혜령 (2006). 조직 내 커뮤니케이션 오류에 관한 연구_A회계법인 비서직 종사자를 중심으로

한나라, 최애경 (2011). 비서직무 자기효능감 척도 개발 및 타당화에 관한 연구

행정안전부 (2012). 공직자가 꼭 알아야 할 직장예절, 선진화담당관실

행정자치부 (2014). 정부의전편람, 행정자치부(의정관실)

한국비서학회 (1987). 비서학논총, 제7호, p.7, pp.9~30

한국비서학회 (1990). 비서학논총, 제10호, p.7

웹사이트

국립국어원 http://www.korean.go.kr/

국세청 http://www.nts.go.kr/

내용증명-증명서비스-우편 http://service.epost.go.kr/econprf.RetrieveEConprfReqSend.postal

대한상공회의소 자격평가사업단 http://license.korcham.net/

외교부 http://www.mofa.go.kr

위키백과 https://ko.wikipedia.org/wiki/%EC%9C%84%ED%82%A4%EB%B0%B1%EA%B3%BC

한국생산성본부 https://license.kpc.or.kr/kpc/qualfAthrz/index.do

MICE http://k-mice.visitkorea.or.kr/

NAVER 지식백과 https://terms.naver.com/

아티클

http://gonggam.korea.kr/newsView.do?newsId=148697150
http://news.khan.co.kr/kh_news/khan_art_view.html?art_id=200911191818365
http://news.kbs.co.kr/news/view.do?ncd=2973251
http://news.chosun.com/site/data/html_dir/2008/01/11/2008011101176.html

저자 소개

이지은

- 피아이씨컴퍼니(President Identity Company) 대표
- 부천대학교 비서사무행정학과 겸임교수
- 경민대학교 국제비서과 겸임교수
- 연성대 항공서비스과 외래교수
- 한국취업컨설턴트협회 전문위원
- 한국고객서비스협회 전문교수
- 소상공인시장진흥공단 전문교수
- CS Leaders(관리사) 자격증 출제위원
- 중앙선거관리위원회 국제의전매뉴얼 자문교수 역임
- PIC(CEO PI 컨설턴트) 자격증 검정 및 출제위원 역임
- PBM(퍼스널브랜딩 매니지먼트 컨설턴트) 자격증 검정 및 출제위원 역임
- 국내 대기업 그룹총수 전략비서 역임
- 국내 대기업 비서채용면접관 역임
- 호주한국대사관 통역/의전비서 역임

〈저서〉
- 글로벌 의전매너
- 서비스 리더십
- 서비스경영론

비서실무론

2018년 8월 30일 초　판 1쇄 발행
2019년 2월 25일 개정판 1쇄 발행

지은이 이지은
펴낸이 진욱상
펴낸곳 (주)백산출판사
교　정 편집부
본문디자인 오행복
표지디자인 오정은

저자와의 합의하에 인지첩부 생략

등　록 2017년 5월 29일 제406-2017-000058호
주　소 경기도 파주시 회동길 370(백산빌딩 3층)
전　화 02-914-1621(代)
팩　스 031-955-9911
이메일 edit@ibaeksan.kr
홈페이지 www.ibaeksan.kr

ISBN 979-11-89740-29-0 93370
값 25,000원